Anjo da escuridão

OBRAS DO AUTOR PUBLICADAS PELA EDITORA RECORD

As areias do tempo
Um capricho dos deuses
O céu está caindo
Escrito nas estrelas
Um estranho no espelho
A herdeira
A ira dos anjos
Juízo final
Lembranças da meia-noite
Manhã, tarde & noite
Nada dura para sempre
A outra face
O outro lado da meia-noite
O plano perfeito
Quem tem medo de escuro?
O reverso da medalha
Se houver amanhã

INFANTOJUVENIS
Conte-me seus sonhos
Corrida pela herança
O ditador
Os doze mandamentos
O estrangulador
O fantasma da meia-noite
A perseguição

MEMÓRIAS
O outro lado de mim

COM TILLY BAGSHAWE
Um amanhã de vingança (sequência de
Em busca de um novo amanhã)
Anjo da escuridão
Depois da escuridão
Em busca de um novo amanhã (sequência de *Se houver amanhã*)
Sombras de um verão
A senhora do jogo (sequência de *O reverso da medalha*)
A viúva silenciosa
A fênix

SIDNEY SHELDON
e TILLY BAGSHAWE

Anjo da escuridão

Tradução de
Michele Gerhardt

15ª edição

EDITORA RECORD
RIO DE JANEIRO • SÃO PAULO
2025

CIP-BRASIL. CATALOGAÇÃO NA FONTE
SINDICATO NACIONAL DOS EDITORES DE LIVROS, RJ

Sheldon, Sidney, 1917-2007
S548a   Anjo da escuridão / Sidney Sheldon, Tilly Bagshawe; 15ª ed. tradução de Michele Gerhardt. – 15ª ed. – Rio de Janeiro: Record, 2025.

Tradução de: Angel of the dark
ISBN 978-85-01-09933-4

1. Romance americano. I. Bagshawe, Tilly. II. Gerhardt, Michele. III. Título.

12-2783   CDD: 813
                                           CDU: 821.111(73)-3

Título original em inglês:
ANGEL OF THE DARK

Copyright © 2012 by Sidney Sheldon Family Limited Partnership

Texto revisado segundo o novo Acordo Ortográfico da Língua Portuguesa.

Todos os direitos reservados. Proibida a reprodução, no todo ou em parte, através de quaisquer meios. Os direitos morais dos autores foram assegurados.

Editoração eletrônica: Abreu's System

Direitos exclusivos de publicação em língua portuguesa somente para o Brasil adquiridos pela
EDITORA RECORD LTDA.
Rua Argentina, 171 – Rio de Janeiro, RJ – 20921-380 – Tel.: (21) 2585-2000, que se reserva a propriedade literária desta tradução.

Impresso no Brasil

ISBN 978-85-01-09933-4

Seja um leitor preferencial Record.
Cadastre-se no site www.record.com.br e receba informações sobre nossos lançamentos e nossas promoções.

Atendimento e venda direta ao leitor:
sac@record.com.br

Para minha irmã, Alice

Deixam rastro as asas cinzentas,
De Azrael, Arcanjo da Morte,
E ainda assim, se as almas que Azrael carrega
Através da escuridão gelada,
Olharem embaixo de suas asas dobradas,
Verão que suas faces são douradas.

— ROBERT GILBERT WELSH, "AZRAEL" (1917)

PARTE 1

Capítulo 1

LOS ANGELES, 1996

ELE RECEBEU A LIGAÇÃO por volta das 9 da noite.

— Unidade 8A73. Pegue, por favor.

— Sim, aqui é a 8A73.

O policial bocejou ao responder o chamado no rádio. Tivera uma noite longa e entediante fazendo a ronda por West Hollywood e, por ele, já podia dormir.

— O que houve?

— Recebemos uma ligação de emergência. De uma mulher. Histérica.

— Provavelmente minha esposa — brincou ele. — Esqueci nosso aniversário de casamento ontem. Ela quer minhas bolas em uma bandeja.

— Sua esposa é espanhola?

— Não.

— Então não é ela.

Ele bocejou de novo.

— Endereço?

— Loma Vista, 420.

— Vizinhança legal. O que aconteceu, a empregada esqueceu de passar a quantidade certa de caviar na torrada dela?

O operador riu.

— Provavelmente VD.

Violência Doméstica.

— Provavelmente?

— A mulher estava gritando tanto que foi difícil entender o que ela estava dizendo. Vamos mandar reforços, mas vocês estão mais perto. Em quanto tempo conseguem chegar lá?

O policial hesitou. Mickey, parceiro dele, tinha largado o plantão mais cedo para ficar com mais uma vadia da Hollywood Boulevard. Mickey trocava de vadias como os homens trocavam de meias. Ele sabia que não devia acobertar Mickey, mas o parceiro era tão convincente, que dizer não para o cara era como tentar nadar contra a maré. *Fazer o quê?* Se admitisse que estava sozinho, os dois seriam punidos. Mas a outra alternativa, que era aparecer sozinho na VD, não parecia uma ideia muito tentadora. Maridos violentos não costumavam ser fãs da polícia de Los Angeles.

Merda.

— Estaremos lá em cinco minutos.

É melhor que essa vadia do Mickey valha a pena.

Loma Vista, 420 era uma enorme mansão no estilo Missão Espanhola da década de 1920, bem no alto de Hollywood Hills. Um discreto portão revestido de heras e colocado no meio de um muro de 5 metros de altura não dava a menor pista da opulência que escondia: um caminho cheio de curvas e jardins tão grandes e perfeitos que mais pareciam um country clube do que o terreno de uma residência particular.

O policial mal percebeu a beleza do imóvel. Estava olhando para a cena de um crime.

Portão aberto.

Porta da frente entreaberta.

Nenhum sinal de arrombamento.

O lugar estava estranhamente quieto. Pegou a arma.

— Polícia!

Nenhuma resposta. Quando o eco de sua própria voz sumiu, de algum lugar no andar de cima veio um gemido, como se fosse uma chaleira com água quase fervendo. Nervoso, ele subiu as escadas.

Maldito Mickey!

— Polícia — gritou ele de novo, mais alto desta vez. O gemido vinha de um dos quartos. Ele entrou, a arma na mão. *Que merda!* Escutou uma mulher gritando, depois ele ouviu um estalo da sua própria cabeça ao bater no chão. As tábuas de madeira eram tão escorregadias quanto um derramamento de óleo.

Mas não era óleo que estava deixando as tábuas escorregadias.

Era sangue.

O DETETIVE DANNY MCGUIRE da Divisão de Homicídios tentou esconder sua frustração. A empregada não falava coisa com coisa.

— *Pudo haber sido el diablo! El diablo!*

Não é culpa dela, o detetive Danny McGuire lembrou a si mesmo. A pobre mulher estava sozinha em casa quando os encontrou. Não era de se admirar que ainda estivesse histérica.

— *Esa pobre mujer! Quién podía hacer uma cosa terrible como esa?*

Após seis anos trabalhando em casos de homicídios, não era fácil deixar o detetive Danny McGuire impressionado. Mas desta vez, isso tinha acontecido. Examinando a carnificina à sua frente, Danny podia sentir o hambúrguer que comera mais cedo subindo pelo esôfago em uma tentativa desesperada de sair. Não era de se admirar que o oficial que tinha chegado à cena não conseguira se conter. À sua frente, estava o trabalho de um maníaco.

Se não fosse pelo mar de sangue escorrendo pelas tábuas, poderia parecer um assalto. O quarto tinha sido saqueado. Gavetas abertas, estojos de joias vazios, roupas e fotografias espalhadas por todos os lados. Mas o verdadeiro horror estava aos pés da cama. Dois corpos, de um homem e de uma mulher. A primeira vítima, um velho de pijama, tivera o pescoço cortado tantas vezes e de forma tão frenética que sua cabeça estava quase completamente solta do pescoço. Fora amarrado como um animal em um matadouro com cordas que pareciam de escalada. Quem quer que o tenha matado amarrou seu cadáver mutilado ao corpo nu da segunda vítima, uma mulher. Uma mulher muito bonita e jovem, a julgar pela perfeição de seu corpo, mas tinham batido tanto em seu rosto que era difícil dizer com certeza. Só de olhar para as coxas e área púbica ensanguentadas, uma coisa ficava totalmente clara: ela tinha sido violentamente estuprada.

Cobrindo a boca, o detetive Danny McGuire se aproximou dos corpos. O cheiro de sangue fresco era muito forte. Mas não foi isso que fez com que ele recuasse.

— Pegue uma faca — disse ele para a empregada.

Ela o fitou sem compreendê-lo.

— *Cuchillo* — repetiu ele. — Agora! E alguém ligue para uma ambulância, ela ainda está respirando.

A FACA APARECEU. GENTILMENTE, Danny McGuire começou a cortar as cordas que prendiam os corpos do homem e da mulher um ao outro. O toque dele pareceu despertá-la. Ela começou a chorar baixinho, oscilando entre um estado de consciência e torpor. Danny se ajoelhou e abaixou de forma que sua boca ficasse perto do ouvido dela. Mesmo depois de ter sido espancada, ele não pôde deixar de notar o quanto ela era bonita, cabelo escuro, seios fartos, com pele macia como a de um bebê.

— Sou um oficial de polícia — sussurrou ele. — Você está a salvo agora. Vamos levá-la para um hospital. — Quando as cordas se soltaram, a cabeça do homem caiu grotescamente contra o ombro de Danny, como se fosse uma horrenda máscara de Halloween. O policial teve ânsia de vômito.

Um de seus homens bateu em seu ombro.

— Definitivamente foi um assalto, senhor. O cofre foi esvaziado. Levaram as joias e alguns quadros.

Danny assentiu.

— Nomes das vítimas?

— A casa pertence a Andrew Jakes.

Jakes. O nome lhe era familiar.

— Ele era um negociador de obras de arte.

— E a moça?

— Angela Jakes.

— Filha dele?

O policial riu.

— Neta?

— Não, senhor. Ela é esposa dele.

Burro, pensou Danny, *é claro que ela é esposa dele. Isso aqui é Hollywood, afinal. O velho Jakes devia valer uma fortuna.*

Finalmente, as cordas se soltaram por completo. *Até que a morte nos separe,* pensou Danny enquanto Angela Jakes literalmente se livrava do corpo do marido e caía nos braços do oficial. Tirando o sobretudo, Danny jogou a peça por cima dos ombros dela, cobrindo sua nudez. Ela estava consciente de novo e tremia.

— Está tudo bem — disse ele. — Está a salvo agora. Angela, não é esse seu nome?

A moça fez que sim com a cabeça, sem dizer nada.

— Você pode me contar o que aconteceu, querida?

Ela olhou para ele e, pela primeira vez, Danny pôde ver a extensão dos ferimentos dela. Dois olhos roxos, um estava tão inchado que não abria, e cortes por toda a parte superior do corpo. Marcas de arranhões. *Ela deve ter lutado muito,* pensou.

— Ele me machucou.

A voz dela mal passava de um sussurro. O simples esforço de falar parecia deixá-la exausta.

— Sem pressa.

Ela parou. Danny esperou.

— Ele disse que soltaria Andrew se... Se eu... — Ao olhar o corpo ensanguentado do marido, ela começou a soluçar descontroladamente.

— Alguém cubra o corpo dele, pelo amor de Deus — disse Danny aos demais. Como poderia querer que a moça falasse alguma coisa concreta para ele com aquela cena de horror aos pés dela?

— Não podemos, senhor. Ainda não. Os peritos ainda não acabaram de examinar o corpo.

Danny lançou um olhar de censura para o sargento.

— Eu disse para cobri-lo.

O rosto do sargento empalideceu.

— Sim, senhor.

Um cobertor foi jogado em cima do corpo de Andrew Jakes, mas era tarde demais. A esposa dele já estava em profundo estado de choque, balançando o corpo para a frente e para trás, olhos vidrados, falando sozinha. Danny não conseguia entender direito o que ela estava dizendo. Parecia algo como: *eu não tenho vida.*

— A ambulância já chegou?

— Sim, senhor. Acabou de chegar.

— Ótimo.

O detetive Danny McGuire se afastou da vítima para que ela não pudesse escutá-lo, reunindo seus homens à sua volta num pequeno círculo.

— Ela precisa de um médico e de uma avaliação psicológica. Oficial Menendez, vá com ela. Certifique-se de que o médico cuide dela logo e faça todos os exames, use o kit de estupro, exame de sangue, todo o protocolo.

— Claro, senhor.

Amanhã, o detetive Danny McGuire interrogaria Angela Jakes adequadamente. O estado dela não permitia que fizesse isso esta noite.

— É melhor levar a empregada junto — acrescentou ele. — Não consigo nem escutar meus próprios pensamentos com ela chorando no meu ouvido.

Um jovem louro e magro, usando óculos com armação de tartaruga, entrou no quarto.

— Desculpe a demora, senhor.

O detetive David Henning podia ser um nerd, mas tinha um dos melhores e mais lógicos cérebros da corporação. O detetive Danny McGuire ficou feliz em vê-lo.

— Ah, Henning. Ótimo. Ligue para as seguradoras e consiga um inventário de tudo que foi levado. Depois verifique as casas de penhores e sites e veja o que encontra.

Henning assentiu.

— E alguém entre em contato com a empresa que faz a segurança. Uma casa como esta deve ter alarmes por todos os lados, mas parece que nosso assassino entrou aqui sem qualquer problema esta noite.

O oficial Menendez disse:

— A empregada mencionou que escutou um barulho alto por volta das 8 da noite.

— Um tiro?

— Não. Também fiz essa mesma pergunta, mas ela disse que parecia mais um móvel caindo. Ela estava subindo para ver, mas a Sra. Jakes a impediu dizendo que ela mesma subiria.

— E depois?

— Depois nada. A empregada subiu às 8h45 da noite para trazer o chocolate quente que o velho tomava toda noite. Foi quando ela os encontrou e ligou para a emergência. *Chocolate quente?* Danny McGuire tentou visualizar a vida conjugal dos Jakes. Visualizou um velho rico e libertino relaxando seus membros cheios de artrose na cama ao lado da esposa jovem e sexy todas as noites — depois esperando a empregada trazer uma boa xícara de chocolate quente! Como Angela Jakes podia tolerar ser tocada por uma criatura tão decrépita? Danny imaginou os dedos esqueléticos e manchados do velho acariciando os seios de Angela, as coxas. Era irracional, mas pensar isso o deixou furioso. *Será que isso também deixava outras pessoas furiosas?*, perguntou-se Danny. *Furiosas o suficiente para matar?*

Na manhã seguinte, Danny McGuire dirigiu até o Centro Médico Cedars-Sinai. Estava ansioso. Este era seu primeiro caso grande de assassinato. A vítima, Andrew Jakes, era da alta sociedade de Beverly Hills. Um caso como esse poderia proporcionar a Danny uma carreira de sucesso se ele jogasse as cartas certas. Mas não era apenas as expectativas de sua carreira que o deixavam ansioso, mas também a expectativa de rever Angela Jakes.

Havia algo singularmente atraente na jovem Sra. Jakes, algo além de sua beleza e daquele corpo perfeito, feito para o sexo, que assombrou os sonhos de Danny na noite passada. Todas as evidências circunstanciais levavam a crer que a moça era uma interesseira sem-vergonha. Mas Danny se viu torcendo para que ela não fosse e para que houvesse outra explicação para o casamento de Angela com um homem com idade suficiente para ser avô dela. Danny McGuire odiava mulheres interesseiras. Não queria ter de odiar Angela Jakes.

— Como está a paciente?

A enfermeira de plantão do lado de fora do quarto particular de Angela Jakes fitou Danny de forma desconfiada.

— Quem deseja saber?

Danny tirou seu distintivo e abriu seu sorriso irlandês mais sedutor.

— Ah! Bom dia, detetive! — A enfermeira retribuiu o sorriso, disfarçadamente olhando para a mão direita dele, à procura de uma aliança. Para um policial, ele era bem atraente: maxilar forte, olhos azuis e cachos pretos de um cabelo grosso que fariam o namorado da enfermeira morrer de inveja. — A paciente está cansada.

— Muito cansada? Posso interrogá-la?

Você pode me interrogar, pensou a enfermeira, admirando o corpo atlético de Danny por baixo da camisa branca e simples da Brooks Brothers.

— O senhor pode vê-la, contanto que pegue leve. Ela tomou morfina por causa da dor no rosto. O osso da face foi fraturado e um dos olhos está muito machucado. Mas ela está lúcida.

— Obrigado — disse Danny. — Serei o mais breve possível.

Para um quarto de hospital, era bem luxuoso. Havia belos quadros a óleo pendurados nas paredes. Uma poltrona Wesley-Barrel para visitantes em um canto, e tinha um jarro com uma delicada orquídea na janela. Angela Jakes estava recostada sobre dois travesseiros. Os hematomas em volta dos olhos tinham clareado da cor de ameixa da noite anterior para um arco-íris de cores escuras. Pontos recentes em sua testa davam uma impressão desconcertante de um manequim de penteados, aqueles de salão de cabeleireiro; mas ainda assim ela continuava deslumbrantemente linda, atraente de uma forma que Danny não se lembrava de já ter visto antes.

— Olá, Sra. Jakes. — Ele mostrou o distintivo de novo. — Detetive Danny McGuire. Não tenho certeza se você se lembra. Nos conhecemos ontem à noite.

Angela Jakes abriu um leve sorriso.

— Claro que me lembro de você, detetive. Você me deu o seu casaco. Lyle, este é o policial de quem estava lhe falando.

Danny virou-se. Encostado na parede atrás dele, estava provavelmente o homem mais bonito que Danny já vira fora das telas de cinema. Alto, pele morena, com os traços aquilinos perfeitos de um caçador, cabelo muito preto, e olhos azuis no formato de amêndoas, como os de um gato siamês, ele fitou Danny de forma reprovadora. Vestia um terno caro e, quando se moveu, era quase como assistir a óleo se espalhando sobre um lago: suave e fluido, quase viscoso.

Na mesma hora, Danny percebeu quem ele era. *O advogado.* Franziu o lábio superior. Com raras exceções, não gostava de advogados.

— Quem é o senhor e o que faz aqui? A Sra. Jakes não deveria receber visitas.

— Lyle Renalto. — A voz do homem era quase um ronronar. Aproximando-se da cabeceira de Angela Jakes, ele colocou a mão possessivamente sobre a dela. — Sou amigo da família.

Danny olhou para o casal jovem e atraente de mãos dadas na sua frente e chegou a uma conclusão inevitável: *Certo. E eu sou a Rainha de Sabá. Amigo da família, uma ova.*

— Lyle era advogado de Andrew — disse Angela. A voz era baixa e rouca, não parecia em nada com o sussurro amedrontado da noite anterior. — Conchita ligou para ele ontem à noite e o avisou do que tinha acontecido. Ele veio direto para cá. — Ela apertou a mão de Lyle Renalto com gratidão, seus olhos marejados de lágrimas. — Ele está sendo maravilhoso.

Aposto que sim.

— Se a senhora estiver de acordo, Sra. Jakes, gostaria de lhe fazer algumas perguntas.

Lyle Renalto rapidamente se pronunciou:

— Agora não. A Sra. Jakes está muito cansada. O senhor pode me enviar as perguntas que providenciarei que ela as responda assim que estiver descansada.

Danny retrucou na mesma hora.

— Eu estava falando com ela, Sr. Lyle Renalto.

— Seja como for, a Sra. Jakes acabou de passar por uma provação indescritivelmente terrível.

— Eu sei, e estou tentando pegar o cara que fez isso.

— Além de testemunhar o assassinato do marido, ela foi violentamente estuprada.

Danny estava perdendo a paciência.

— Sei exatamente o que aconteceu, Sr. Renalto. Eu estive lá.

— Eu não testemunhei o assassinato de Andrew — Angela os interrompeu.

Os dois homens viraram para Angela, mas a atenção dela estava toda voltada para Danny. Com uma sensação ridícula de triunfo, ele se aproximou da cama, deixando Renalto de fora.

— A senhora poderia me dizer o que *testemunhou*?

— Angel, você não precisa dizer nada — intrometeu-se o advogado.

Danny levantou uma sobrancelha.

— Angel era como meu marido me chamava — explicou a Sra. Jakes. — Todos os amigos dele me chamavam assim. Não que eu seja um anjo, de forma alguma. — Ela abriu um leve sorriso. — Tenho certeza de que às vezes eu não era nada fácil para o pobre Andrew.

— Duvido muito disso — disse Danny. — A senhora estava me contando sobre ontem à noite. Sobre o que aconteceu.

— Sim. Andrew estava no segundo andar, na cama. Eu estava no térreo, lendo.

— A que horas foi isso?

Ela pensou.

— Umas 8, acho. Escutei um barulho lá em cima.

— Que tipo de barulho?

— Um estrondo. Achei que Andrew pudesse ter caído da cama. Isso vinha acontecendo recentemente. De qualquer forma, Conchita apareceu correndo, também tinha escutado o barulho, mas eu disse que eu mesma iria lá em cima ver. Andrew era um homem orgulhoso, detetive. Se ele estivesse... — Ela procurou a palavra certa. — Se ele estivesse incapacitado de alguma forma, não iria querer que Conchita o encontrasse. Ele iria preferir que fosse eu.

— Então, a senhora subiu sozinha?

Ela respirou fundo e fechou os olhos, lutando contra a lembrança.

Lyle Renalto deu um passo à frente.

— Angel, por favor. Não há necessidade de passar por esse incômodo.

— Está tudo bem, Lyle, mesmo. O detetive precisa saber. — Ela virou-se de novo para Danny. — Subi sozinha. Quando estava entrando no quarto, alguém me atingiu por trás. É a última coisa de que me lembro, da dor na cabeça. Quando acordei, ele estava... Estava me estuprando.

— Você poderia descrever o homem? — pediu Danny. Pela sua experiência, sabia que a melhor forma de acalmar as vítimas era ir direto aos pontos mais difíceis. Uma vez que se começa com toda aquela baboseira de "eu sei como deve ter sido terrível para você", as represas se abrem e você perde a vítima.

Angela Jakes balançou a cabeça.

— Gostaria de poder. Mas ele usava uma máscara, um daqueles gorros pretos que cobrem o rosto todo.

— E sobre a estrutura física dele?

— A maior parte do tempo, ele ficou atrás de mim. Não sei. Atarracado, acho. Não era alto, mas certamente era forte. Eu lutei, e ele me bateu. Ele disse que se eu não deixasse ele continuar o que estava fazendo, machucaria Andrew. Então, parei de lutar. — Lágrimas escorriam pelo rosto inchado dela.

— Onde estava o seu marido nesta hora? Ele tentou ajudá-la? Ele tentou chamar por socorro?

— Ele... — Uma expressão de confusão cruzou o rosto dela. Ela olhou para Lyle Renalto, mas ele desviou o olhar. — Não sei onde Andrew estava. Eu não o vi. Na cama, talvez? Não sei.

— Tudo bem — disse Danny, percebendo que os níveis de ansiedade dela aumentavam. — Continue. A senhora estava lutando.

— Isso. Ele me perguntou a combinação do cofre e eu dei a ele. Depois, ele me estuprou mais uma vez. Quando terminou, me apagou de novo. Quando acordei... A primeira coisa de que me lembro é do senhor, detetive.

Ela olhou nos olhos de Danny, e ele sentiu um aperto no estômago, esquecendo-se da pergunta seguinte. Lyle Renalto, sutilmente, aproveitou-se do silêncio.

— Conchita, a empregada dos Jakes, me disse que levaram as joias de Angela e várias miniaturas valiosas. Isso está correto?

Antes que Danny pudesse responder que não tinha o hábito de deixar vazar informações confidenciais para amigos da família, Angela explodiu:

— Não dou a mínima para as joias! Andrew está morto! Eu amava meu marido, detetive.

— Tenho certeza que sim, Sra. Jakes.

— Por favor, encontre o animal que fez isso.

A mente de Danny voltou para a cena do crime na noite anterior: a piscina de sangue no chão, a cabeça ferida do velho, as feridas obscenas e nojentas nas coxas, nádegas e nos seios de Angela.

Animal era a palavra certa.

* * *

NÃO HAVIA NEM SINAL da enfermeira bonitinha do lado de fora do quarto de Angela Jakes. Enquanto Danny esperava o elevador, Lyle Renalto o alcançou.

— O senhor não gosta muito de advogados, não é mesmo, detetive?

A voz do advogado que antes era hostil, agora tinha um tom insinuante. Entretanto, era um comentário um tanto perspicaz, o que era raro.

— O que o faz pensar assim, Sr. Renalto?

Lyle sorriu.

— Sua cara. Meu pai odiava advogados com todas as suas forças. Ele ficou muito decepcionado quando me formei em direito. Venho de uma família de gente da Marinha, sabe? Na opinião do meu pai, ou era a Academia Naval dos Estados Unidos ou nada.

Danny pensou: *Por que ele está me contando isso?*

O elevador chegou. Danny entrou e apertou o G, mas Lyle colocou o braço para não deixar a porta se fechar. Seus traços de astro de cinema endureceram e os olhos de gato brilharam em sinal de aviso.

— Angela Jakes é minha amiga íntima. Não quero que você fique a rondando.

Danny perdeu a paciência.

— Isto é uma investigação de homicídio, Sr. Renalto, e não um jogo de perguntas e respostas. A Sra. Jakes é a minha testemunha-chave. Na verdade, neste momento, ela e a empregada são as minhas únicas testemunhas.

— Angela não viu o homem. Ela já lhe disse isso.

Danny franziu o cenho.

— Achei que o senhor também fosse amigo do Sr. Jakes. Não é do seu interesse encontrar o assassino dele?

— Claro que sim — respondeu Renalto.

— Ou talvez o senhor não fosse *tão* íntimo de Andrew Jakes como era da esposa dele. É isso?

Isso pareceu irritar Lyle Renalto.

— Para um detetive, o senhor parece não saber julgar muito bem as pessoas. Acha que eu e Angel somos amantes?

— São?

O advogado deu um sorriso debochado.

— Não.

Danny queria desesperadamente acreditar nele.

— Temos aqui um crime triplamente qualificado, Sr. Renalto — disse ele, tirando o braço do advogado da porta do elevador. — Estupro, assalto e assassinato. Eu realmente o aconselho a não tentar obstruir minha investigação se intrometendo entre mim e minha testemunha.

— Isso é uma ameaça, detetive?

— Chame do que quiser — disse Danny.

Renalto abriu a boca para responder, mas a porta do elevador se fechou, negando a ele a última palavra. A julgar pelo maxilar contraído e pela expressão de frustração no rosto bonito, isso não era algo que lhe acontecia com frequência.

— Adeus, Sr. Renalto.

Cinco minutos depois, de volta a Wilshire Boulevard, o telefone celular de Danny tocou.

— Henning. O que você tem para mim?

— Não muito, senhor. Nada nas lojas de penhores nem na internet.

Danny ficou carrancudo.

— Ainda é muito recente.

— Sim, senhor. Também verifiquei o testamento de Jakes.

Danny ficou satisfeito.

— E?

— A esposa fica com tudo. Nenhum outro familiar. Nenhuma instituição de caridade.

— Quanto vale tudo?

— Tirando os impostos, algo na casa dos 400 milhões de dólares.

Danny assoviou. *Quatrocentos milhões de dólares.* Era um motivo e tanto para um assassinato. Não que Angela Jakes fosse suspeita. A coitada tinha sido estuprada e espancada. Mesmo assim, Danny se lembrou das palavras que Angela murmurou repetidamente para si mesma na noite anterior. *Eu não tenho vida.* Com 400 milhões no banco, ela agora certamente tinha uma vida. A vida que quisesse.

— Mais alguma coisa? — perguntou ele ao seu sargento.

— Só mais uma coisa. As joias. Um pouco mais de 1 milhão de dólares é o valor do que foi levado do cofre e dos estojos de joias da Sra. Jakes.

Danny esperou a conclusão.

— E...?

— Nada disso tinha seguro. Sete miniaturas que valiam mais do que diamantes, e você não acrescenta isso à sua apólice de seguros? Parece estranho, não?

Parecia estranho mesmo. Mas a cabeça de Danny não estava concentrada nas apólices de seguro de Andrew Jakes.

— Escute — disse ele. — Quero que investigue para mim um cara chamado Lyle Renalto. *R-E-N-A-L-T-O.* Disse que era advogado do velho Jakes.

— Claro — concordou o detetive Henning. — O que estou procurando exatamente?

O detetive Danny McGuire respondeu com franqueza:

— Esse é o problema. Não faço ideia.

Capítulo 2

MARRAKECH, MARROCOS, 1892

A GAROTINHA OLHOU PELA JANELA da carruagem para as ruas fervilhando de sujeira e vida, barulho e fedor, pobreza e riso, e teve certeza de uma coisa: morreria neste lugar.

Tinha sido mandada para cá para morrer.

Fora criada no luxo, com privilégios e, acima de tudo, na paz, em um enorme palácio no deserto. Filha única de um nobre e de sua esposa favorita, ela recebera o nome de Miriam, em homenagem à mãe do grande profeta, e Bahia, que significava "o mais justo". Os primeiros anos de sua infância tinham sido de felicidade e amor. Dormia em um quarto com folhas de ouro nas paredes, em uma cama finamente esculpida em marfim. Vestia sedas tecidas em Ouarzazate e tingidas em Essaouira com ocre, índigo e garança, vindas, a um enorme custo, do Oriente Próximo. Tinha empregados para vesti-la, banhá-la, alimentá-la, e mais empregados para ensiná-la o Corão, música e poesia, a antiga poesia de seus ancestrais do deserto. Ela era bonita por dentro e por fora, uma criança de rosto e temperamento doce, que qualquer nobre desejaria ter, uma joia mais valiosa do que os rubis, as ametistas e as esmeraldas que adornavam os pescoços e pulsos das quatro esposas do pai.

O palácio, com seus pátios frescos e cobertos, suas fontes e cantos de pássaros, seus pratos cheios de amêndoas açucaradas e jarras de prata de chá de menta doce, era o mundo de Miriam. Era um lugar de prazer e paz, onde ela brincava com seus outros irmãos, protegida do poderoso sol do deserto e dos demais perigos de uma vida além dos altos muros de pedra. Se não fosse por um acontecimento terrível e inesperado, Miriam, sem dúvida alguma, teria vivido o resto de seus dias naquela prisão maravilhosa e dourada. Da forma como foi, aos 10 anos de idade, sua infância idílica terminou abruptamente. A mãe de Miriam, Leila Bahia, deixou o marido para ficar com outro homem, fugindo a cavalo pelo deserto em uma noite para nunca mais voltar.

O pai de Miriam, Abdullah, era um homem bom e honrado, mas a traição de Leila acabou com ele. Conforme Abdullah se afastava cada vez mais da vida e de suas tarefas diárias como chefe da família, as outras esposas aproveitaram a brecha. Sempre com ciúmes da mais jovem e bonita Leila e do favoritismo que Abdullah mostrava pela filha dessa união, as esposas começaram uma campanha para se livrar de Miriam. Lideradas por Rima, a ambiciosa primeira esposa de Abdullah, elas conseguiram convencer o marido a mandar a filha embora.

Ela vai se transformar em uma serpente, assim como a mãe, e trará ruína para todos nós.

Ela é igual à mãe.

Já a vi olhando para os empregados mais jovens, e até para Kasim, seu próprio irmão.

No final, fraco demais para resistir, e magoado demais para olhar a filha favorita nos olhos — e verdade, Miriam era exatamente igual a Leila, até a suave curva dos cílios —, Abdullah cedeu às exigências de Rima. Miriam seria mandada para morar com um dos irmãos dele, Sulaiman, um rico comerciante de tecidos em Marrakech.

A menina chorava enquanto a carruagem cruzava os portões do palácio e ela deixava o único lar que conhecera pela primeira e última vez. Adiante, as areias do deserto se estendiam à sua frente, parecendo intermináveis, uma bonita tela vazia em tons de laranja e amarelo, indo do mais intenso tom de ferrugem ao mais claro marfim. Era uma viagem de três dias, e até que avistassem os muros das antigas ameias, passaram por nada além de cabanas de nômades e ocasionais caravanas de comerciantes abrindo caminho no nada. Miriam chegou a se perguntar se realmente *existia* uma cidade. Se não era um plano perverso de suas madrastas para jogá-la na vida selvagem, como faziam com criminosos nos poemas que sua mãe costumava ler para ela. Mas então, de repente, ela estava aqui, dentro desse formigueiro humano, essa confusão de beleza e feiura, de mesquitas e favelas, de luxo e pobreza, de lordes e leprosos.

É isso, pensou assustada a menina, ensurdecida pelo barulho das mãos batendo na carruagem enquanto passavam, mãos que tentavam vender a ela tâmaras, cominho e horrorosas bonequinhas de madeira. *O apocalipse. A plebe. Eles vão me matar.*

MAS NINGUÉM MATOU MIRIAM. Em vez disso, vinte minutos depois, ela se encontrava sentada em uma das muitas salas de estar ornamentadas na *riad* do tio, uma tradicional casa marroquina, perto do mercado. Ela estava tomando o mesmo chá de menta que costumava tomar em casa e tendo seus pés e suas mãos banhados em água de rosas.

Até que um homem gordo, com a voz mais alta e intensa que Miriam já escutara, entrou na sala. Sorrindo, ele a pegou nos braços e a encheu de beijos.

— Bem-vinda, querida menina! — disse ele, feliz. — Filha de Abdullah, seja bem-vinda, flor do deserto. Seja bem-vinda, e que você prospere e floresça ainda mais em minha humilde casa.

Na realidade, a *riad* do tio Sulaiman era tudo, menos humilde. Embora fosse menor em tamanho do que o palácio de seu pai, era uma caverna de Aladim de suntuosa riqueza, beleza e refinamento, tudo pago pelos lucros dos negócios no ramo têxtil do irmão mais novo de seu pai. E Miriam *realmente* floresceu ali. Solteiro e sem filhos, seu tio Sulaiman passou a amá-la como se ela fosse sua própria filha. Pelo resto de sua vida, Sulaiman foi grato ao irmão, Abdullah, por dar-lhe um presente tão fabuloso e inestimável. Se é que era possível, ele amava Miriam mais do que os pais verdadeiros da menina tinham amado, mas o sentimento de Sulaiman era expresso de uma forma diferente. Enquanto Leila e Abdullah tinham protegido Miriam dos perigos do mundo exterior, Sulaiman a encorajava a saborear e explorar seus prazeres. É claro que ela nunca deixava a *riad* desacompanhada. Guardas iam com ela a todos os lugares. Mas sob o cuidadoso olhar deles, ela era livre para andar pelas vielas vibrantes e cheias do mercado. Ali, coisas, sons e cheiros que ela conhecia apenas dos livros fantasmagoricamente ganhavam vida. Marrakech era uma deliciosa investida em todos os sentidos. Uma cidade viva, que respirava e pulsava e enchia a tranquila alma de Miriam de excitação, curiosidade e apetite. Ao chegar à adolescência, cada dia mais bonita, seu caso de amor com a cidade se intensificou a ponto de ficar irritada e impaciente com uma simples proposta de férias no litoral.

— Mas *por que* temos de ir, tio?

Sulaiman soltava aquela sua gargalhada indulgente.

— Você faz com que isso pareça um castigo, minha querida. Essaouira é um lugar lindo e, além disso, ninguém quer ficar em Marrakech no alto verão.

— Eu quero.

— Que absurdo. O calor é insuportável.

— Eu posso suportar. Não me obrigue a ir, tio, eu lhe imploro. Prometo que dedicarei duas vezes mais tempo aos meus estudos se me deixar ficar.

Sulaiman riu ainda mais alto.

— Duas vezes de nada é nada, minha querida! — Mas, como sempre, quando Miriam realmente queria alguma coisa, ele cedia. Passaria duas semanas no litoral sozinho. Miriam podia ficar em casa com seus guardas e sua governanta.

MAIS TARDE, JIBRIL LEMBRARIA deste como o momento em que a vida dele teve fim.

E o momento em que acabou.

Com 16 anos, filho do chefe da fábrica de Sulaiman, Jibril era um rapaz alegre e extrovertido, aparentemente sem nenhum problema. Bonito, com cabelo castanho cacheado e sorriso fácil, ele também era brilhante nos estudos e tinha um talento particular para a matemática. Seu pai nutria sonhos secretos de que Jibril um dia começaria um império comercial. E por que não? Marrocos estava ficando mais cosmopolita, seus habitantes tinham mais mobilidade social do que nunca. Não era mais como na época dele. O rapaz podia ter o mundo aos seus pés se quisesse, um futuro brilhante e promissor, era só querer.

Sem que o pai soubesse, Jibril tinha os próprios desejos secretos.

E nenhum deles envolvia negócios.

Todos eles envolviam a linda, radiante e adorável sobrinha de Sulaiman, a Srta. Miriam.

Jibril a conheceu no dia em que Miriam chegou à *riad*, uma menina amedrontada de 10 anos. Com 13, na época, e sendo um menino gentil e sensível ao sofrimento dos outros, Jibril resolveu cuidar dela. Os dois logo se tornaram amigos e companheiros de brincadeiras, passando intermináveis horas vagando juntos pelo mercado e pelas praças da cidade, enquanto o pai de Jibril e o tio de Miriam trabalhavam longas horas nos escritórios da companhia.

O garoto não sabia definir exatamente quando seus sentimentos por Miriam mudaram. Era possível que o desabrochar precoce dos seios dela, logo depois de seu 12º aniversário, tivesse a ver com isso. Ou, talvez, houve alguma outra causa mais nobre. De qualquer forma, quando estava com 15 anos, Jibril se viu profunda, irremediável e obsessivamente apaixonado por sua amiga de infância. O que poderia ser uma coisa maravilhosa se não fosse por um pequeno, mas inegável, problema: Miriam não estava apaixonada por ele.

Tentativas de alusão aos seus sentimentos eram recebidas com gargalhadas por Miriam.

— Não seja ridículo! — implicava ela, empurrando-o de uma forma que fazia Jibril derreter de desejo. — Você é meu irmão. Além disso, nunca vou me casar. — Lembranças da fuga da mãe e do desespero do pai a assombravam. A feliz independência do tio Sulaiman lhe parecia uma opção mais segura e razoável.

Jibril chorava de frustração e desespero. Por que ele sempre se comportou como um irmão para ela? Por que não vira antes a deusa que ela era? Como, algum dia, poderia desfazer esse mal?

Então, um dia, aconteceu. Foi durante as semanas em que o tio de Miriam estava de férias em Essaouira. Jibril voltou para a *riad* depois de seus estudos matinais e viu fumaça saindo pelas janelas. Era possível sentir o calor a centenas de metros de distância.

— O que está acontecendo?

O pai de Jibril, com o rosto e as mãos cobertos de fuligem, tossiu uma resposta:

— Começou nas cozinhas. Nunca vi chamas se espalharem com tanta rapidez. Foi um milagre todo mundo ter conseguido sair de lá.

Em volta deles, estava um bando de empregados assustados, alguns queimados, outros chorando muito. Vários vizinhos e transeuntes haviam se juntado a eles. Logo a multidão era tão grande que dificultava o trabalho dos homens que jogavam baldes de água para apagar o fogo.

O coração de Jibril ficou apertado com o pânico.

— Onde está Miriam?

— Não se preocupe — respondeu seu pai. — Ela saiu cedo para ir à casa de banho. Não tem ninguém na casa. — Mas assim que ele falou, uma pessoa apareceu em uma janela no andar de cima, acenando freneticamente. Era difícil ver quem era através das densas nuvens de fumaça. Mas Jibril soube na mesma hora.

Antes que o pai ou qualquer outra pessoa pudesse impedi-lo, ele saiu correndo na direção da casa. O calor o atingiu como um soco. Fumaça preta encheu seus pulmões. Era como inalar navalhas. Jibril caiu de joelhos, cego, totalmente desorientado. *Preciso subir. Preciso encontrá-la. Ajude-me, Alá.*

E Deus o ajudou. Anos mais tarde, Jibril descreveu a sensação como se uma pessoa invisível o tivesse pegado pela mão e o empurrado na direção das escadas de pedra. Ele não fazia ideia de como, no meio daquele inferno, conseguiu encontrar Miriam, como a pegou nos braços como se ela fosse uma boneca de pano e carregou-a para baixo, através das chamas, até a rua. Era um milagre. Não havia outra palavra. *Alá nos salvou porque nos quer juntos. É o nosso destino.*

Quando Miriam abriu as pálpebras e olhou nos olhos de seu salvador, as orações de Jibril foram atendidas.

Ela o amava. Ele não era mais um irmão.

* * *

Quando Sulaiman voltou para casa e encontrou sua *riad* destruída, só pensou em sua amada Miriam e como esteve perto de perdê-la. Chamou Jibril ao seu escritório.

— Meu rapaz, devo a você a minha vida. Diga-me como posso recompensá-lo. Que presente posso dar-lhe como prova da minha gratidão por seu ato de heroísmo? Dinheiro? Joias? Uma casa? Diga que será seu.

— Não quero o seu dinheiro, senhor — disse Jibril, humildemente. — Peço apenas a sua bênção. Pretendo me casar com a sua sobrinha.

Ele sorriu, e Sulaiman viu o amor brilhando em seus olhos. *Pobre rapaz.*

— Sinto muito, Jibril. De verdade. Mas isso não é possível.

O sorriso de Jibril se apagou.

— Por que não?

— Miriam é de origem nobre — explicou Sulaiman gentilmente. — Quando o pai dela a confiou aos meus cuidados, foi combinado que ela, um dia, faria uma aliança condizente com sua classe e seu status. Eu até já escolhi um cavalheiro. Ele é mais velho que Miriam, mas é respeitado, gentil...

— NÃO! — Jibril não conseguiu se conter. — O senhor não pode fazer isso! Miriam me ama. Ela... Ela não vai fazer isso.

A expressão de Sulaiman endureceu.

— Miriam fará o que eu ordenar que faça.

Jibril ficou tão desesperado que o homem mais velho compadeceu-se.

— Olhe, ao dizer que sinto muito, estou sendo sincero. São os caminhos da vida, Jibril. Todos somos prisioneiros, de uma forma ou de outra. Mas você deve esquecer a minha sobrinha. Me peça outra coisa. Qualquer coisa.

Jibril não pediu. Como poderia? Não havia mais nada que quisesse. Tentou dizer a si mesmo que ainda tinha tempo para convencer Sulaiman. O velho homem podia mudar de ideia. Miriam podia se recusar a casar com o homem a quem tinha sido prometida sem saber, embora soubesse, no fundo de seu coração, que essa era uma esperança vã. Miriam amava Sulaiman como a um pai e nunca desonraria a si mesma ou a sua família desobedecendo-o, principalmente em um assunto tão importante quanto casamento.

Nem mesmo o pai de Jibril podia ajudá-lo.

— Você deve esquecer essa moça, filho. Confie em mim, vão aparecer muitas outras. Você tem um futuro brilhante pela frente, com a ajuda do dinheiro de Sulaiman, é só você aceitar. Você poderá ter uma casa cheia de esposas!

Jibril pensou com amargura. *Ninguém entende*. E embora Miriam tenha tentado confortá-lo, garantindo que sempre o amaria independente de com quem se casasse, era um conforto sem calor para o rapaz, que ansiava pelo corpo dela com toda a intensidade de um vulcão.

Finalmente, chegou o dia em que todas as esperanças de Jibril morreram. Miriam se casou com um xeque, Mahmoud Basta, um homem gordo e careca com idade suficiente para ser pai dela. Se ela ficou perturbada, soube esconder bem, mantendo uma graça serena durante toda a cerimônia, e depois, quando deu adeus ao seu segundo e amado lar.

Os recém-casados moravam perto da cidade, no palácio da família Basta, aos pés das Montanhas Atlas, e Miriam podia visitar a casa de seu tio Sulaiman com frequência. Nessas visitas, ela às vezes via Jibril com seu olhar vazio, fitando-a do outro lado da sala, a dor estampada no rosto dele como uma máscara. Nesses momentos, ela sentia pena e uma imensa tristeza. Mas esses sentimentos eram por Jibril, não por ela mesma. Mahmoud era um marido gentil, amável, indulgente e honesto. Quando Miriam deu a ele um filho no final do primeiro ano de casamento, ele chorou de alegria. Nos cinco anos seguintes, ela deu a ele mais três meninos e uma menina, Leila. Com o tempo, os filhos de Miriam preencheram o vazio deixado por seu amor condenado por Jibril. Vendo-os brincar enquanto o pai apaixonado observava, ela às vezes se sentia culpada por estar tão feliz enquanto sabia que Jibril continuava triste e perdido. Ela ouvira dos amigos que ele bebia muito e passava os dias em bares nos arredores do mercado, onde fumava narguilé, gastando todo o dinheiro que o tio dela dera a ele.

A última vez que Miriam viu Jibril foi no funeral do marido. Mahmoud, que nunca conseguira vencer seu gosto por baklava e vinho doce marroquino, morreu de infarto aos 62 anos. Miriam tinha 40 anos, com poucas rugas ao redor dos olhos e uma camada confortável de gordura na cintura, mas ainda era uma mulher bonita. Jibril, por outro lado, envelhecera terrivelmente. Magro e envergado, com os olhos amarelos de um alcoólatra, ele parecia vinte anos mais velho que era, e era tão infeliz e amargo quanto Mahmoud fora feliz e bem-humorado.

Ele se aproximou de Miriam, que estava ao lado do filho mais velho, Rafik. Na mesma hora, ela percebeu que ele estava bêbado.

— Então — disse Jibril indistintamente —, o velho cretino foi para o inferno, não foi? Quando posso lhe procurar, Miriam? Diga. Quando?

Miriam corou. Nunca sentira tanta vergonha. *Como ele podia fazer isso? A mim, a ele mesmo? Ainda por cima, hoje?*

Rafik deu um passo à frente.

— Minha mãe está de luto. Todos estamos. Vá embora.

Jibril respondeu cinicamente:

— Saia da minha frente!

— Você está bêbado. Ninguém o quer aqui.

— Sua mãe me quer. Sua mãe me ama. Ela sempre me amou. Diga a ele, Miriam.

Miriam virou-se para ele e disse com tristeza:

— Hoje eu enterrei dois amores meus. Meu marido. E o rapaz que você foi um dia. Adeus, Jibril.

NAQUELA NOITE, JIBRIL SE enforcou em uma árvore nos Jardins de Menara. Ele deixou um bilhete com uma palavra: خائن.
Traído.

A MOÇA ABAIXOU O livro, lágrimas escorrendo por seu rosto. Lera a história centenas de vezes, mas nunca se cansava porque ela nunca deixava de emocioná-la. Claro, ela vivia em 1983, e não em 1892; e estava lendo o livro em um orfanato gelado e sombrio na cidade de Nova York, não em um palácio marroquino. Mas a história de amor trágica de Miriam e Jibril ainda a tocava.

A garota sabia o que era se sentir impotente. Ser abandonada pela mãe. Ser tratada como um objeto por homens, um prêmio a ser conquistado. Ser empurrada pela vida como um cordeiro sendo levado para o matadouro, sem poder opinar sobre o próprio destino.

— Você está bem, Sofia?

O rapaz a abraçou de forma protetora e fraternal. Ele era a única pessoa a quem ela contara sobre o livro, o único que a compreendia. As outras crianças do orfanato não entendiam. Zombavam dela e de sua antiga história de amor. Mas ele não.

— Eles têm inveja — dizia ele. — Porque você tem uma história de família, e eles não. Você tem sangue azul nas veias, Sofia. É isso que faz você ser diferente. Especial. Eles odeiam você por isso.

Era verdade. Sofia se identificava com a história de Miriam em outro nível também. Um nível de sangue. Miriam era bisavó de Sofia. Em algum lugar dentro dela, os genes de Miriam ainda viviam. O livro que Sofia tinha nas mãos, sua posse mais valiosa, não era um conto de fadas. Era uma história verdadeira. Era a sua história.

— Estou bem — disse ela ao rapaz, abraçando-o, enquanto puxava o cobertor fino para cobrir os dois. Mesmo aqui, encostada no aquecedor da sala de recreação, estava incrivelmente frio.

Eu sou alguém, disse ela para si mesma, bem perto do corpo quente do amigo. *Sou de uma família nobre com uma história romântica e trágica. Sou Sofia Basta.*

Um dia, bem longe daqui, vou cumprir meu destino.

Capítulo 3

O PARKER CENTER EM LOS Angeles era o quartel-general da terceira maior delegacia dos Estados Unidos desde meados da década de 1950. Famoso por causa da série de televisão da década de 1960 *Dragnet,* o enfadonho e indefinível edifício de concreto e vidro na North Los Angeles Street, 150, armazenava, em 1996, a tecnologia mais moderna encontrada em qualquer delegacia do país, tudo desde escâneres de reconhecimento de retina até câmeras de imagens térmicas. O escritório dos detetives era particularmente bem equipado, com salas com fileiras de computadores e armazéns com um verdadeiro arsenal de vigilância.

Infelizmente, o detetive Danny McGuire ainda estava no início de sua carreira para ter uma dessas salas à sua disposição. Em vez disso, a equipe de seis homens que participavam da investigação do homicídio de Jakes ficava enfurnada como sardinhas de má qualidade em um buraco sem janelas no porão, com nada além de um quadro branco e canetas para aguçar seus instintos de dedução.

De pé em frente ao quadro branco rachado, caneta na mão, Danny rabiscou algumas palavras: *Joias. Miniaturas. Seguro. Alarme. Passado/Inimigos.*

— O que vocês têm para mim?

O detetive Henning falou primeiro:

— Falei com cinco joalheiros, incluindo os dois que o senhor sugeriu em Korea Town. Todos disseram a mesma coisa. Que as joias dos Jakes seriam desmontadas e as pedras seriam usadas em anéis ou vendidas separadamente. As chances de recuperarmos um colar ou um par de brincos intactos são nulas. A não ser que o serviço tenha sido feito por algum amador.

— O que não é o caso.

— O que não é o caso — concordou Henning.

Uma das poucas certezas que eles tinham era que quem quer que tenha invadido a mansão dos Jakes era um profissional, conhecia o complexo sistema de alarme da casa e era capaz de desarmá-lo sozinho. Ele também conseguira dominar duas vítimas, estuprando uma e matando a outra, com o mínimo de barulho e em um espaço de tempo assustadoramente curto. Angela Jakes tinha certeza de que nunca vira o criminoso antes. Ele estava mascarado, mas ela não reconhecera a voz dele ou qualquer traço característico em seus movimentos. Entretanto, o detetive Danny McGuire tinha certeza de que o homem que estavam procurando tinha informações sobre a família que vieram de alguém da casa. Não era um assalto de rotina.

— O ramo das artes é mais promissor — disse o detetive Henning.

Danny levantou a sobrancelha, esperançoso.

— É mesmo?

— Como sabemos, Jakes negociava obras de arte, então era natural que sua casa estivesse cheia de quadros valiosos, a maioria de arte contemporânea.

— Uau — implicou outro oficial com sarcasmo. — Não sei como você consegue chegar a essas conclusões, Henning. Você parece ouro em pó, cara.

Todos riram. O status de Henning como o queridinho de Danny McGuire era uma constante piada.

Henning ignorou a interrupção.

— Se o assassino realmente conhecesse arte, ele teria ido atrás de dois Basquiat pendurados no escritório, ou dos Koon em um dos quartos de hóspede.

Alguém disse:

— Talvez eles fossem pesados demais? O cara estava sozinho.

— Temos certeza disso, não temos? — perguntou Danny.

— Sim, senhor — disse o detetive Henning. — Os peritos confirmaram que havia impressões digitais de apenas uma pessoa na casa além das da família e dos empregados. Mas, de qualquer forma, os quadros não eram pesados. Os três são pequenos o suficiente para um homem carregá-los e, juntos, valem mais de 30 milhões de dólares. Mas o nosso cara preferiu as miniaturas, praticamente as únicas antiguidades da coleção de Jakes.

— Elas eram valiosas? — perguntou Danny.

— É relativo. Cada uma delas valia uns 200 mil dólares, então talvez 1 milhão no total. São retratos de família do século XIX, a maioria europeias. O mercado para elas é pequeno, o que faz com que sejam a nossa melhor aposta para rastrear os bens roubados. Consegui o nome de um especialista local. Ele mora em Venice Beach. Vou encontrá-lo esta tarde.

— Ótimo — disse Danny. — Mais alguém?

O resto da equipe relatou seus "progressos". As cordas de escalada usadas para amarrar o casal eram de uma marca genérica que podia ter sido comprada em qualquer loja de produtos esportivos ou para acampamento. O nó que o assassino usou para amarrá-los era complicado, chamado nó volta redonda, é muito usado para prender barcos em docas. Outro sinal, se é que precisavam, de que estavam procurando um criminoso profissional. Havia pouca evidência física que tivesse algum valor. Os exames de sangue e sêmen não correspondiam a nenhuma amostra no banco de dados do país.

— E o passado de Jakes? Alguma coisa que possa nos ajudar?

A resposta mais curta para essa pergunta era não. Os negócios de Andrew Jakes eram tão transparentes quanto água. Ele era um filantropo famoso, sem mencionar uma doação significativa para a Associação Benevolente dos Policiais de Los Angeles.

Danny pensou: *Eu sabia que já tinha escutado esse nome em algum lugar. Estranho um cara caridoso como esse não deixar nada para algumas causas em seu testamento.*

O velho não tinha inimigos conhecidos, e nenhuma família, próxima ou distante, além de uma ex-esposa de quem tinha se separado há mais de vinte e cinco anos e que agora estava casada novamente e feliz e morava em Fresno.

A porta se abriu de repente. O oficial John Bolt, um ruivo tímido, um dos membros mais novos da equipe de Danny, entrou na sala segurando uma folha de papel. Todos olharam para ele.

— O advogado da Sra. Jakes acabou de lançar uma declaração.

A menção a Lyle Renalto deixou os ombros de Danny tensos. A pesquisa do detetive Henning sobre ele não levara a nada fora do comum, mas Danny continuava desconfiado.

— Não faça suspense, Bolt. O que diz?

— Ela está abrindo mão de todo o dinheiro que herdou do marido para fundações de caridade para crianças.

— Não o dinheiro todo, certamente — disse Danny.

Bolt entregou o papel a Danny.

— Cada centavo, senhor. Mais de 400 milhões de dólares.

Ao ler a declaração, Danny sentiu uma estranha sensação de júbilo.

Eu sabia que ela não estava atrás do dinheiro dele. Pressenti isso. Preciso aprender a confiar mais nos meus instintos.

* * *

UMA HORA DEPOIS, DANNY saiu do carro em frente à mansão neo-Tudor em Beverly Hills. Canon Drive, 2020 foi o endereço que Angela Jakes deu quando recebeu alta do hospital. Era de um amigo.

— Não posso voltar para Loma Vista, detetive — explicara para Danny. — É doloroso demais. Ficarei com um amigo até que a casa seja vendida.

Uma empregada uniformizada levou Danny até uma sala de estar ensolarada e agradável, cheia de sofás muito fofos e grandes vasos de frésias e lírios que exalavam um forte aroma. Era uma sala feminina, e Angela Jakes parecia bem à vontade ali, entrando para cumprimentar Danny descalça e de calça jeans. Agora fazia duas semanas desde o ataque, e os hematomas no rosto dela tinham suavizado para um leve amarelo-alaranjado. Pela primeira vez, Danny podia ver a cor dos olhos dela: um tom de castanho intenso e líquido, como chocolate derretido. Nenhuma mulher tinha o direito de ser tão bonita assim.

— Detetive. — Ela apertou a mão dele, sorrindo. Danny sentiu a boca ficar seca. — Alguma novidade? Vocês já o encontraram?

— Ainda não.

Uma ponta de decepção cruzou o rosto dela e Danny se sentiu desproporcionalmente triste.

— Ainda estamos na fase inicial de nossa investigação, Sra. Jakes — garantiu ele. — Mas vamos encontrá-lo.

Angela sentou-se em um dos sofás e acenou para que Danny fizesse o mesmo.

— Por favor, me chame de Angela. Posso lhe oferecer alguma coisa? Chá, talvez?

— Estou bem, obrigado. — Danny afrouxou a gravata. *Sou eu ou está mesmo calor aqui?* — Eu queria lhe fazer mais algumas perguntas, se for possível. Sobre seu casamento.

Angela pareceu perplexa.

— Meu casamento?

— Quanto melhor conseguirmos definir o perfil da vida de vocês dois, mais fácil será para descobrirmos quem pode ter feito isso. E por quê.

Ela pensou a respeito, concordando com a cabeça pensativamente.

— Tudo bem. O que você gostaria de saber?

— Vamos começar pelo começo. Como vocês dois se conheceram?

— Em uma aula de artes na UCLA.

Os olhos dela se iluminaram com a lembrança e Danny pensou: *Meu Deus, ela realmente o amava.*

— Não era um curso de graduação comum, nem nada disso. Era apenas uma aula noturna que eu estava fazendo. Eu gostava de arte quando estava no ensino médio. Não que algum dia eu tenha sido boa nisso. — Danny ficou surpreso em ver como uma mulher tão bonita podia ter tão pouca autoconfiança, mas Angela Jakes parecia estar sempre se colocando para baixo.

— Onde a senhora cursou o ensino médio? — perguntou ele, tolamente.

— No Beverly Hills High, por quê?

— Por nada. Apenas curiosidade. Um hábito ruim que os detetives têm.

— Claro. — Ela sorriu de novo. O estômago de Danny deu um salto, feito uma panqueca. — Enfim, Andrew foi à UCLA dar uma palestra sobre o mercado de artes. Como fazer uma galeria olhar para a sua obra, esse tipo de coisa. O que atrai colecionadores. Ele era inteligente e engraçado. Nós percebemos a nossa química na hora.

Danny tentou visualizar o velho Jakes e uma versão ainda mais jovem de Angela "com química". Não era fácil.

— Seu marido tinha algum inimigo?

— Nenhum. — O tom de voz dela era firme, quase desafiador.

— Tem certeza?

— Absoluta. Andrew era um amor. Todo mundo o adorava.

Nem todo mundo. Danny tentou outra tática.

— Na noite do assassinato, não sei se a senhora se lembra disso, mas ficava repetindo uma coisa.

— Ficava?

— Sim. A senhora repetiu as mesmas palavras inúmeras vezes. Ela o fitou sem expressão.

— *Eu não tenho vida.* Essa foi a frase que a senhora usou. Lembra-se do motivo para ter dito isso?

Ela hesitou.

— Acho que não. Apenas que quando conheci Andrew, ele me deu uma vida. Ele me salvou. Então, talvez eu tenha dito que "não tenho vida" porque eu sabia que era o fim.

— O fim?

— O fim da paz e da felicidade que eu tinha com Andrew. Mas eu não me lembro de dizer essas palavras, detetive. Não me lembro de nada, exceto de Andrew e do sangue. E de você.

— A senhora disse que seu marido a salvou? Do quê? — perguntou Danny.

Angela baixou o olhar, fitando o colo, parecendo constrangida.

— De uma situação infeliz.

Danny sabia que precisava pressioná-la, mas não podia suportar deixá-la triste de novo. Estava claro que ela não queria falar sobre isso. *Ela me contará quando estiver pronta.*

— Entendo. E a senhora?

— Eu?

— Havia alguém que pudesse ter algum ressentimento em relação à senhora, pessoalmente?

Angela Jakes pensou por um momento.

— Sabe, nunca pensei a respeito. Embora, como possa imaginar, com uma diferença de idade tão grande como a que existia entre mim e Andrew, quase cinquenta anos, as pessoas eram rápidas em me julgar. Sei que muita gente no círculo social de Andrew não confiava em mim. Achavam que eu estava atrás do dinheiro dele. Imagino que tenha pensado a mesma coisa.

— Claro que não — mentiu Danny, evitando os olhos dela.

— Tentei convencer Andrew a me deixar fora do testamento dele, para provar para as pessoas que nosso casamento nunca teve a ver com dinheiro. Mas ele não me escutou. Ele dizia que essas pessoas eram tiranas e que nunca devíamos aceitar tirania.

— Foi por isso que a senhora doou todo o seu dinheiro para a caridade? Para provar que as pessoas estavam erradas?

Ela deu de ombros.

— Talvez tenha sido parte do motivo, subconscientemente.

— Seu marido sabia que a senhora planejava doar tudo quando ele morresse?

— Não. — Ela balançou a cabeça. — Isso o teria magoado. Andrew queria que eu ficasse com tudo, e eu queria que ele fosse feliz. Mas a verdade é que eu não tenho necessidade desse tipo de riqueza.

Sem intenção, Danny levantou uma sobrancelha.

Angela Jakes riu, uma gargalhada agradável, doce, como mel escorrendo de uma colher.

— Você me parece dúbio, detetive. Mas, falando sério, o que eu poderia fazer com 400 milhões de dólares? Eu gosto de pintar, gosto de caminhar nos cânions. Essas coisas não custam milhões. Muito melhor ir para pessoas que precisam, que realmente podem fazer uso desse dinheiro. De uma forma estranha, faz com que eu sinta que o que aconteceu não foi totalmente em vão.

Ela baixou o olhar e fitou as mãos de novo, e Danny pôde ver que ela estava lutando contra as lágrimas. Instintivamente, ele estendeu o braço e colocou a mão dele por cima da dela. Ele teria vergonha de admitir, mas essa intimidade foi maravilhosa. Elétrica.

— O que diabos está acontecendo aqui?

Danny deu um pulo. A voz de Lyle Renalto quebrou o clima como uma pedra estraçalhando uma vidraça.

— O que você está fazendo aqui? — perguntou o advogado. Parado na porta, os traços bonitos de Lyle Renalto estavam retorcidos em uma máscara de fúria e seus ombros estavam agressivamente voltados para a frente. Ele estava usando um terno idêntico ao que vestia no hospital, com gravata de seda azul-clara que combinava com seus olhos. Danny pensou que nunca tinha ficado menos satisfeito em encontrar alguém em toda a sua vida.

— Um interrogatório policial está acontecendo — respondeu ele friamente. — E como de costume, o senhor está interrompendo. Posso perguntar o que *o senhor* está fazendo aqui?

— Isso é fácil — replicou Lyle. — Eu moro aqui. Angel não lhe contou?

Danny virou-se para Angela.

— *Ele* é o amigo na casa de quem a senhora está hospedada? Não mencionou isso.

Ela deu de ombros.

— Você não perguntou. Lyle foi gentil o bastante para me oferecer um lugar para ficar enquanto me recupero. Como eu lhe disse, ele tem me dado um apoio imenso neste momento tão difícil.

Lyle Renalto disse rispidamente:

— Se o senhor já acabou de importunar a Sra. Jakes, detetive, posso lhe acompanhar até a porta.

— O detetive McGuire não está me importunando — disse Angela. — Ele está sendo muito educado.

— Hum. — Renalto não parecia convencido.

Ignorando-o, Danny disse:

— Tenho mais uma pergunta, Sra. Jakes, se não se incomodar. A senhora mencionou que conheceu o Sr. Jakes em uma aula de arte.

— Isso mesmo.

— Posso saber qual era o seu nome na época?

Angela olhou nervosamente para Lyle Renalto.

— Meu nome? Não entendi.

— Seu nome de solteira — explicou Danny. — Antes de se casar com o Sr. Jakes.

— Ah! — O alívio dela era palpável. — Por um momento, não entendi o que você estava dizendo. — Ela fixou os olhos cor de chocolate em Danny pela terceira e última vez. — Ryman. Meu nome de solteira era Ryman.

A SALA ERA PEQUENA, entediante e claustrofóbica, e o cheiro de comida chinesa entregue em domicílio do dia anterior estava impregnado no local. O detetive Henning pensou: *O negócio de obras de arte roubadas não é tão procurado por aí quanto a mídia faz parecer.*

Roeg Lindemeyer, um receptor de arte que se tornara informante ocasional da polícia, morava em uma casa deteriorada de um andar em uma das ruas mais precárias de Venice: estreita, com vielas apenas para pedestres que corriam entre a Ocean Avenue e a praia. Poucos quarteirões ao norte, as "cottages" da década de 1920, como a de Roeg, tinham sido revitalizadas por tipos jovens de West LA e estavam mudando de mãos por 700 mil dólares ou mais. Mas aqui não. Esta era Venice Beach como sempre fora: suja e pobre. O showroom de Roeg Lindemeyer era tão gasto e pobre quanto o cubículo de qualquer drogado.

— Então? Você viu alguma delas?

Henning observava impaciente enquanto Lindemeyer folheava as fotografias das miniaturas de Jakes. O receptor era um homem pequeno de 50 e poucos anos, cujos dedos tinham manchas pretas de tabaco. Ele deixou impressões digitais em todas as fotos.

— Quanto isso vale pra você?

Com nojo, o jovem detetive tirou duas notas de 20 dólares da carteira.

Lindemeyer grunhiu:

— Cem.

— Sessenta ou vou denunciá-lo por extorsão.

— Fechado.

Ganancioso, ele enfiou o dinheiro no bolso e entregou as fotos agora manchadas.

— Então? — repetiu o detetive Henning. — Você viu essas miniaturas no mercado negro ou não?

— Não.

— É isso? Não? É só o que tem para mim?

Lindemeyer deu de ombros.

— Você me fez uma pergunta. Eu respondi.

Henning fez um gesto como se quisesse o dinheiro de volta. Lindemeyer recuou.

— Ok, Ok. Olha só, detetive, se elas estivessem à venda, eu teria visto. Sou o único cara de West Coast que trabalha com esse nicho, essas porcarias vitorianas. Você sabe disso, todo mundo sabe. Talvez ele não esteja vendendo. Estou te dando informações reais, cara. Talvez ele queira para "uso pessoal".

Um psicopata, assassino, estuprador apaixonado por miniaturas obscuras do século XIX? O detetive Henning discordava dessa opinião.

— Talvez ele já tivesse um comprador — pensou em voz alta.

— Aí, não precisaria de seus serviços.

— Talvez.

— Você conhece algum colecionador famoso que pagaria por um serviço assim?

— Talvez. — Lindemeyer olhou para a carteira do detetive. Seria uma tarde longa e cara.

— VOCÊ PODERIA ME fazer um favor e verificar de novo? O detetive Danny McGuire abriu para a recepcionista o mesmo sorriso encantador que usara com a enfermeira do Cedars, mas desta vez não funcionou.

— Não preciso checar de novo. Já chequei.

A recepcionista do arquivo do governo sobre veteranos de hoje era negra, pesava uns 90 quilos e não estava com humor para aturar um policial irlandês idiota que se considerava uma dádiva de Deus para as mulheres.

— Não tem nenhum registro para Angela Ryman. Nem Ryman com RY, nem Reiman com REI, nenhuma Angela Ryman. Nenhum nascimento, nenhum casamento, nenhuma morte, nenhum seguro social, nenhum imposto. Não na Califórnia.

A cabeça de Danny estava cheia de dúvidas. Ele tentou racionalizar uma a uma.

Talvez ela tenha nascido em outro estado.

Talvez ela e Jakes tenham se casado no Caribe ou em Paris. Caras com tanto dinheiro assim não correm simplesmente para o cartório como o resto de nós. A certidão de casamento podia ser de qualquer lugar.

Isso não quer dizer nada.

Mesmo assim, ao entrar na secretaria do Beverly Hills High School meia hora depois, ele continuava com a mesma sensação na boca do estômago.

— Preciso da ficha de uma ex-aluna. — Ele tentou colocar um pouco de otimismo na voz. — Ela deve ter se formado há uns oito ou nove anos.

O atendente sorriu de boa vontade.

— Claro, detetive. Qual é o nome da jovem?

— Angela Ryman.

O sorriso se apagou.

— Bem, trabalho aqui há dez anos e esse nome não me lembra nada. — Ele abriu um arquivo de metal alto e puxou uma gaveta marcada *Ru-Si*. — Você não teria uma foto?

Danny procurou em sua pasta. Entregou ao homem uma foto de Angela que seus assistentes tinham retirado da casa dela. Na fotografia, ela estava vestida de noiva e ainda mais radiante do que de costume, seus traços perfeitos brilhando de amor e alegria, o cabelo preto preso para trás, longe do rosto branco de pele leitosa, os olhos cor de chocolate.

O atendente disse:

— Nossa! Eu nunca me esqueceria de um rosto desses. Não, desculpe. Essa garota não estudou aqui.

— VOCÊ ESTÁ ME machucando!

Lyle Renalto estava segurando Angela Jakes pelos ombros com tanta força que as unhas dele furavam a carne dela.

— Desculpe, Angel. — Ele a soltou. — Mas você tem que sumir daqui. Agora, antes que ele volte.

Angela começou a chorar.

— Mas eu... Eu não fiz nada de errado.

— Claro que não — disse Lyle, da forma mais gentil possível.

— Eu sei disso. Você sabe disso. Mas McGuire não vai entender.

Angela hesitou.

— Tem certeza que não? Ele parece ser um cara bacana.

— Tenho certeza — disse Lyle com firmeza. Tirou uma mala pequena do armário e entregou-a para ela. — Pegue algumas roupas. Acho que não temos muito tempo.

O DETETIVE DANNY MCGUIRE acordou às 5 da manhã. Fora para a cama às 2 e mal dormira. Sua cabeça estava a mil. Angela Jakes mentira para ele. Sobre seu nome e sua educação. Sobre o que mais ela mentira? E por quê?

Por que ela mentiria sobre seu nome e seu passado para o homem que estava tentando pegar o cara que a estuprara e matara seu marido? Um homem que estava tentando ajudá-la? Que motivo poderia ter? Devia haver algo no passado de Angela Jakes do qual ela se envergonhava. E muito. O pensamento óbvio que veio à mente de Danny foi:

Será que ela foi prostituta? Foi dessa "vida infeliz" que ele a salvou?

Era uma história bem comum em Los Angeles: garota de cidade pequena jovem e bonita vem para Hollywood sonhando se tornar atriz. Enfrenta dias difíceis. Começa a andar com pessoas erradas...

Mas sempre que Danny visualizava aquele rosto angelical, aqueles olhos tão cheios de crença e bondade, não conseguia acreditar que Andrew Jakes tinha encontrado a sua noiva no Hollywood Boulevard. Também não acreditava que Angela Jakes estava atrás do dinheiro dele, mesmo com todas as evidências apontando para isso. *Eu estava certo sobre isso. Preciso confiar mais nos meus instintos.*

Mas o que os instintos estavam lhe dizendo agora?

Esse era o problema. Não fazia ideia.

Depois de sair do colégio na tarde de ontem, dirigira por uma hora, tentando decidir qual seria o próximo passo. O óbvio teria sido voltar para a casa de Lyle Renalto e confrontar Angela na mesma hora. Se fosse qualquer outra testemunha, Danny não teria pensado duas vezes. Mas não conseguia se obrigar a confrontar a adorável Sra. Jakes na frente de seu odioso advogado, que, sem a menor sombra de dúvida, iria querer permanecer grudado nela o tempo todo. Se ela tivesse segredos que a faziam se sentir culpada, e quem não os tinha, ela merecia uma chance de confessá-los em particular. Danny entenderia. Depois de tudo pelo que ela passara, ele devia a ela, pelo menos, essa sensibilidade.

Então, em vez disso, Danny voltou para a delegacia para pensar junto com o restante da equipe. Mas não chegaram a nenhuma conclusão que prestasse. Todas as pistas que seus homens estavam investigando pareciam não levar a lugar algum. O especialista em arte de Venice que Henning arranjara não sabia nada sobre as miniaturas. Sob a questão do seguro parecia cada vez menos promissor, já que as únicas pessoas que poderiam se beneficiar de um roubo falso seriam os próprios Jakes, dos quais um estava morto e a outra doara todo seu dinheiro. Dois oficiais de Danny estavam checando as instituições de caridade sortudas que receberiam a generosa doação de Angela Jakes. Ambas pareciam limpas, com contas totalmente cristalinas. Um sofisticado programa de computador examinara todos os casos de estupro violento da área de Los Angeles nos últimos cinco anos, procurando alguma conexão com roubos de arte e joias, ou qualquer outra conexão que ligasse um desses suspeitos à cena do crime dos Jakes. *Nada.* Foi a mesma coisa com os peritos. *Impressões digitais: nada. Análise do sêmen: nada.*

Danny vestiu um moletom e foi para a cozinha preparar uma xícara de café bem forte. Ainda estava escuro. A rua arborizada do subúrbio em West Hollywood, onde Danny morava havia seis anos, estava vazia e silenciosa como um túmulo. *Será que Angela ainda estava dormindo?* Danny imaginou-a, o cabelo negro espalhado sobre um macio travesseiro branco, seu glorioso corpo quente e nu embaixo dos lençóis de Lyle Renalto. *Será que ela estava no quarto de hóspedes?* Nossa, ele esperava que sim.

Lembrou-se do comentário insolente de Lyle no hospital: *Para um detetive, o senhor parece não saber julgar muito bem as pessoas. Eu e Angela não somos amantes.*

O detetive Danny McGuire esperava, de todo coração, que as palavras de Lyle Renalto fossem verdadeiras.

Olhou para o relógio: 5h20.

Vou para lá agora. Eles ainda vão estar dormindo. Poderei ver com meus próprios olhos as camas em que eles dormiram.

Entrou no banho.

ERAM 6 HORAS EM ponto. A mesma empregada uniformizada que o atendera ontem abriu a porta. Danny pensou: *pobre mulher. A que horas ela começa a trabalhar?*

A empregada olhou para Danny e pensou: *pobre homem. A que horas ele começa a trabalhar?*

— Estou procurando a Sra. Jakes.

— A Sra. Jakes não está aqui.

— Ok, olhe, sei que o Sr. Lyle Renalto é seu patrão, e sei que ele não fica exatamente feliz por eu interrogar a Sra. Jakes, principalmente a esta hora da manhã. Mas este é um caso de assassinato. Então, preciso que você, por favor, acorde a Sra. Jakes, e o Sr. Renalto, se for preciso.

— Não, o senhor não entendeu. Ela não está aqui. Foi embora ontem à noite. O senhor pode entrar e procurar pela casa se não acredita em mim.

Infelizmente, Danny acreditava nela. O coração do detetive disparou de uma forma pouco prazerosa.

— Foi embora? Para onde?

— Não sei. Ela saiu com uma mala. O Sr. Renalto a levou para o aeroporto.

A carreira de Danny passou em um flash diante dos olhos. *Eu devia ter vindo direto para cá ontem. Teria conseguido pegar os dois. Agora minha testemunha-chave fugiu sei lá para onde.*

— E o Sr. Renalto? Ele foi embora com ela?

A empregada pareceu surpresa com a pergunta.

— Claro que não. O Sr. Renalto está dormindo lá em cima.

Danny passou por ela, dirigindo-se para a escadaria esculpida, subindo dois degraus de cada vez. Portas duplas no final do corredor claramente levavam à suíte principal. Ele as abriu com um chute. A pessoa embaixo das cobertas não se mexeu.

— Ok, idiota. Onde ela está? — Danny foi até a cama. — E é melhor você ter uma boa resposta para mim ou vou processá-lo por obstrução de investigação de assassinato e vou providenciar pessoalmente para que nunca mais exerça a profissão nesta cidade de novo.

Agarrando a pesada coberta de seda, Danny a arrancou da cama.

E desejou, realmente, não ter feito isso.

Capítulo 4

DOIS ANOS ANTES...

Sofia Basta desligou o telefone e comemorou de felicidade. Seu marido estava vindo para casa. Ele estaria aqui em uma hora. *Marido.* Como ela amava dizer essa palavra, revirando-a na cabeça e na língua como se fosse uma deliciosa bala. Agora estavam casados. Casados de verdade. Frankie, seu único amigo durante os longos e sombrios anos de desespero em Nova York. Frankie, o homem mais lindo, brilhante e perfeito na face da Terra. Frankie, que poderia ter tido qualquer uma, escolhera ela, Sofia, para ser sua noiva. Quase sempre ao acordar pela manhã, ainda se sentia nervosa com a aliança, incapaz de acreditar em sua sorte. Mas, então, ela se lembrava.

Sou Sofia Basta, bisneta de Miriam, uma princesa marroquina. Sou especial. Por que ele não teria me escolhido?

Moravam em um apartamento modesto, de dois quartos, em um condomínio no distrito postal de Beverly Hills, mas Sofia o transformara em um lar perfeito e aconchegante para onde Frankie voltaria. Almofadas coloridas e mantas enfeitavam o sofá da sala de estar, que era iluminado o dia todo pelo sol da Califórnia. Como Sofia amava aquele sol, depois de 18 anos sombrios e nublados em Nova York! A cidade escura, a solidão do orfanato. A vida de Sofia havia sido um pesadelo naquela época. Mas tudo aquilo parecia um sonho agora, uma história que acontecera com outra pessoa.

E que história.

A mãe de Sofia, Christina, era viciada em drogas e, às vezes, se prostituía. Era tão mal preparada para cuidar de uma criança quanto para cuidar de si mesma. Mas nem sempre foi assim. Christina Basta cresceu cercada de riqueza no Marrocos e, depois, Paris, para onde seus pais a mandaram para uma escola interna. Alta e magra como uma gazela, com pele leitosa e curiosos olhos castanhos, a própria imagem da avó Miriam, Christina logo chamou a atenção dos caça-talentos de modelos que estavam sempre na Rue Du Faubourg em busca de um novo talento. Aos 16 anos, Christina trabalhava quase em tempo integral. Aos 18, estava morando em Nova York, dividindo o apartamento com outras três modelos da agência e experimentando todos os prazeres que a cidade oferecia.

A queda de Christina foi rápida e catastrófica. Primeiro veio a cocaína. Depois, a heroína. Aos 20 anos, perdendo um trabalho após o outro, Christina foi demitida da agência. A esta altura, já afastada da família e orgulhosa demais para pedir ajuda, ela procurou "namorados" para financiarem seu hábito que só se tornava mais frequente — na verdade, traficantes e cafetões que a empurraram cada vez mais fundo para o inferno.

Sofia e sua irmã gêmea, Ella, eram o resultado da terceira gravidez de Christina, que tentara abortá-las, como havia feito tantas outras vezes, mas dessa vez o procedimento não deu certo, e as duas meninas sobreviveram. Nascidas na Berwind Maternity Clinic no Harlem e abandonadas lá pela mãe na mesma noite, as gêmeas Basta passaram algumas poucas semanas juntas, até que Ella, a bebê mais bonitinha, fosse adotada por um médico local e sua esposa. Dali em diante, Sofia começou sua vida como estava destinada a continuar: sozinha.

Mas não completamente.

Quando Sofia tinha 6 anos e morava no orfanato St. Mary para meninas no Brooklyn, a equipe do lar recebeu a notícia, através de uma firma de advocacia da Madison Avenue, que a mãe da criança tinha morrido. Christina deixara uma "pequena herança" para as filhas. Como o médico e a família tinham se mudado da cidade, levando Ella junto, foi decidido que a herança deveria ficar com Sofia.

— Não é nada substancial — explicou o advogado, para a decepção da diretora do orfanato. — Mas pode ter valor sentimental, talvez, quando a menina for mais velha. Tem um livro antigo e uma carta.

O livro era aquele que contava a história de amor de Miriam e Jibril, que alguns anos depois, Sofia e Frankie passariam tantas horas felizes lendo juntos. A carta era da mãe de Sofia, explicando que o livro não era uma lenda, e sim a história real da bisavó de Sofia, a relíquia de um passado que Sofia nem sabia existir, e que detalhava as circunstâncias de seu nascimento.

Frankie vira a carta. Sofia lhe mostrara quando era adolescente. Ele era o único em quem ela confiava e ele compreendia que o livro e a carta mudavam tudo para a menina órfã. Da noite para o dia, ela passara de uma completa ninguém, a filha rejeitada de uma prostituta e seu cafetão, para ser alguém, alguém especial, uma princesa real marroquina tragicamente separada de sua linda irmã gêmea. É claro que as outras crianças do orfanato zombavam dela, diziam que o livro era uma besteira, que não tinha gêmea alguma, ou qualquer passado exótico. Mas Frankie ajudava Sofia a ignorar a inveja e a implicância das demais. Ele era seu porto seguro, sua salvação, seu único amigo, e o livro era seu bem mais precioso.

Até hoje, Sofia não sabia o que em si atraía Frankie. Talvez fosse porque ele também era órfão, um órfão de verdade, assim como ela. A maioria das crianças no orfanato tinha família: mas não eram criados por ela. Frankie e Sofia não tinham ninguém. Mas, em outros aspectos, eles eram completamente diferentes. Enquanto Sofia era solitária e não tinha amigos, invejada pelas meninas por sua beleza e perseguida pelos meninos pela mesma razão, Frankie era adorado por todos, funcionários e crianças. Bonito — *ah, meu Deus, ele era lindo!* — inteligente, engraçado, carismático, ele conseguia fazer alguém se sentir especial apenas ao fixar aqueles olhos azuis nessa pessoa.

Frankie fixava muito os olhos em Sofia. Mas não da forma assustadora e predatória que os outros garotos o faziam. A atenção dele era mais nobre, gentil e, de alguma forma, infinitamente mais preciosa do que as tentativas movidas à testosterona dos outros meninos. Sofia se sentia lisonjeada mas frustrada. Ela desejava que ele a tocasse, mas ele nunca tentava.

Começara a se desesperar achando que ele nunca faria isso. Até que um dia um milagre aconteceu. Eles estavam lendo o livro juntos na sala de recreação, como costumavam fazer. Frankie amava o livro tanto quanto Sofia. Ele achava a história de Miriam maravilhosamente romântica e fazia perguntas intermináveis a Sofia sobre a história de sua família e da irmã gêmea perdida, Ella. Mas, naquele dia, ele fez uma pergunta diferente. A mais maravilhosa e inesperada pergunta. E, claro, Sofia disse sim, e Frankie prometera a ela que assim que eles estivessem casados, ele ficaria com ela fisicamente, como marido e mulher devem ficar.

Daquele momento em diante, na cabeça dela pelo menos, a vida de Sofia Basta se transformou em um longo conto de fadas.

Ela e Frankie se casaram no aniversário dela de 18 anos e se mudaram do orfanato para um minúsculo apartamento tipo estúdio no Harlem onde, como prometido, ele fez amor com ela pela primeira vez. Foram os quatro minutos mais felizes da vida de Sofia. Nos dois anos seguintes, Sofia trabalhou como garçonete enquanto Frankie estudava. Ele era tão inteligente que poderia ter sido qualquer coisa que quisesse, médico, advogado, executivo. Ele recebeu uma proposta de emprego em Los Angeles antes mesmo de se formar, provando o quão inteligente ele era. Eles se mudaram para a Califórnia, levando apenas uma mala com seus bens e dando o adeus mais feliz para Nova York que duas pessoas já deram.

Los Angeles era tudo que Sofia sonhara e mais um pouco. Na verdade, sua vida agora era *tão* perfeita que ela se sentia culpada quando reclamava de qualquer coisa — como quando Frankie precisava viajar a trabalho ou ficava até tarde no escritório. Ou que, até agora, eles ainda não tinham conseguido ter um filho. Embora isso provavelmente tivesse a ver com o fato de seu marido raramente querer fazer amor com ela.

— Quero que seja especial — explicava ele. — Não quero que se torne uma rotina.

Sofia tentava convencer Frankie de que, para ela, seria especial, independente de quantas vezes fizessem, mas ele não mudava de ideia. Sofia dizia para si mesma que não podia deixar que isso a perturbasse muito. Ele demonstrava o amor que sentia por ela de tantas outras formas: tirando fotografias íntimas, tendo crises de ciúme quando outro homem olhava para ela, elogiando constantemente as roupas que ela usava, o perfume, o cabelo. O lado sexual viria com o tempo.

Ela tinha acabado de assar biscoitos e estava trocando a roupa da cama quando escutou a chave de Frankie na porta. Gritando de felicidade, ela se jogou nos braços dele.

— Baby. — Ele deu um beijo na testa dela. — Sentiu a minha falta?

— Claro que sim. Cada segundo! Por que você não me disse antes que seu voo era hoje? Eu teria ido ao aeroporto encontrá-lo.

— Eu sei que sim. Mas queria fazer surpresa.

Frankie olhou para sua adorável jovem esposa e se parabenizou mais uma vez. A beleza de Sofia nunca deixava de surpreendê-lo. Apenas alguns dias longe de casa, e ela parecia ter ficado ainda mais adorável, mais perfeita. Ela era um anjo. A ideia de outro homem tocá-la deixava-o louco. Mas tinha certeza absoluta de que nunca seria o amante que ela queria. E isso era um problema.

Naquela noite na cama, sentindo a frustração dela deitada ao seu lado, Frankie perguntou:

— Você às vezes pensa em dormir com outro homem?

Sofia ficou horrorizada.

— Não! Claro que não. Eu preferiria morrer. Como você pode me fazer uma pergunta dessas?

— Você realmente ia preferir *morrer*? — Ele a fitou com uma intensidade que ela nunca vira antes. Sofia pensou antes de responder, depois disse que sim, porque era a verdade. Não conseguiria viver consigo mesma se traísse Frankie. Ele era sua vida agora, o oxigênio do seu corpo.

— Ótimo — disse Frankie. — Nesse caso, tem um homem que quero que você conheça. Um homem importante. — Lentamente, ele tocou entre as pernas dela. Sofia gemeu de prazer. Fazia tanto tempo que ele não a tocava. *Por favor... Por favor, não pare.* Mas Frankie parou, afastando a mão e colocando o dedo sobre os lábios dela. Ela teve vontade de chorar.

— Quero que você seja boa para esse homem. Que faça tudo que ele pedir que você faça. Mesmo que seja difícil.

— Claro, querido. — Ela estendeu o braço para ele. — Você sabe que faço tudo por você. Mas o que você tem em mente?

— Não se preocupe com isso agora. Vou resolver tudo. Você só precisa fazer o que eu mandar.

Frankie foi para cima dela. E para surpresa de Sofia, ele estava excitado. Penetrando-a, ele entrou e saiu umas cinco ou seis vezes dela e atingiu o clímax quase no mesmo instante.

Por um tempo, nenhum dos dois falou nada. Então, Sofia perguntou calmamente:

— Qual é o nome dele?

— O quê?

— O homem que você quer que eu conheça. Qual é o nome dele?

No escuro, Frankie sorriu.

— Jakes. O nome dele é Andrew Jakes.

Capítulo 5

LYON, FRANÇA, 2006

MATT DALEY OLHOU PARA O relógio. Passara a última meia hora sentado em um sofá desconfortável em uma sala de espera velha, na sede da Interpol em Lyon. O prédio, que se erguia no Quai Charles de Gaulle, era um santuário de funcionalidade feia, um lugar construído por burocratas, para burocratas. *O sonho de um analista de dados*, pensou Matt, notando a total ausência de uma obra de arte ou mesmo de um tapete colorido ou de um vaso de flores em algum lugar no labirinto de corredores que vira até agora. *Não é de se admirar que os funcionários pareçam tão deprimidos.*

Para ser justo, estava baseando sua avaliação em uma amostra de duas pessoas. A rígida jovem francesa que lhe dera seu crachá de visitante e o levara até o escritório do homem que ele havia viajado metade do mundo para ver, e sua secretária, uma mulher cujos traços exalavam tanto calor quanto o inverno nuclear na Sibéria.

— Você acha que ele ainda vai demorar? — perguntou Matt.

A secretária deu de ombros com desdém e voltou a olhar para a tela de seu computador.

Matt pensou em seu pai. Harry Daley nunca estivera na França, mas, mesmo de longe, sempre admirara as mulheres francesas por sua postura, charme e sensualidade. *Cara, será que a Rosa Klebb ali na frente acabaria com a ilusão dele?*

Ao pensar no pai, Matt sorriu.

Se não fosse por Harry Daley, não estaria aqui.

HARRY DALEY TINHA SIDO um pai maravilhoso, e um marido ainda melhor. Harry e Marie, mãe de Matt, foram casados por quarenta anos e eram tudo um para o outro. No funeral de Harry Daley no ano anterior, inúmeros amigos se juntaram ao lado do túmulo, compartilhando lembranças do homem que Matt e a irmã, Claire, amavam desde quando podiam se lembrar.

Durante a cerimônia, Matt precisou segurar o riso quando as palavras do padre croata: "*May he rest in peace!*" soaram como "*May he rest in piss*".* Considerando que Harry morrera de câncer na bexiga, Matt e sua irmã acharam muito engraçado.

Raquel, a glamourosa esposa sul-americana de Matt, não viu a menor graça.

— Meu Deus — cochichou ela no ouvido de Matt. — Qual é o seu *problema*? Você não respeita nada? É o *funeral* do seu pai.

— Ah, meu amor. *May he rest in piss*? Papai teria achado engraçado. Imagina o que Jerry Seinfeld teria feito com uma fala dessa?

Raquel disse com rispidez:

— Você não é Jerry Seinfeld, querido.

---

* *May he rest in peace* significa "que ele descanse em paz". Ao pronunciar a palavra "*peace*", o sotaque do padre fez com que soasse como "*piss*", que significa urina. (*N. da T.*)

Matt ficou magoado porque era verdade. Ele era escritor de comédia, mas nos últimos anos, não vinha tendo muito sucesso. Bonito em um estilo garotão, despenteado, com cabelo louro e olhos verdes, sua característica mais marcante era o sorriso contagiante, um traço facial que parecia mudar toda sua fisionomia para uma enorme gargalhada. No início do relacionamento deles, Raquel se sentira atraída pelo senso de humor de Matt e se sentia lisonjeada quando incidentes engraçados do dia a dia deles iam direto para a série de televisão em que Matt trabalhava na época. Mas, depois de oito anos, a novidade passou, junto com a esperança de que o talento dele fosse lhes render o estilo de vida luxuoso de Hollywood que Raquel desejava. Matt agora trabalhava para uma rede de canal a cabo com um salário que pagava as contas mas deixava pouco para as coisas boas da vida.

— Do que ela está reclamando agora? — Claire, a irmã de Matt, não era fã da cunhada.

— Ela não gosta de funerais — disse Matt, sendo leal.

— Provavelmente está com medo que alguém jogue uma luz perpétua em cima *dela* e que todos consigam ver as cicatrizes do último lifting que ela fez nos olhos.

Matt riu. Amava Claire. Amava a esposa também, mas até ele estava chegando à dolorosa conclusão de que o sentimento não era mais mútuo.

No caminho de volta para Los Angeles, após o funeral, Matt tentou puxar papo com Raquel.

— Vou começar a trabalhar em uma nova ideia — disse ele. — Uma coisa diferente. Um documentário.

A mais leve centelha de interesse apareceu nos olhos dela.

— Um documentário? Sobre quem?

— Bem, ninguém ainda — admitiu Matt. — Estou escrevendo em cima de especulações.

A centelha morreu. *Exatamente o que precisamos,* pensou Raquel. *Outro script especulativo não vendido.*

— É sobre meu pai — continuou Matt. — Meu pai biológico.

Raquel bocejou. Para ser honesta, já tinha se esquecido de que Harry Dailey não era o pai verdadeiro de Matt. Harry se casara com a mãe de Matt quando ele ainda mal sabia andar e Claire ainda era um bebê de colo.

— Descobri há pouco tempo que ele foi assassinado há mais de uma década.

Se a intenção dele era que a novidade chocasse Raquel ou atraísse o interesse dela, fracassou.

— Pessoas são assassinadas todos os dias nesta cidade, Matthew. Por que alguém ia querer ficar sentado diante da televisão por uma hora para saber sobre a morte do seu pai desconhecido?

— Ah, mas aí é que está — disse Matt, esquentando a conversa. — Ele não era desconhecido. Ele era um negociador de arte de Beverly Hills. Famoso, pelo menos em Los Angeles. E muito rico.

Agora ele conseguiu despertar o interesse de Raquel.

— Você nunca me disse isso? Muito rico quanto?

— Obscenamente rico — disse Matt. — Estamos falando de centenas de milhões de dólares.

— *Centenas de milhões?* Meu Deus, Matt. — Raquel estava boquiaberta, ziguezagueando perigosamente entre as faixas de trânsito. — O que aconteceu com todo esse dinheiro?

— Ficou para a viúva — respondeu Matt, naturalmente.

— O quê, o dinheiro todo? E você e Claire?

— Eu e Claire? Ah, querida. Não tivemos nenhum contato com ele em mais de trinta anos.

— E daí? — As pupilas de Raquel dilataram de animação. — Vocês são filhos dele, parentes de sangue. Talvez possam contestar o testamento.

Matt riu.

— Baseado em quê? Ele podia deixar o dinheiro para quem ele quisesse. Mas, de qualquer forma, você ainda não sabe de tudo. A história fica ainda melhor.

Raquel se esforçou para imaginar algo melhor do que uma herança de centenas de milhões, mas esforçou-se para escutar.

— A viúva, que tinha apenas 20 e poucos anos na época, e que foi violentamente estuprada por quem quer que tenha matado o velho, doou *todo* o dinheiro para instituições de caridade. Cada centavo. Foi a maior doação na história de Los Angeles. Mas quase ninguém ficou sabendo disso, porque em vez de andar por aí colhendo os louros de sua boa ação, a garota pegou um avião poucas semanas depois do assassinato e desapareceu. Literalmente sumiu da face da Terra e ninguém mais soube dela. Não é inacreditável? Você não acha que é uma história fantástica?

Raquel não dava a menor importância para a história estúpida de Matt. Que tipo de homem não levantava um dedo para reclamar sua parte em uma herança multimilionária? Ela era casada com um cretino.

— Por que você nunca me contou isso antes?

A raiva na voz dela era inconfundível. A animação de Matt durou pouco. *Por que parece que eu sempre a deixo furiosa?*

— Para ser honesto, eu meio que me esqueci disso. Escutei alguns meses atrás, mas achei que poderia magoar meu pai se demonstrasse muito interesse, então deixei passar. Mas agora que Harry se foi, achei que não machucaria ninguém se eu explorasse mais o assunto. As emissoras têm se interessado muito por "histórias pessoais" ultimamente. E assassinato e dinheiro sempre vendem.

O resto da viagem de carro foi em silêncio. Quando os Daley chegaram em casa, duas obsessões tinham nascido.

A de Raquel era pela fortuna de 400 milhões de dólares.

E a de Matt era pelo assassinato não solucionado de seu pai biológico: Andrew Jakes.

Nos meses seguintes, enquanto sua esposa passava infrutíferas horas consultando advogado atrás de advogado, caçando a brecha pela qual resgatariam a fortuna "deles", como ela agora pensava a respeito dos bens de Jakes, o que começou como um projeto de pesquisa para um documentário se tornou o foco da vida de Matt. Durante o dia, ele percorria as bibliotecas e galerias de Los Angeles, cavando cada informação que conseguisse encontrar sobre Andrew Jakes: seus negócios, sua coleção de arte moderna, seus imóveis, seus amigos, inimigos, conhecidos, amantes, interesses, animais de estimação, problemas de saúde e crenças religiosas. À noite, trancado em seu escritório como um eremita, Matt fazia mais pesquisas na internet. Sendo assim, ele mal dormia. Como um filhote de cuco exigindo sua atenção, o arquivo *Andrew Jakes* estava cada dia maior e mais grosso, enquanto o pouco que sobrava do casamento de Matt e Raquel lentamente morria de fome.

Após um tempo, até Claire Michaels começou a se preocupar e achar que seu irmão estava exagerando.

— Aonde você espera chegar com tudo isso? — Ela finalmente perguntou a ele um dia.

De pé na cozinha de sua casa em Westwood, com um bebê no colo e uma panela com molho de tomate na mão, cercada pelo barulho e pela bagunça de uma vida familiar feliz, Claire fez com que Matt se sentisse feliz e triste ao mesmo tempo. Feliz por ela, triste por si mesmo. *Será que as coisas teriam sido diferentes se eu e Raquel tivéssemos tido filhos?*

— Eu já lhe disse — explicou ele. — É para o documentário.

Claire parecia cética.

— Como está indo o script?

Matt fez uma careta.

— Ainda não estou no estágio de escrever o script.

— Bem, em que estágio você está?

— Pesquisa.

— Para quem você já ofereceu a ideia?

Matt riu.

— O que você é agora, meu agente?

Ele tentou fazer piada da situação, mas no fundo sabia que a irmã estava certa. Todos os amigos dele tinham dito a mesma coisa. O mistério envolvendo a morte do pai biológico estava se tornando um vício, um hábito perigoso e desgastante que o estava distraindo do casamento, do trabalho, da sua vida "real". Mas como Matt podia deixar isso passar quando a polícia de Los Angeles deixara tantos buracos, tantas perguntas sem respostas?

De acordo com o arquivo oficial, Andrew Jakes fora assassinado por um invasor desconhecido, um ladrão profissional que acabou usando a violência. Nunca ninguém foi preso pelo crime. Nenhum suspeito foi, ao menos, citado. Enquanto isso, a viúva dele, Angela, aparentemente desapareceu da face da Terra, assim como as joias e as miniaturas roubadas da residência do casal naquela noite. O advogado dela, Lyle Renalto, a levou para o aeroporto mas disse não fazer ideia de para onde ela ia e, aparentemente, não recebia notícias dela desde então. A polícia o interrogou repetidas vezes, mas ele nunca mudou sua versão. Houve um boato sobre a Sra. Jakes ter sido vista na Grécia, mas isso nunca foi confirmado. Danny McGuire, o detetive responsável pelo caso, largou a polícia pouco depois e deixou Los Angeles, levando consigo quaisquer suspeitas que pudesse ter. Enquanto isso, o sêmen detectado em Angela Jakes durante a perícia nunca bateu com o de nenhum outro crime, nem antes nem depois. Nem as poucas impressões digitais encontradas na cena do crime em Loma Vista, 420.

Matt disse para Claire:

— É como se, em um dia, esse casal estivesse vivendo a vida deles em sua linda mansão, planejando o futuro... E no dia seguinte, *puf*, tudo tivesse sumido. A casa, o dinheiro, os quadros. O casal em si. E, depois do assassinato, a viúva simplesmente embarcou em um avião e nunca mais ninguém soube dela.

— Eu sei, Matt, conheço a história — disse Claire, sendo paciente.

— Mas isso não te assusta? A ideia de que tudo isso — Matt acenou à sua volta, para a cozinha, seus sobrinhos e seus livros de escola, para os detritos da vida atribulada de Claire — pudesse desaparecer amanhã? Sumir. — Ele bateu as mãos para dar ênfase. — Como se nunca tivesse existido.

Claire ficou em silêncio por um longo tempo. Finalmente, ela disse:

— Estou preocupada com você, Matt. Acho que você precisa conversar com alguém.

Matt concordou. Precisava conversar com alguém.

O problema é que a pessoa com quem ele precisava conversar morava em Lyon, na França.

Capítulo 6

VIU AS LUZES AZUIS piscando pelo espelho retrovisor e checou a velocidade. Cento e cinco. Apenas cinco acima do limite, em uma estrada reta virtualmente vazia, fora do perímetro da cidade.

Insignificante. Era por causa dessas pequenas façanhas que a polícia de Lyon era constantemente xingada. Abrindo a janela para trocar algumas palavras com o policial extremamente zeloso, sua testa franzida se transformou em um sorriso.

A policial em questão era uma mulher. E uma mulher extremamente atraente. Era ruiva — ele tinha uma queda por ruivas —, olhos azuis e seios fartos que nem mesmo o feio uniforme de polícia conseguia esconder.

— Por que a pressa, senhor?

Uau, e que voz! Baixa e rouca, como só as francesas tinham. Perfeita. A voz fechou o negócio.

Ele abriu um sorriso sedutor.

— Na verdade, oficial, tenho um encontro.

— Um encontro? Não diga. — As lindas sobrancelhas avermelhadas arquearam. — Bem, ela vai fugir se você se atrasar um segundo?

— Já fugiu.

Debruçando-se sobre o vidro do motorista, ele a beijou apaixonadamente na boca.

— A que horas você vai chegar em casa hoje, amor? — perguntou sua esposa, quando eles finalmente se afastaram para respirar.

Danny McGuire sorriu.

— Assim que puder, baby. Assim que eu puder.

QUINZE MINUTOS DEPOIS, ENTRANDO na sede da Interpol atrasado para sua reunião, Danny esperava não precisar ficar até tarde. Céline estava tão sexy em seu uniforme azul de Officier de La Paix, justo no corpo, que foi doloroso ter de deixá-la lá. Ela estava usando uniforme no dia em que se conheceram e esse ainda era o traje no qual Danny mais gostava de vê-la.

Em Los Angeles, nunca saíra com ninguém da polícia. Mas aqui na França, tudo era diferente. Mudara-se para cá dez anos antes, caçando uma sombra. A sombra de Angela Jakes. Nunca a encontrou. Em vez disso, Danny encontrou Céline, amor, cultura e culinária francesas, uma carreira recompensadora e toda uma nova vida. Lyon agora era o novo lar de Danny McGuire e ele o amava, mais do que um dia achou que seria possível.

Tudo tinha sido tão diferente quando ele chegou pela primeira vez ao país.

Danny McGuire odiava a França. Odiava o país porque o associava ao fracasso. Ao seu fracasso. O assassinato de Andrew Jakes em 1997 fora um caso memorável de muitas formas, e não menos por ter sido o primeiro e último fracasso completo da carreira de Danny McGuire. Nunca encontrara o homem que havia matado Andrew Jakes de forma tão sádica e estuprado sua deslumbrante esposa.

Danny nunca iria esquecer a manhã em que chegara à mansão de Lyle Renalto em Beverly Hills, arrancado as cobertas e encontrado o advogado nu em um estado claro de excitação sexual, rindo dele. Angela Jakes tinha ido embora, Lyle Renalto o informou cheio de satisfação. Segundo Lyle, ela não aguentara a pressão dos interrogatórios "agressivos" de Danny e decidira começar uma vida nova em outro lugar. Escondendo-se atrás do privilégio advogado-cliente, Renalto teimosa e resolutamente se recusou a dar mais informações para a polícia.

Foi mais ou menos nessa época que Danny McGuire fez seus primeiros contatos com a Interpol. Entrando no I-24/7, o banco de dados global da Interpol para ajudar as polícias locais dos países-membros a rastrear suspeitos fora de suas fronteiras, ele acabou conseguindo rastrear Angela Jakes na Grécia e começou a se comunicar diariamente com as autoridades de Atenas, tentando encontrá-la, mas não obteve sucesso. Enquanto isso, em Los Angeles, as outras pistas minguaram, uma a uma, como afluentes de um rio seco. O assassino de Andrew Jakes tinha desaparecido, assim como sua esposa e as obras de arte e as joias roubadas. De fato, a única coisa que restara da vida dos Jakes juntos foi a fortuna de Andrew, que entrou seguramente (e sem impostos) para os cofres de duas instituições de caridade para crianças, que naturalmente ficaram muito satisfeitas em recebê-la.

Os superiores de Danny na polícia de Los Angeles ficaram excepcionalmente constrangidos. Sem piedade, mataram qualquer interesse da imprensa pelo caso Jakes, dizendo que era para não encorajar "assassinos que tentassem imitar o crime", mas na verdade era para cobrir os próprios buracos. O caso foi encerrado. Motivo: roubo. Criminoso: desconhecido. Danny foi transferido de homicídios para fraudes, um claro rebaixamento, e recebeu a ordem de esquecer Angela Jakes se quisesse manter seu emprego.

Mas ele não podia esquecer. *Como alguém pode esquecer aquele rosto?* E ele não queria manter seu emprego. Depois de pedir demissão da polícia, ele gastou os dois anos seguintes e praticamente todas as suas economias viajando pela Europa em uma busca frenética por Angela. Trabalhando sozinho, ele descobriu que conseguia pouca ajuda consistente das polícias locais, e tinha de contar com detetives particulares inescrupulosos para manter o rastro vivo. Finalmente, sem dinheiro e deprimido, ele acabou na França, onde um antigo contato em Lyon lhe disse que a Interpol estava contratando um agente e sugeriu que Danny se candidatasse ao cargo.

Aos poucos, ele reconstruiu sua carreira. Entrou como membro júnior de uma equipe criminal IRT (Interpol Response Team) e rapidamente construiu sua reputação como um pensador e estrategista brilhante. Era possível dispor de uma equipe IRT de 12 a 24 horas depois de um incidente em qualquer lugar do mundo para ajudar as polícias dos países-membros. Adaptabilidade, pensamento rápido e habilidade para trabalhar como uma equipe mesmo estando sob muita pressão eram as chaves para o sucesso da unidade. Danny McGuire tinha excelência em todos os níveis. Ele foi aclamado por sua coragem e habilidade em um caso de assassinato de gangues na Córsega. Poucos policiais estrangeiros teriam conseguido convencer aquela comunidade minúscula a falar, mas Danny conquistou corações e consciências, prendendo cinco líderes da gangue. Depois disso, houve o assassinato com uma machadinha de um xeque árabe no Norte da África — esse não foi tão difícil de desvendar; o cara deixou suas impressões digitais por todo o apartamento para ajudar — e o desaparecimento de uma linda rainha na Venezuela rural. A moça em questão era amante de um rico magnata do petróleo russo, e foi um grande caso para Danny, que conseguiu uma condenação justa para o réu. (O resultado só não foi muito bom para a linda rainha. As partes do corpo dela foram encontradas em sacos de lixo em um motel em Maracay.)

Danny gostava do trabalho e da novidade que era morar na França e começou a sentir sua autoconfiança voltar lentamente.

Conhecer Céline e se casar com ela foi a cereja do bolo. Mas apesar de todos os seus triunfos e da sua carreira meteórica na Interpol, ele nunca se esquecera de Angela Jakes. *Quem ela era antes de se casar com o marido? Por que fugiu?* Ele sabia que não podia ter sido o interrogatório dela que a assustara, como Lyle Renalto dizia. Devia haver outra razão. Ainda mais importante, *quem a estuprara e matara seu marido de uma forma tão brutal e sanguinária?* A conclusão oficial de que um assalto tinha saído do controle era ridícula. Ladrões de arte não cortavam a garganta de um velhinho, no máximo davam uma pancada na cabeça.

No final, foi Céline quem conseguiu convencer Danny a esquecer o caso. Percebendo que seu novo marido sentia mais por Angela Jakes do que interesse profissional, ela foi direta ao dizer que se sentia ameaçada.

— Ela se foi — disse Céline, chorosa —, mas eu estou aqui. Não sou suficiente para você?

— Claro que é, meu amor — garantiu Danny. — Você é tudo para mim.

Mas durante anos depois disso, Angela Jakes ainda o perseguia em seus sonhos com sua pele leitosa e repreensivos olhos cor de chocolate:

Encontre o animal que fez isso.

Danny prometeu que encontraria, mas fracassara. O animal ainda estava solto por aí.

Aos poucos, porém, Danny conseguiu seguir em frente. Seu casamento com Céline ia muito bem. Dois meses atrás, quando ele foi promovido para chefe de toda a divisão IRT, gerenciando 28 equipes por todo o mundo que davam suporte a casos de crimes e desastres, era como se um ciclo completo tivesse chegado ao fim desde o pesadelo de Loma Vista, 420 e o assassinato de Andrew Jakes. Tanto pessoal quanto profissionalmente, Danny estava enfim em paz.

Foi quando recebeu o primeiro e-mail.

O assunto da primeira mensagem de Matt Daley era simplesmente *Andrew Jakes*. Só de ver essas duas palavras na tela do computador, Danny sentiu o sangue gelar. Daley falou pouco sobre seu passado, dizendo apenas que era uma "parte interessada" e que tinha "novas informações" sobre o caso e queria discutir o assunto pessoalmente com Danny. Considerando-o um maluco, Danny não respondeu. Mas os e-mails continuaram chegando, depois vieram os telefonemas para o escritório, a qualquer hora do dia ou da noite. Finalmente, Danny respondeu, informando ao Sr. Daley que se ele tinha alguma nova informação, deveria procurar a Divisão de Homicídios da Polícia de Los Angeles. Mas Daley não desistia. Insistindo que precisava falar com ele pessoalmente, Matt Daley anunciou que iria para Lyon na semana seguinte e que "não iria embora" até que Danny concordasse em recebê-lo.

Agora, mantendo sua palavra, ele estava aqui. Mathilde, a competentíssima secretária de Danny, ligara uma hora atrás. Um "cavalheiro louro americano" estava sentado do lado de fora do escritório de Danny, dizendo que tinha hora marcada e que era urgente. O que Danny queria que ela fizesse?

Quero que o mande embora. Quero que diga a ele para parar de me lembrar sobre Angela Jakes e para sumir da minha vida.

— Diga a ele que estou a caminho. Mas que não tenho muito tempo. Ele terá que ser rápido.

— SR. DALEY. — Não havia nenhuma cordialidade no tom de voz de Danny McGuire. — Pode entrar.

O escritório de McGuire era grande e confortável. Matt sabia que o ex-detetive se dera bem desde que saíra da polícia de Los Angeles, mas ficou surpreso ao ver o quanto. Fotografias de uma jovem ruiva maravilhosa estavam espalhadas por todo lugar.

Matt pegou uma delas de maneira indolente.

— Sua esposa?

McGuire apenas assentiu.

— Ela é muito bonita.

— Eu sei, e ela está me esperando em casa agora. — Danny o fitou. — Como posso lhe ajudar, Sr. Daley?

O coração de Matt acelerou. *E acabou o momento de papofurado.* Respirou fundo e disse:

— Você pode reabrir a investigação sobre o assassinato de Andrew Jakes.

Danny franziu a testa.

— E por que eu faria isso?

— Porque existem novas evidências.

— Como eu lhe disse por e-mail, Sr. Daley, se você tem novas evidências, deve levá-las à polícia de Los Angeles. Este caso não é mais problema meu nem está dentro da minha jurisdição.

— Você é da Interpol — disse Matt, sendo razoável. — O mundo inteiro está dentro da sua jurisdição, não?

— Não é tão simples assim — respondeu Danny McGuire.

— Bem, eu acho que é. — Matt Daley se inclinou sobre a mesa e encarou Danny. Ele era tão teimoso pessoalmente quanto pelo telefone. — A polícia de Los Angeles está cagando. Eles encerraram o caso e desistiram. Foi por isso que você pediu demissão.

Danny não disse nada. Não podia argumentar com isso.

As palavras seguintes de Matt Daley fizeram seu sangue gelar.

— E se eu lhe disser que houve outro assassinato?

Danny McGuire se forçou a parecer calmo.

— Existem muitos assassinatos, Sr. Daley. Em todo o mundo, durante todo o dia. Nós, seres humanos, somos muito violentos.

— Não dessa forma. — Abrindo a sua pasta, Matt Daley pegou um arquivo de papel grosso e jogou-o sobre a mesa de

Danny. — Exatamente o mesmo modus operandi. Homem velho morto violentamente. Jovem esposa estuprada deixa o dinheiro todo para instituições de caridade, depois desaparece.

A boca de Danny ficou seca. As mãos tremiam ao tocar o arquivo. *Podia ser verdade? Depois de todo esse tempo, o animal atacou de novo?*

— Onde? — A palavra mal formou um sussurro.

— Londres. Cinco anos atrás. O nome da vítima era Piers Henley.

Capítulo 7

LONDRES, 2001

Cʜᴇsᴛᴇʀ Sǫᴜᴀʀᴇ ғɪᴄᴀ ɴᴏ coração de Belgravia, atrás de Eaton Square e bem perto da elegante Elizabeth Street. Suas casas clássicas, com fachadas de estuque branco, cercam um charmoso e privativo jardim. No canto da praça, a St. Mark's Church descansa serena embaixo de uma grande castanheira. Seu antigo sino de bronze soando a cada hora, convenientemente poupando os moradores do trabalho de olhar seus relógios Patek Philippe. Da rua, as casas de Chester Square pareciam grandes e confortáveis.

Não eram.

Elas eram enormes e pareciam palácios.

É um clichê em Belgravia que nenhum inglês tem dinheiro suficiente para morar em Chester Square. Como a maioria dos clichês, era verdade. Roman Abramovich, o russo oligarca dono do Chelsea Football Club, possuía uma casa ali, antes de fugir com a amante anos mais jovem e deixar a propriedade para a esposa. Os vizinhos do Sr. Abramovich incluíam duas estrelas de Hollywood, um ídolo do futebol francês, o suíço que fundou o maior fundo multimercado da Europa, um príncipe grego e um magnata de softwares indiano. O resto das casas de Chester Square pertencia, sem exceção, a investidores americanos.

Até o dia em que um desses investidores americanos, desesperado com o colapso de seus investimentos, colocou uma rara pistola Bersa Thunder na boca e puxou o gatilho. Seus herdeiros venderam a casa para um baronete britânico. E foi assim que Sir Piers Henley se tornou o primeiro inglês a possuir uma casa em Chester Square em mais de 25 anos.

Ele também foi a primeira pessoa a ser assassinada ali.

O DETETIVE-INSPETOR WILLARD DREW da Scotland Yard entregou para a mulher uma xícara de chá doce e tentou não olhar para seus lábios carnudos e sensuais enquanto ela tomava o chá fumegante. Por baixo de seu robe, manchas de sangue ainda estavam claramente visíveis em suas coxas pálidas com algumas sardas. O estupro fora particularmente violento. Mas não tanto quanto o assassinato.

Enquanto o inspetor Drew interrogava a mulher no andar de baixo, no quarto acima, seus homens estavam tirando o tecido cerebral do marido dela do tapete persa. As paredes da suíte principal pareciam um Jackson Pollock recém-pintado. Uma explosão de sangue, raiva e loucura animal acontecera naquele ambiente de uma forma que o detetive-inspetor Drew nunca vira antes. Havia apenas uma palavra para definir aquilo: *carnificina*.

O inspetor Drew disse:

— Podemos fazer isso mais tarde, se for demais para a senhora agora. Talvez quando se recuperar do choque?

— Nunca vou me recuperar, inspetor. É melhor que seja agora mesmo.

Ela olhava diretamente para ele enquanto falava, o que o inspetor Drew considerava desconcertante. Bonita era a palavra errada para essa ruiva. Ela era sexy. Dolorosamente sexy. Sua pele era cremosa, macia como um veludo e ela estava trêmula, sua feminilidade vulnerável, cada milímetro de sua pele era de uma dama. O único detalhe incongruente nela era a voz. Por baixo do robe Frette de 400 dólares, ela era *cockney** até o último fio de cabelo.

O inspetor Drew disse:

— Se a senhora tem certeza de que é capaz disso, podemos começar pelos detalhes básicos.

— Sim, eu consigo.

— Nome completo do falecido?

Lady Tracey Henley respirou fundo.

— Piers... William... Arthur... Gunning Henley.

PIERS WILLIAM ARTHUR GUNNING Henley, filho único do falecido Sir Reginald Henley, baronete, nasceu em meio a uma riqueza modesta e possuidora de terras.

Quando ele completou 30 anos, ele era um dos homens mais ricos da Inglaterra.

Nunca foi considerado um bom aluno — seu inspetor em Eton o descreveu como "um charmoso esbanjador de tempo" —, mas Piers tinha um instinto natural para os negócios. Em particular, ele possuía aquela rara alquimia que fazia com que pressentisse *exatamente* quando uma empresa estava à beira da falência, se ela iria se recuperar e em quanto tempo. Ele comprou sua primeira empresa falida, uma pequena corretora em Norfolk, aos 22 anos. Todo mundo, incluindo seu pai, achava que ele era maluco. Quando Piers vendeu o negócio seis anos depois, a empresa

---

* *Cockney* é a palavra para definir os habitantes de uma região pobre de Londres que têm um dialeto próprio. (*N. da T.*)

já tinha escritórios em Londres, Manchester, Edimburgo e Paris e havia registrado lucros antes do imposto de renda naquele ano de 28 milhões de libras.

Foi um pequeno sucesso para Piers Henley, mas importante. Ensinou que ele devia confiar em seus instintos. E também aumentou seu apetite para o risco. Risco calculado. Nos 35 anos que se seguiram, Piers comprou e vendeu mais de 15 negócios e ficou com dois: a Henley Investments, um fundo multimercado, e a Jassops, uma cadeia de joias elegantes cuja marca Piers revitalizara totalmente até ultrapassar outras concorrentes conhecidas como Asprey e Graff. Ele também tinha (porém mais tarde se livrou dela) uma esposa, Caroline, e dois filhos: uma menina, Anna, que tivera com a esposa, e um menino, Sebastian, um fruto seu com a amante. Ambos os filhos e suas respectivas mães tinham casas confortáveis e pensões generosas. Mas Piers não tinha nem tempo nem inclinação para a vida em família. E também não tinha o menor interesse em romances convencionais.

Pelo menos não até seu sexagésimo aniversário, quando um encontro casual com uma jovem chamada Tracey Stone mudou sua vida para sempre.

Para sua festa de aniversário, Sir Piers (ele herdara o título de baronete no mês anterior, com a morte do pai) alugou um salão particular no Groucho Club no Soho. A meca dos indivíduos bem-sucedidos da mídia e da literatura, o Groucho era exclusivo, mas conseguia manter um jeito inglês surrado e mal-ajambrado que Piers sempre apreciara. Fazia com que se lembrasse de sua infância, da grandiosidade decadente de Kingham Hall, propriedade da família Henley, onde havia Constables e Turners pendurados nas paredes mas o aquecimento nunca estava ligado e todos os tapetes estavam cobertos de buracos feitos por traças.

Sir Piers Henley aprovou o local, mas ficou deprimido com a lista de convidados. Sua secretária, Janey, a rascunhara, como de costume. Ao olhar para os mesmos rostos, líderes da indústria e das finanças, acompanhados por suas primeiras esposas com muitas plásticas no rosto ou por suas lindas, mas duvidosas, segundas esposas, Piers pensou: *Quando todo mundo ficou tão velho? Tão chato?* Quando exatamente ele havia trocado suas amizades verdadeiras por isso? Contatos e conhecidos de trabalho. Foi enquanto pensava nessa importante pergunta que uma garçonete derramou uma sopa de lagosta fervendo em sua calça. Até o fim da vida, Sir Piers Henley teria cicatrizes de queimadura na parte interna da coxa. Toda vez que olhava para elas, agradecia por seu golpe de sorte.

A festa no Groucho era o primeiro dia de trabalho de Tracey Stone como garçonete. Quando Sir Piers Henley gritou e ficou de pé em um pulo, Tracey ficou de joelhos, desabotoou o cinto dele e abaixou as calças mais rápido do que uma prostituta em serviço. Então, sem nada de "Com licença, lorde?", ela arrancou a cueca dele e jogou uma jarra de água gelada na genitália exposta do baronete. A água fria causou uma sensação maravilhosa. E o fato de estar de pé no meio do Groucho Club na frente de metade da sociedade londrina com suas bolas totalmente nuas era... Ainda mais maravilhoso. Apesar da dor dilacerante em suas pernas e bolas, Sir Piers Henley percebeu que se sentia mais vivo neste momento do que nos últimos 15 anos. Aqui estava ele, rezando para sua juventude voltar, sua vida, sua animação... E *puf*, uma linda moça caiu em seu colo. Ou melhor, uma linda moça deixou uma sopa fervendo cair em seu colo, mas por que se ater a detalhes? Não podia estar mais satisfeito.

Tracey Stone tinha 20 e poucos anos, cabelo ruivo curto e espetado, olhos castanhos-escuros, e corpo magro e juvenil que parecia ridiculamente sensual com esse uniforme preto e branco de garçonete. *Ela parece um fósforo humano,* pensou Piers, *que mandaram para me acender.*

E foi o que Tracey fez.

Quando ela concordou em sair com ele, as amigas dela acharam que ela era maluca.

— Ele deve ter uns 109 anos, Trace.

— E é emperiquitado.

— Com um pinto queimado como linguiça de churrasco graças a você.

— Nojento.

Os amigos de Piers ficaram igualmente escandalizados.

— Ela é mais nova do que sua filha, velhão.

— Ela é uma *garçonete*, Piers. E nem é das boas.

— Ela vai roubar você.

Nenhum dos dois escutou. Tracey e Piers sabiam que seus amigos estavam errados. Tracey não estava interessada no dinheiro de Piers. E Piers não dava a mínima importância para o fato de os pais de Tracey serem *cockney*. Ela acendera uma parte dele que ele acreditava estar morta havia muito tempo. Quando as queimaduras em sua virilha começaram a sarar, a única coisa que ele conseguia pensar era em ir para a cama com ela.

No primeiro encontro, Piers levou Tracey para jantar no Ivy. Eles riram durante todo o jantar de três pratos, mas, logo depois, ela entrou em um táxi antes que Piers pudesse pelo menos dar um beijo em seu rosto.

No segundo encontro, eles foram ao teatro. Foi um erro. Tracey ficou entediada. Piers ficou entediado. Outro táxi apareceu e Piers pensou: *eu a perdi*.

Às 7 da manhã do dia seguinte, a campainha do apartamento de Piers em Cadogan Gardens tocou. Era Tracey. Ela estava carregando uma mala.

— Preciso te perguntar uma coisa — disse ela abruptamente.

— Você é gay?

Piers esfregou os olhos.

— Eu sou...? *O quê?* Não, eu não sou gay. O que diabos fez você achar isso?

— Você gosta de teatro.

Piers soltou uma gargalhada alta.

— Essa é a sua evidência?

— Isso e você nunca ter tentado me comer.

Piers a fitou, incrédulo.

— *Nunca ter tentado...?* Meu Deus, mulher. Você nunca me deixou chegar perto de você. E, a propósito, só para você saber, eu *não* gosto de teatro.

— Por que me levou lá, então?

— Estava tentando impressionar você.

— Não deu certo.

— Eu percebi. Tracey, minha querida, não tem nada que eu queira mais do que tentar "comer" você, como você poeticamente acabou de dizer. Mas você nunca me deu nenhuma chance.

Passando por ele e entrando no vestíbulo, ela colocou a mala no chão e fechou a porta.

— Estou te dando uma chance agora.

A transa foi diferente de tudo que Piers já experimentara. Tracey tinha cabelo sedoso e carne macia, seios fartos e um interior quente, úmido e delicioso que ansiava por ele como nenhuma outra mulher havia ansiado. Quando acabou, ele a pediu em casamento na mesma hora. Tracey riu.

— Que coisa mais idiota. Não sou do tipo que se casa.

— Nem eu — disse Piers, sendo honesto.

— Então, por que está me pedindo isso? Tem que parar de me pedir coisas que nem você gosta. É uma mania horrível.

— Pedi porque quero você. E eu sempre consigo o que eu quero.

— Ah! É isso? Bem, não desta vez, Vossa Senhoria — disse Tracey de forma desafiadora. — Não tô interessada.

Piers não a teria amado mais se ela estivesse banhada em ouro.

Eles se casaram seis semanas depois.

Os primeiros 18 meses do casamento dos Henley foram muito felizes. Piers administrava os negócios como de costume e, diferente das outras mulheres com quem ele saíra, Tracey nunca reclamava das longas horas que ele passava no trabalho ou do hábito que ele tinha de atender telefonemas no meio do jantar Piers não fazia a menor ideia de como a esposa ocupava o tempo livre durante o dia. No início, ele achava que ela fazia compras, mas quando os primeiros extratos mensais do AmEx começaram a chegar, ele viu que ela não gastara quase nada, apesar de ter um cartão Platinum ilimitado e uma mesada generosa. Uma vez, ele perguntou:

— O que você faz quando estou no escritório?

— Faço filmes pornô — respondeu ela, sem expressão. — Isso nas segundas, quartas e sextas. Nas terças, assaltos à mão armada. E quinta é meu dia de folga.

Piers riu e pensou: *Sou o homem mais sortudo da terra*. Ele a carregou para a cama.

Tracey era a parceira sexual perfeita, sempre desejosa e criativa, nunca exigente nas noites em que ele estava cansado ou estressado demais com o trabalho para transar com ela. O único porém no casamento deles era o fato de que, de acordo com Tracey, ela não podia ter filhos.

— Não tem o que fazer nesse departamento, uma pena. Meu equipamento veio quebrado — disse ela, sendo franca.

— Bem, que parte de seu equipamento?

— Num sei. Tudo, acho. Por quê? Você não está velho demais pra ficar pensando em trocar fraldas, mor?

Piers riu.

— *Eu* não vou trocar fraldas! Além disso, *você* não é velha. Não tem vontade de ter filhos?

Tracey não tinha. Mas por mais que falasse isso, seu marido não acreditava. Nos anos seguintes, Piers arrastou sua jovem esposa para todas as clínicas de fertilidade em Harley Street, submetendo-a a várias fertilizações *in vitro*, sem nenhum sucesso. Determinado a "pensar positivo", ele comprou uma grande casa de família em Belgravia e contratou um decorador de interiores de Paris para planejar os quartos das crianças, um para menino, outro para menina e um neutro, em amarelo.

— Pra que isso? É para o caso de eu ter um coelho ou coisa parecida? — implicou ela.

Tracey se lembrou do que ele dissera para ela na noite em que a pediu em casamento: *eu sempre consigo o que quero*. Infelizmente, parecia que na Mãe Natureza Sir Piers Henley encontrara uma rival à altura.

— Seus filhos? — O detetive-inspetor Willard Drew afastou os olhos dos seios de Tracey, tentadoramente guardados em um sutiã La Perla cor de pêssego. Para uma mulher tão magra, Lady Henley tinha seios bem fartos e parecia estar tendo trabalho para manter o robe fechado. — Eles passaram a noite fora?

O lindo rosto dela entristeceu.

— Não temos filhos. Culpa minha. Não posso.

O inspetor Drew ficou vermelho.

— Sinto muito, vi os quartos lá em cima e presumi...

Tracey deu de ombros.

— Tudo bem. Por que não ia presumir? Mais alguma pergunta?

— Só mais uma.

Ela já havia ajudado bastante, dando descrições detalhadas das joias roubadas — Lady Henley sabia *muito* sobre joias, características, quilates, transparência, qualquer aspecto — assim como de seu criminoso. Ele estava mascarado na hora do ataque, por isso ela não viu seu rosto, mas ela o descreveu como um homem de estrutura forte, meio atarracado, com uma cicatriz na mão esquerda e uma voz intensa com sotaque "estranho" que ela não conseguiu reconhecer muito bem. Levando em consideração o pesadelo que ela acabara de viver, era bastante coisa para se lembrar. Ela estava certa de que nunca o vira antes.

— Isso pode ser difícil — disse o inspetor Drew gentilmente. — Mas o seu marido tinha inimigos? Alguém que pudesse ter ódio dele?

Tracey soltou uma gargalhada rouca, de garçonete, e o inspetor Drew pensou em como devia ser divertido ser casado com ela. Algumas horas atrás, Sir Piers Henley devia se considerar o homem vivo mais feliz do mundo.

— Só uns 100 mil. Meu marido tinha mais inimigos que Hitler, inspetor.

O inspetor Drew franziu a testa.

— Por quê?

— Piers era um homem rico, se fez sozinho. No ramo dos fundos multimercado, não foi? Ninguém gosta de quem está nesse ramo. Nem os sujeitos que se endividam, nem os sócios dele, nem os concorrentes, nem mesmo os investidores, por mais dinheiro que ele ganhasse para eles. É um mundo de cão, inspetor, e meu Piers era um dobermann com dentes afiados. — Tracey Henley disse isso com orgulho. — As pessoas odiavam ele. O mundo dos negócios é assim. E se quer saber sobre o lado pessoal, tem o sujeito que ele prometeu pagar uma quantia maior por esta casa, o vendedor de carro a quem ele não tinha pagado o Aston porque não gostou do jeito que o homem olhou pra mim, todo mundo que ele não votou no White's... a lista é longa, garanto. Tem também a ex-esposa, a ex-amante. A amante atual, pelo que sei.

O inspetor Drew achou extremamente difícil acreditar que qualquer homem casado com Tracey Henley pudesse procurar prazer sexual em outro lugar. Segundo a própria, ela estava com 32 anos, mas parecia dez anos mais jovem.

— Piers tinha um exército de inimigos — continuou Tracey. — Mas só tinha um amigo de verdade.

— Ah? E quem era?

— Eu.

E pela primeira vez naquela noite, Tracey Henley se rendeu às lágrimas.

Capítulo 8

DANNY MCGUIRE LEVANTOU o olhar do arquivo à sua frente como se tivesse visto um fantasma. Passara os últimos vinte minutos lendo, em total silêncio.

— Como ficou sabendo do caso?

Matt Daley deu de ombros.

— Li a respeito na internet. Fiquei interessado no caso Jakes e... Bem, acabei descobrindo. O assassinato de Henley foi muito divulgado na Inglaterra. Teve muita repercussão na imprensa na época.

— Qual é exatamente o seu interesse no caso Jakes, Sr. Daley? — perguntou Danny. — Você não mencionou em seus e-mails.

— Sou escritor. Tenho fascinação por perguntas não respondidas.

Danny apertou os olhos, desconfiado.

— Você é jornalista?

— Não, não. Sou roteirista de TV. Escrevo principalmente comédias.

Danny pareceu adequadamente surpreso. Apontou para o arquivo.

— Não tem nada muito engraçado aqui.

— Não — concordou Matt. — Mas também tenho uma conexão pessoal. Andrew Jakes era meu pai.

Demorou para cair a ficha de Danny. *Andrew Jakes tinha filhos?* Precisou de alguns momentos para refrescar a memória. Isso mesmo. Havia tido uma primeira esposa, décadas antes de ele conhecer Angela. Um dos membros juniores de sua equipe investigara essa pista mas, obviamente, achou que não era nada significante. Havia filhos? *Aposto que sim.*

— Eu nunca o conheci — explicou Matt. — Jakes e minha mãe se separaram quando eu tinha 2 anos. Meu padrasto me adotou e criou a mim e a minha irmã, Claire. Mas, biologicamente, sou um Jakes. Consegue ver alguma semelhança?

Uma imagem da cabeça ferida de Andrew Jakes e quase solta do pescoço passou pela cabeça de Danny, que estremeceu.

— Não mesmo.

— Quando soube que meu pai tinha sido assassinado, fiquei curioso. E quando comecei a ler sobre o caso, não consegui mais parar. — Ele sorriu. — Você sabe o quanto isso pode ser viciante, um mistério não solucionado.

— Sei — admitiu Danny. *E doloroso. Esse cara parece legal, mas está ansioso demais, parece um labrador com um graveto. Ele não pareceria tão feliz se tivesse visto a carnificina sangrenta naquele quarto. Os corpos amarrados juntos. A cabeça de Jakes pendurada no pescoço.*

— Quando li sobre o caso Henley, tentei entrar em contato, mas foi quando descobri que você tinha saído de Los Angeles. Tentei me comunicar diretamente com a Scotland Yard, mas eles não ajudaram muito. Não quiseram ajudar um escritor americano maluco mais do que a polícia de Los Angeles quis. — Matt Daley sorriu de novo, e Danny achou que ele tinha um rosto simpático. — Vocês policiais sabem fechar a boca quando a merda espalha no ventilador.

É verdade, pensou Danny, lembrando-se de seus anos na selva, implorando por ajuda para encontrar Angela Jakes, antes de entrar na Interpol. Agora, parecia outra vida.

— De qualquer forma, demorei um tempo para rastreá-lo. Mal pude acreditar quando descobri que estava na Interpol. Que estava em uma posição que poderia me ajudar.

Danny McGuire franziu a testa.

— Não vamos nos precipitar. Concordo que os dois casos têm similaridades. Mas para a minha divisão se envolver, para a Interpol autorizar uma IRT, precisamos que um policial do país entre diretamente em contato.

Matt se inclinou, ansioso.

— Não estamos falando de "similaridades". Esses crimes são idênticos. Ambas as vítimas de assassinato são homens ricos e velhos, casados com mulheres muito mais jovens. Ambas as esposas foram estupradas e espancadas. Ambas as esposas convenientemente desapareceram logo depois dos ataques. Ambas as heranças acabaram indo para instituições de caridade. Nenhuma condenação. Nenhuma pista.

Danny McGuire sentiu o coração acelerar.

— Mesmo assim — disse ele, sendo pouco convincente. — Pode ser uma coincidência.

— Até parece. O cara até usou o mesmo nó para amarrar as vítimas juntas.

O tal do nó volta redonda. Danny McGuire apoiou a cabeça entre as mãos. Isso não podia estar acontecendo. Não depois de dez anos.

— Olhe, eu sei que tem procedimentos que você precisa seguir — disse Matt Daley. — Protocolos e todas essas coisas. Mas esse maníaco ainda está solto por aí. Na verdade — anunciou ele, lançando seu às na manga —, ele está na França.

— Como assim? — perguntou Danny. — Como você pode saber uma coisa dessas?

Matt Daley recostou-se na cadeira.

— Tenho duas palavras para você — disse ele, de forma confiante. — Didier Anjou.

Capítulo 9

SAINT-TROPEZ, FRANÇA, 2005

LUCIEN DESFORGES DESCEU A Rue Mirage saltitando. Chegara à conclusão de que a vida era boa. Era um lindo dia de primavera em Saint-Tropez com promessas de verão por todos os lugares. Nos dois lados da estrada que levava de La Route des Plages para o famoso Club 55, flores cor-de-rosa já estavam nascendo nas moitas douradas, jorrando como fontes florais em contraste com os muros brancos das casas. Lucien sempre ficava espantado com esses muros tão brancos. Parecia incongruente ter muros tão humildes envolvendo mansões tão suntuosas, todas elas equipadas com todo tipo de luxo que o dinheiro podia comprar.

Lucien estava a caminho de uma delas, que era considerada por muitos habitantes locais a mais grandiosa de todas: Villa Paradis.

Nome terrível, pensou Lucien. *Vulgar. Mas o que podia se esperar de um ex-astro do cinema e ídolo das matinês, um garoto de Marselha que fantástica e miraculosamente deu certo? Certamente, não bom gosto.*

Villa Paradis pertencia a um dos clientes de Lucien. Um dos melhores, mais importantes e mais lucrativos. Na verdade, nem sempre ele era o mais fácil dos clientes. Sua forte ligação com membros do crime organizado com quem ele havia crescido, dois mafiosos de Marselha com gosto para extorsão, fraude e coisas piores, já tinha causado a Lucien inúmeras dores de cabeça nos últimos anos, assim como sua completa inabilidade de manter aquilo dentro das calças (ou, uma vez do lado de fora, devidamente encapado e em segurança). Mas, no final das contas, Lucien Desforges era um advogado matrimonial. E se tinha uma coisa que o dono de Villa Paradis sabia fazer, com muito gasto e publicidade, e repetidas vezes, era se divorciar.

Durante o café da manhã, mais cedo no Le Gorille, Lucien soltara uma gargalhada ao perceber que, de fato, tinha se esquecido de quantos divórcios tinha cuidado para esse cliente específico. Foram quatro ou cinco? Com este seriam cinco? Lucien ganhara tanto dinheiro em honorários com esse homem que perdera a conta. *Que Dieu bénisse l'amour!*

Digitando a senha que já lhe era familiar no interfone do portão, Lucien se perguntou por quanto tempo ele conseguiria esticar essa separação conjugal? Seu cliente estava casado com essa esposa em particular apenas alguns meses, então esse caso não seria tão lucrativo quanto os outros. *Se o bode velho ao menos tivesse tido um filho com ela. Aí, realmente teríamos trabalho.* Mas quando os portões se abriram e o Mediterrâneo azul cristal brilhou à sua frente como um sonho, ele repetiu para si mesmo que nunca devia olhar os dentes de um cavalo dado.

A questão era que Didier Anjou estava se divorciando.

De novo!

Seria um lindo dia!

* * *

O CASAMENTO COMEÇARA TÃO bem. O que era estranho, considerando que todos os outros casamentos de Didier Anjou tinham começado muito, muito mal.

Primeiro, veio Lucille. *Ah, la belle Lucille!* Como ele a desejara! Como ele se consumira! Didier tinha 20 anos na época e estava estrelando seu primeiro filme, *Entre les draps* (Entre os lençóis), que era exatamente onde Didier queria ficar com Lucille Camus. Lucille tinha 44 anos, era casada e interpretava a mãe de Didier no filme. O diretor havia implorado para que ela aceitasse o papel. Ele sempre tivera um fraco por Lucille.

Provavelmente foi por isso que ele se casou com ela.

Em 1951, Jean Camus era o homem mais poderoso do cinema na França. Ele era como um Walt Disney parisiense, um Louis B. Mayer do velho mundo, um homem que podia deslanchar ou acabar com a carreira de um jovem ator com um simples aceno de sua cabeça careca e brilhante ou uma torcida no bigode grisalho. Jean Camus tinha escalado pessoalmente Didier Anjou para ser o protagonista de *Entre les draps,* tirando o bonito rapaz de cabelo preto e olhos ainda mais escuros da completa obscuridade e lançando-o no mundo da fantasia, fama e fortuna, de limusines, luxo e... Lucille.

Olhando para trás, décadas depois, Didier se consolava com o fato de que não tivera escolha. Lucille Camus era uma deusa, seu corpo era um templo implorando, ou melhor, *exigindo*, ser venerado. Aqueles seios fartos de matrona, aqueles lábios obscenamente carnudos, sempre entreabertos, sempre tentadores, convidativos... Didier Anjou não podia deixar de seduzir Lucille Camus da mesma forma que não podia respirar pelos cotovelos ou atravessar uma pedra nadando. *Elle était une force de la nature!*

É claro que, se ele tivesse parado por aí, as coisas poderiam ter sido melhores do que realmente foram. Infelizmente, com três semanas de romance, Didier engravidou Lucille.

— Não vejo problema nenhum — disse Didier se defendendo, desviando de outro objeto de porcelana que Lucille tinha lançado furiosamente na direção de sua cabeça. — *Chérie*, por favor. É só dizer que o bebê é de Jean. Quem vai saber?

— Todo mundo vai saber, seu cretino, seu *imbecile*! — Didier mergulhou quando outro prato quase o atingiu na garganta. — Jean é estéril!

— Ah!

— Isso mesmo! Ah!

— Bem, então, você terá de se livrar dele.

Lucille ficou horrorizada.

— Um aborto? O que você acha que eu sou? Um monstro?

— Mas, *chérie*, seja prática.

— *Jamais! Non*, Didier. Só tem uma solução. Você precisa se casar comigo.

O divórcio dos Camus foi o assunto de Cannes naquele ano. Uma Lucille Camus cuja gravidez era explícita se casou com seu amante muito mais jovem e, durante alguns maravilhosos meses, Didier foi realmente famoso. Mas, então, o bebê morreu, Jean Camus aceitou Lucille, abatida, de volta, e a comunidade do cinema se fechou em torno deles. Nos oito anos seguintes, até a morte de Jean, Didier Anjou não conseguiu mais do que comerciais de sabão em pó na França. Ele estava acabado aos 23 anos.

Só quando ele completou 30 anos que as coisas finalmente começaram a melhorar. Didier se casou com sua segunda esposa, Hélène Marceau, uma linda e inocente herdeira da região de Toulouse. Hélène era virgem e não aceitou dormir com Didier até que estivessem casados. Isso era perfeito para o ator. Ele transou com todo mundo que quis durante o noivado deles, enquanto aguardava ansiosamente o dia em que tomaria posse da apertada *chatte* de Hélène e de sua gorda conta bancária. Quem poderia querer mais?

O casamento tinha sido uma jogada, o dia mais feliz da vida de Didier. Até que a noite caiu e, finalmente sozinho em seu leito matrimonial, Didier descobriu por que a noiva se mostrava tão recatada em dormir com ele. Parecia que a pobre Hélène tinha genitálias grotescamente deformadas, um segredo que guardava desde seu nascimento. A moça inocente que tinha medo de sexo era uma farsa, um estratagema. A vadia tinha feito uma armadilha para ele!

A união foi infeliz desde o início, mas, ainda assim, Didier ficou com Hélène por cinco anos. Naturalmente, ele a traía com frequência, gastando cada franco da fortuna dela em filmes de produção independente, todos eles veículos para seu próprio estrelato. Hélène sabia o que o marido fazia, mas o amava loucamente mesmo assim. Didier causava esse efeito nas mulheres. Todos os dias, Hélène rezava para que ele voltasse a ver a luz e a amasse de novo, apesar de sua infeliz imperfeição física. Mas isso nunca aconteceu. Aos 35 anos, famoso pela segunda vez na vida e rico pela primeira vez, Didier Anjou finalmente se divorciou de Hélène Marceau. Ele estava de volta ao mercado.

Depois, veio Pascale, outra herdeira que deixou Didier ainda mais rico e deu a ele dois filhos, mas que, infelizmente, tinha uma opinião inflexível sobre seus casos extraconjugais.

Uma dessas amantes, Camille, se tornou a quarta Madame Anjour no ano em que Didier completou 50 anos. Trinta anos mais jovem que ele e extremamente bonita, a top model da vez, Camille, fazia com que Didier se lembrasse dele mesmo quando tinha aquela idade. Fisicamente perfeita, egoísta, ambiciosa, insaciável. Era uma união articulada pelos céus. Mas três anos depois do casamento, Camille dormiu com o filho adolescente de Didier, Luc. Com a ajuda de Lucien Desforges, Didier deserdou os dois e jurou nunca mais se casar de novo.

Ele se aposentou e foi morar em Saint-Tropez, onde se tornou uma lenda por sua vaidade, principalmente pela enorme coleção de perucas que ficavam guardadas em um quarto de vestir especial em Villa Paradis, para delírio das prostitutas russas que regularmente aqueciam a cama dele. Ninguém, muito menos seu advogado, esperava que Didier fosse se casar de novo.

Mas quatro meses atrás, do nada, o velho leviano fez exatamente isso, casando-se em segredo com uma russa de quem nenhum de seus amigos nunca tinha ouvido falar, muito menos havia conhecido. O nome dela era Irina Minchenko, e todos acreditavam que ela era uma das prostitutas que, de alguma forma, conseguira seduzir Didier para um casamento.

A suposição geral estava errada. Com 30 e poucos anos, aristocrata e educada, Irina era rica de nascimento. Mesmo se fosse pobre, era bonita e inteligente demais para se tornar uma prostituta. Desde o dia em que se conheceram, em uma festa em Ramatouelle, Didier ficou apaixonado.

Ele levou a noiva para passar a lua de mel no Taiti, em um afastado chalé na praia. Pela primeira vez na vida, Didier Anjou não queria que a imprensa o seguisse. Ele disse para Lucien, que a esta altura já era seu amigo:

— Irina é preciosa demais para ser compartilhada com o mundo. Sempre que vejo alguém olhando para ela, homem ou mulher, tenho vontade de matar. É uma loucura o que ela faz comigo.

O que quer que Irina fizesse com ele, estava acabado agora, pensou Lucien cinicamente, andando pela varanda dos fundos da casa. Apenas duas semanas depois da lua de mel, Didier Anjou ligara para ele, literalmente uivando de raiva e fúria.

— Quero o divórcio! — gritara ele ao telefone. — Quero acabar com aquela vadia, está me escutando? Não darei nenhum maldito centavo para ela!

Isso foi ontem à noite. Esperava que Didier estivesse mais calmo esta manhã. Era cedo demais para gritaria.

Infelizmente, quando Lucien Desforges entrou pelas portas duplas da sala de estar, os gritos eram ensurdecedores. Mas não eram de Didier.

Eram seus.

Capítulo 10

Danny McGuire fitou Matt Daley por um longo tempo. Ou, melhor, fitou o nada por um longo tempo. O rosto esperançoso, genial e torto de Matt calhou de estar no caminho. É claro que Danny sabia sobre o assassinato de Didier Anjou. Como todo mundo na França, ele vira na televisão e lera nos jornais. Todo mundo, de *Le Monde* a *Le Figaro*, publicou matérias sobre o animado passado romântico de Anjou e especulou qual seria o marido traído ou o credor trapaceado que poderia ter mandado matar o velho safado. Mas pouco se falou sobre a última esposa do ídolo das matinês, além de que era russa e acreditava-se que tinha voltado para seu país depois do assassinato. Danny tinha certeza de que não lera nada sobre estupro. Disse isso para Matt Daley.

— Nenhuma queixa oficial foi feita — concordou Matt. — Mas os blogs estão cheios de boatos de que a Sra. Anjou foi violentada sexualmente pelo assassino e de que o cara que descobriu a cena do crime encontrou os dois amarrados juntos. O problema é que, mais uma vez, a viúva não está por perto para ser interrogada. Ela sumiu.

— Verdade, mas ela voltou para o país dela, a Rússia. Ela não desapareceu como as outras.

Matt deu de ombros.

— Isso é o que os jornais dizem. Mas quem sabe a verdade? A polícia de lá é tão corrupta que faz a prefeitura de Chicago parecer o Corpo da Paz.

Danny riu. Mas foi uma gargalhada vazia, cheia de mau pressentimento. Se o assassino de Andrew Jakes estava realmente solto por aí, repetindo seus terríveis crimes, então a morte de mais dois homens iria pesar na consciência de Danny McGuire. E as viúvas, as lindas jovens que, de forma tão conveniente, desapareceram poucas semanas depois dos assassinatos? Se elas também estivessem mortas, as mãos de Danny estariam ainda mais sujas de sangue. Esse homem, esse animal, estaria ainda mais motivado com cada crime bem-sucedido. Danny não podia ficar parado sem fazer nada e deixar o criminoso atacar de novo. Por outro lado, o que dissera para Matt Daley era verdade. Não era apenas sua relutância em abrir velhas feridas e magoar Céline que o estava impedindo de investigar o caso. Se a polícia local não pedisse ajuda da Interpol, Danny estava oficialmente de mãos atadas.

Ele disse para Matt Daley:

— Não temos certeza se é o mesmo cara. Não sei quanto a Sir Piers Henley, mas Didier Anjou tinha uma longa lista de pessoas que gostariam de vê-lo morto.

— Concordo que não podemos ter certeza — disse Matt, agitado. — É por isso que precisamos reabrir o caso. Ou abrir um novo, investigando os três assassinatos como um todo. Tem muita coisa que não sabemos. Só posso dizer que tenho um pressentimento de que é o mesmo cara, um lunático maldito, e que estamos chegando perto dele.

Danny McGuire pensou: *Ele já está usando o "nós". Está presumindo que já estou dentro.*

— Darei alguns telefonemas para a Scotland Yard e para a polícia local francesa. Vou ver o que consigo descobrir. Mas não posso prometer nada.

Se Matt estava decepcionado, escondeu bem.

— Eu entendo. Sei que isso provavelmente parece estranho, já que meu pai abandonou a mim e a minha irmã. Mas eu gostaria que a justiça fosse feita por ele. Achei que, se você tivesse essas informações, talvez pudesse ajudar.

— O que você vai fazer agora? — perguntou Danny. — Vai voltar para os Estados Unidos?

Matt o fitou, incrédulo.

— Voltar para os Estados Unidos? Claro que não! Por que eu faria isso? Como eu lhe disse, acho que o assassino está aqui na França. Vou pegar um voo para Nice essa tarde às 6 horas. Por volta das 10, devo estar em Saint-Tropez.

— Tome cuidado — alertou Danny. — Se a máfia estiver envolvida com a morte de Didier Anjou, você pode estar se metendo em perigo.

— Você não acredita realmente que foi a máfia, não? Qual é? Isso é conclusão de detetive preguiçoso, é o caminho mais fácil.

— Não sei — disse Danny. — Eu não sei nada de concreto até agora, nem você, Sr. Daley. Notícias de blogs não fazem um caso de homicídio. Além disso, mesmo se você estiver certo, e os três assassinatos estiverem conectados...

— ... Eles estão. Você *sabe* que estão.

— ... A polícia local francesa não aceita bem quando alguém de fora começa a mexer nos casos deles, podendo atrapalhar as investigações. Principalmente americanos.

Matt abriu os braços em um gesto de inocência.

— Não se preocupe comigo. — Ele sorriu. — Meu charme vai seduzi-los.

MAIS TARDE NAQUELE DIA, no saguão de embarque do aeroporto de Lyon, Matt Daley tentou jogar seu charme para a esposa.

— Daqui a uma semana estarei aí, ou no máximo dez dias. Vou levar alguns presentinhos para você, Chanel, o que acha?

— Não quero *presentinhos!* — rosnou Raquel. — Quero a nossa parte daquele dinheiro! Você não percebe que a cada dia que você fica longe, aquelas instituições de caridade estão gastando o *nosso* dinheiro? Não posso resolver isso sozinha, Matt, e não posso resolver isso sem dinheiro. Tem uma reunião com os advogados na terça-feira em Beverly Hills. Espero que você esteja lá.

— Mas, querida, o assassinato de Anjou...

— Não vai pagar as nossas contas — respondeu Raquel. — Estou falando sério, Matt. Ou você volta para casa na terça-feira, ou não precisa mais voltar.

Do outro lado da cidade, em casa com Céline, Danny McGuire estava esparramado na cama, curtindo o prazer pós-sexo.

— Como foram as coisas hoje? — perguntou sua esposa. — Sua reunião com aquele americano que estava perseguindo você há dias? O que ele queria, afinal?

— Hum? Ah, nada. — Esticando o braço, Danny acariciou o seio dela. — É um cara de televisão que quer fazer um documentário sobre a polícia de Los Angeles. Não era nada importante.

Era a primeira vez que Danny mentia para ela. A culpa por isso pesou no estômago feito chumbo.

Naquela noite, enquanto Céline McGuire dormia, Danny ficou deitado acordado, pensando no rosto perfeito de Angela Jakes.

Capítulo 11

MATT DALEY OLHOU PELA janela do *chateau* medieval de Hélène Marceau, que parecia ter sido tirado das páginas de um conto de fadas. Não era apenas a casa. Era toda a cidade de Eze, uma vila absurdamente pitoresca no alto das montanhas, a 30 quilômetros de Monte Carlo. Walt Disney não teria desenhado um lugar melhor, com suas torres e com seus campanários, suas ruas de pedras arredondadas cheias de vento, seus lampiões a gás e jardineiras e singulares chalés de artesãos desordenados. Matt pensou: *É perfeito. Um cenário perfeito para* A Bela e a Fera.

Vinte anos atrás, Hélène Marceau teria sido uma maravilhosa Bela. Mesmo agora, com 50 e poucos anos, a ex-esposa número dois de Didier Anjou era uma mulher atraente. Com seu corpo magro, ótima estrutura óssea e brilhantes olhos de esmeralda, Hélène ainda era o tipo de mulher que os outros se viravam para ver passar. Claro, todo mundo em Eze sabia dos boatos: que Hélène era *deformée, lá embaixo*. Mas isso não pareceu impedir que ela conseguisse mais dois maridos depois de Didier, ambos ricos. Só os móveis desta sala deviam valer algo em torno de seis dígitos.

— Sinto muito por não poder ajudar mais, Sr. Daley. — O inglês de Hélène era perfeito. — Mas eu e Didier não tínhamos nenhum contato havia anos. Li sobre a morte dele nos jornais, como todo mundo.

Matt suspirou. Para desespero de Raquel, ele estava no sul da França havia nove dias e mal tinha uma pista. Nenhuma pista. Tomou um gole de seu *thé au citron*.

— A separação de vocês foi litigiosa?

— Didier me deixou, Sr. Daley. Assim que gastou cada centavo que eu tinha em meu nome.

— Entendo. Então, o divórcio foi litigioso.

Hélène sorriu.

— Nós nos divorciamos, Sr. Daley. Posso dizer que, na época, Didier não estava na minha lista para cartões de Natal. Mas não sou de guardar rancor. O tempo passou. Eu me casei de novo. Fiquei triste quando soube o que aconteceu com ele. Ninguém merece terminar a vida daquela forma.

Só de olhar para o rosto de Hélène Marceau, Matt sabia que ela estava sendo sincera. Esta mulher não queria ver Didier Anjou morto, e claramente não tinha nada a ver com o assassinato dele. Era a mesma história com as outras ex-esposas. Matt fora atrás de cada uma delas. Lucille Camus agora era uma frágil senhora de 80 e poucos anos que mal conseguia se lembrar do próprio nome, muito menos era capaz de planejar o assassinato de um homem que não via havia décadas. Pascale Anjou tinha se casado de novo com um magnata grego e era rica demais para se importar. Camille, a quarta Madame Anjou, ainda vivia feliz com Luc, o filho deserdado de Didier, em uma fazenda nos Pirineus. Ficou verdadeiramente triste quando Matt lhe contou sobre o assassinato de Didier.

Não que Matt acreditasse na teoria de que "o inferno não tem fúria maior que a de uma mulher desprezada", que lhe parecia tão inconsistente quanto a ligação com a máfia que a polícia estava tão determinada a perseguir. Ele tinha certeza de que o mesmo homem que matara seu pai e Sir Piers fizera o mesmo com Didier Anjou. Mas Danny McGuire estava certo. Eles precisavam de mais do que conjecturas para construir um caso criminal, ou mesmo para fazer um documentário minimamente decente. Matt precisava explorar todos os ângulos.

É claro que a única ex-esposa com quem ele *realmente* queria falar ainda o estava evitando. A polícia dizia que Irina Anjou tinha voltado para a Rússia, como ela alegou que faria depois de dar seu depoimento como testemunha. Mas ninguém parecia saber exatamente para onde ela tinha ido, quem era sua família ou qualquer outra coisa a seu respeito. Todas as perguntas que Matt fizera sobre Irina foram recebidas com indiferença gaulesa por oficiais entediados da polícia de Saint-Tropez, e poucos locais pareciam tê-la conhecido. Apenas um homem estava disposto a falar com Matt Daley sobre Irina Anjou. Saindo da casa de Hélène, Matt foi encontrá-lo.

LOCALIZADO BEM NO CORAÇÃO do animado porto de Saint-Tropez, o Café Le Gorille era *o* lugar para ver e ser visto. Tomando seu café da manhã enquanto os superiates partiam, olhando seus glamourosos ocupantes quando saíam para o deque com suas camisas de seda Cavalli e biquínis Eres, você quase podia imaginar que era um deles. Privilegiado. Feito de ouro. Intocável. E tudo pelo preço de um *café au lait* e uma hora sentado em uma cadeira de vime desconfortável que fazia a parte detrás das coxas da pessoa parecer um *waffle*.

Lucien Desforges reconheceu Matt Daley na mesma hora. Não porque já o vira antes, mas porque Matt tinha a aparência mais convicta, idiota e comum dos americanos que nunca viajaram. *Muito peculiar,* pensou Lucien, *que uma nação de pessoas tão odiadas por todo mundo acredite tanto em seu poder de sedução.*

— Sr. Daley.

— Monsieur Desforges. Obrigado por aceitar falar comigo.

Lucien Desforges pensara duas vezes antes de concordar com o encontro de hoje. Ele não queria saber da polícia, já que eles o tinham ignorado quando contou que Irina Anjou tinha sido estuprada. "Um crime de cada vez" fora o que dissera o detetive idiota encarregado do caso, sem fazer o menor esforço para registrar os detalhes do seu depoimento. Se a dama não quis dar queixa — e aparentemente não quis —, então o estupro oficialmente não aconteceu. Menos controvérsia, menos papéis, e todo mundo ficava feliz.

Todo mundo menos Lucien Desforges, que ainda tinha pesadelos com o que vira em Villa Paradis naquela manhã terrível. O sangue em todos os lugares, nas paredes, no tapete, nos sofás. Os horríveis ferimentos na cabeça, no rosto e no pescoço de Didier Anjou. Irina, nua e ferida, amarrada ao cadáver em frangalhos do marido. Verdade seja dita, não queria mais falar com ninguém sobre isso, nem com o insistente jovem americano, nem com qualquer outra pessoa. Mas, no final, a curiosidade levou a melhor. Matt Daley dizia que seu pai tinha sido assassinado da mesma forma sádica que o pobre Didier. Também houve um estupro no caso dele, e Daley parecia convencido de que havia uma ligação entre os dois assassinatos. Tão convencido que largara seu emprego e viajara meio mundo para investigar.

— Não sei o quanto vou poder ajudar — confessou Lucien.

— Bem — disse Matt —, você certamente vai ajudar mais do que os policiais. Esses caras levaram a palavra "desinteresse" a um novo nível.

A expressão de Lucien Desforges endureceu.

— Eles falharam nesse caso. O assassino fugiu e eles não sabem de nada. Nós, franceses, não gostamos que nos lembrem de nossos fracassos. Principalmente quando são os americanos os responsáveis pela lembrança. Como posso ajudá-lo?

Matt pegou uma caneta e um bloco. Como a maioria dos escritores, ele carregava uma caneta e um bloco para todos os lugares, para o caso de ver ou escutar algo engraçado que pudesse usar. Investigar um assassinato não era exatamente como escrever uma *sitcom*, mas ainda assim exigia uma atenção rigorosa aos detalhes.

— Quero saber sobre Irina.

— O que você quer saber? Eu contei à polícia que ela foi estuprada. A coitada tinha ferimentos por toda a coxa e seios e marcas de estrangulamento no pescoço. Ela estava histérica quando eu a encontrei. Mas ninguém deu a mínima.

— Eu dou — disse Matt. — Preciso saber mais sobre quem ela era. Quem ela é. Eles estavam planejando se separar, não?

Lucien Desforges confirmou.

— As coisas estavam muito ruins entre eles?

— Bastante, acho.

— O que eu quero dizer é que nenhuma das outras ex-esposas de Didier queria vê-lo morto. Irina queria?

Lucien Desforges tomou um gole de seu café.

— Sou um advogado matrimonial, Sr. Daley. Pela minha experiência, a maioria das mulheres, mais cedo ou mais tarde, quer ver o marido morto. Entretanto, posso lhe dizer uma coisa com certeza. Não tem como Irina Anjou ter alguma coisa a ver com o assassinato de Didier. O estupro... O que ela sofreu... — Ele balançou a cabeça, como se tentasse se esquecer de suas lembranças. — Este homem, este animal, ele não é normal. Ele é *fou*, maluco. *Détraqué.*

Matt percebeu que o sangue havia subido para a cabeça do advogado e esperou que ele se recompusesse.

— Didier queria se livrar do casamento. Era por isso que eu estava indo para a *villa* naquele dia, para discutir o divórcio. Ele estava furioso com Irina por causa de alguma coisa, mas não consegui descobrir o que era.

— Você sabe alguma coisa sobre o passado dela?

Lucien Desforges negou com a cabeça.

— Não. Ela era russa, nova na área. Eu só a conheci naquele dia. O casamento foi uma surpresa para todo mundo. Mas sei que ela já era rica e não precisava do dinheiro de Didier. O que não significa dizer que outros não precisassem. Didier Anjou estava andando com umas companhias bem duvidosas no final da vida. Ele era "amigo" de alguns figurões da máfia de Marselha.

— Foi o que fiquei sabendo.

— Esses caras não são brincadeira. Se Didier fez alguma coisa que eles não gostaram, são mais do que capazes de matá-lo e estuprar a esposa dele. Eles são animais.

Uma bonita garçonete de cabelo escuro se aproximou para anotar o pedido de Matt, sorrindo ao ouvir seu francês ruim.

— Ela gostou de você — disse Lucien quando a garota se afastou, mexendo os quadris deliberadamente.

— Mesmo? — Matt se virou e olhou na direção dela, mexendo em sua aliança.

— Por que não a chama para sair?

— Não posso. Sou casado.

O francês pareceu achar isso muito engraçado.

— E daí? — Ele soltou uma gargalhada. — Sou hipoglicêmico e mesmo assim gosto de sorvete.

Era uma boa fala. Em outra vida, Matt teria anotado. Mas neste momento, queria voltar ao assunto original da conversa.

— O que você acha que aconteceu com Irina? As viúvas dos outros dois casos que estou investigando sumiram logo depois dos ataques e nunca mais se teve notícia delas.

Lucien deu de ombros.

— Isso não me surpreende. Imagino que elas quisessem deixar tudo para trás, todas as lembranças terríveis, e começar de novo. Não podemos culpar Irina Anjou por ter saído da França.

Matt franziu a testa.

— Bem, *podemos* culpá-la. Podemos dizer que ela pegou o dinheiro e fugiu.

Lucien Desforges pareceu realmente surpreso.

— Ah, não. Se tem uma coisa da qual não podemos acusá-la é disso. Didier não estava tão bem quanto as pessoas achavam, sabe? Depois de quatro divórcios, poucos homens ficam bem. Mas antes de Irina ir embora, ela limpou a conta conjunta que tinha com Didier e doou tudo para uma instituição de caridade.

Matt sentiu o arrepio subir pelos braços e pela nuca.

— Tem certeza disso?

— Absoluta — disse Lucien. — "Face au Monde", acho que esse é o nome da instituição. Tem alguma coisa a ver com cirurgias de fenda palatina em Paris. Eles ajudam crianças.

Capítulo 12

DANNY McGUIRE ACELEROU A esteira, esperando que a dor nas pernas o distraísse. Não distraiu.

Havia uma academia muito bem equipada na sede da Interpol, mas Danny preferia frequentar a Sport Vitesse na Rue de La Paix. Parte porque precisava, de vez em quando, sair do escritório. Por mais que gostasse de estar à frente da divisão IRT, a organização em si era muito sistemática e introspectiva, um verdadeiro santuário da burocracia. Mas principalmente porque as esteiras do clube ficavam de frente para as enormes janelas com vista para o tráfego em pleno *rush,* o que o fazia se lembrar de Los Angeles. Danny amava morar na França, o ritmo de vida mais lento, a história, a arquitetura, a comida. Mas em alguns momentos sentia falta dos Estados Unidos, de *Monday Night Football* e de asinhas de frango. Encontrar Matt Daley trouxera sua saudade de casa com força total.

Danny McGuire tinha gostado de Matt Daley. Gostara de sua honestidade, de seu senso de humor, de sua tenacidade. Mas preferia, de todo o coração, que Matt Daley nunca o tivesse encontrado.

Desde o momento em que Matt saiu de seu escritório, Danny não conseguira pensar em nada que não fosse o caso Jakes e os outros homicídios aparentemente conectados a ele. Depois que Matt ligou de Saint-Tropez para contar, com o tom de voz animado, que Irina Anjou também havia deixado todo o dinheiro do marido para uma instituição de caridade, ele finalmente tocou no assunto com seus superiores.

— A grande diferença de idade entre os maridos e as esposas, os estupros, a natureza selvagem dos assassinatos, a forma de amarrar as vítimas juntas. Essas características sugerem um padrão. Mas o fato de todas as três viúvas terem evaporado após o evento e terem doado toda a herança para instituições de caridade infantis, incluindo Irina Anjou... Acho que vale a pena verificarmos, o senhor não acha?

O vice-diretor Henri Frémeaux piscava de forma inescrutável, o rosto não dava a menor indicação do que ele estava pensando. Com 60 e poucos anos, totalmente careca e com uma barriga que poderia parecer engraçada em um homem mais bem-humorado, Henri Frémeaux era tudo que Danny McGuire odiava na Interpol: desinteressado, inflexível, intolerante. Também tinha uma inteligência brilhante, era um talentoso solucionador de problemas com um raciocínio lógico de dar inveja. Mas não havia sido por isso que Henri Frémeaux chegara ao topo da Interpol. Isso ele alcançara seguindo cegamente as regras.

— Qual país-membro pediu a nossa ajuda? — perguntou ele a Danny rudemente. — Não me lembro de nada parecido com isso passar pelas minhas mãos.

— Não, senhor. Não passou. Recebi a informação de uma fonte particular.

O vice-diretor Henri Frémeaux levantou as sobrancelhas.

— Uma fonte particular?

— Sim, senhor.

— Diretor-assistente Danny McGuire. Como não preciso lembrar-lhe, a Interpol não é como as outras agências. Nossa função é agir como uma conexão administrativa entre as delegacias dos nossos países-membros, facilitando a comunicação e fornecendo bancos de dados.

Danny suspirou.

— Sim, senhor, eu li o manual. Mas se esse assassino estiver solto por aí, se preparando para atacar de novo, então não seria nosso dever agir?

— Não. Nosso dever é claro: facilitar a comunicação e fornecer bancos de dados para os países-membros, *quando solicitado*. Alguma solicitação foi feita em relação a esses crimes?

Era como se Danny estivesse falando com uma parede.

Foi a mesma coisa com a Scotland Yard. O inspetor Willard Drew era um detetive modesto quando assumiu a investigação do caso Henley. Ele atendeu à ligação de Danny com uma frieza ártica.

Sim, Tracey Henley deixara o país. Não, as autoridades não sabiam do paradeiro dela, mas também não achavam que houvesse algum jogo sujo envolvido nisso. Não, ninguém nunca foi acusado pelo assassinato de Sir. Piers Henley, apesar da exaustiva série de interrogatórios de mais de oitenta possíveis suspeitos. Não, o inspetor Willard Drew não tinha o menor interesse em reabrir o caso "porque um astro de cinema francês já esquecido tinha sido eliminado por mafiosos locais".

Danny compreendia por que o inspetor Willard Drew estava na defensiva. Ele havia agido da mesma forma quando o assassino de Andrew Jakes escapou. O fracasso doía, como sal em uma ferida aberta. Mas também se sentia frustrado.

A polícia francesa foi ainda pior, demorando dias para retornar a ligação de Danny, achando que a conexão com os assassinatos de Los Angeles e Londres era apenas "fantasiosa" e que as evidências de Matt Daley eram apenas "circunstanciais". Ninguém queria reabrir esse caso, abrir a tampa dessa terrível, violenta e ensanguentada lata de vermes. Ao redor do mundo, o som de todos lavando as mãos era ensurdecedor.

Suor escorria pelas costas de Danny, formando uma poça na base de sua coluna vertebral conforme seus pés batiam na borracha em movimentos embaixo dele. Conforme corria, suas próprias dúvidas voltavam. Sim, a polícia francesa era preguiçosa, e a britânica se mantinha na defensiva. Mas será que eles também tinham razão? Muitas coisas nos três assassinatos não batiam. O banco de dados I-24/7 da Interpol era o maior e mais sofisticado desse tipo em todo o mundo, mantendo coleções de impressões digitais e fotos, listas de procurados, amostras de DNA e documentos de viagem. Só o banco de dados de documentos de viagem roubados e perdidos continha mais de 12 milhões de registros. Mas depois de uma exaustiva busca, Danny não encontrara nenhuma outra ocorrência que vagamente se parecesse com o caso Jakes. Não teve mais sucesso com os casos Henley e Anjou. Se realmente *fosse* o mesmo assassino, por que ele deixara um período tão longo entre os crimes? E por que escolhera vítimas tão distantes geograficamente? O que ele fazia entre os assassinatos? Como se sustentava? Quase todos os *serial killers* que Danny tinha conhecimento trabalhavam dentro de um território, de um "padrão familiar de operações" e se atinham a ele. Assassinos profissionais iam de um lado para o outro, mas eles se concentravam em seus alvos, não ficavam por aí nem estupravam inocentes.

E havia outras discrepâncias nos crimes "iguaizinhos" de Matt. Didier Anjou e Andrew Jakes foram esfaqueados até a morte. Sir Piers levou um tiro na cabeça. Joias foram roubadas das casas de Henley e de Jakes, mas não da de Anjou, apesar de ele ter uma enorme coleção bem à vista na cômoda de seu quarto. E os roubos de arte de Andrew Jakes? As raras miniaturas vitorianas? Onde eles se encaixavam em um possível motivo?

Exausto, Danny diminuiu a velocidade da esteira para uma caminhada rápida, deixando seus batimentos cardíacos diminuírem. Matt Daley estava voltando para Los Angeles. Em algum momento da semana seguinte, Danny teria de ligar para ele, atualizá-lo dos "progressos". Que piada. Não tinha nada, nada exceto um simples número: *três*.

Três vítimas. Andrew Jakes. Sir Piers Henley e Didier Anjou. Três países.

Três esposas desaparecidas. Angela Jakes, Tracey Henley e Irina Anjou.

Três.

Não era o progresso do século.

Instintivamente, Danny pressentia que a chave para desvendar o mistério estava no estupro das três jovens esposas. Em algum lugar por trás desses crimes, havia um homem que odiava mulheres. Um monstro violento movido pelo sexo.

Pensou em sua esposa, Céline, e sentiu uma onda de repulsa e nojo tomar conta dele, com uma pontada de medo. Se algo acontecesse com ela, qualquer coisa, ele não sabia o que faria. Pensou pela enésima vez na linda Angela Jakes e nas outras mulheres. Tracey e Irina. Será que elas estavam vivas, levando discretamente vidas novas, em algum lugar, como as polícias de Los Angeles, Londres e Saint-Tropez tanto queriam acreditar? Ou também estavam mortas, seus corpos apodrecendo em túmulos sem lápides, vítimas silenciosas do mais cruel e habilidoso dos assassinos?

MATT DALEY ENTROU NO jardim de casa sentindo-se tão nervoso quanto um adolescente no primeiro encontro. Passara quase três semanas fora, nunca havia ficado tanto tempo fisicamente longe de Raquel desde que se casaram. Apesar da raiva dela — uma vez que ele se recusara a voltar para a reunião com os advogados na semana anterior, ela não entrara em contato mais nenhuma vez e se recusara a atender às ligações dele ou a responder seus e-mails —, Matt estava surpreso ao perceber que sentia saudades dela. O tempo renovara sua determinação para acertar as coisas em seu casamento.

Eu estava negligenciando minha esposa, disse ele para si mesmo. *Não é de se espantar que ela passe tanto tempo correndo atrás de um tesouro imaginário no escritório do advogado. Por que ela não faria isso, já que passo o dia todo trancado trabalhando, ou rodando pelo mundo tentando solucionar esses crimes?*

Chegou a pensar que se conseguisse solucionar o caso, com a ajuda de Danny McGuire, se encontrasse o assassino e o entregasse para a Justiça, ele poderia deixar Raquel orgulhosa dele de novo. Então, poderia escrever um roteiro sobre isso, vender para um grande estúdio e ganhar mais dinheiro do que Raquel poderia sonhar. Era uma boa fantasia, mas até isso acontecer, precisava passar mais tempo com ela. E faria isso. Agora que estava de volta, eles iriam se acertar.

Dentro da casa estava escuro. Matt afastou sua decepção. *Ainda é cedo,* disse para si mesmo. *Logo ela estará em casa.* Pelo menos assim teria tempo para tomar banho e trocar de roupa depois de seu longo voo. Os assentos da classe econômica da Air France tinham sido claramente projetados por algum duende, e a lombar de Matt estava doendo muito.

No andar de cima, o quarto estava impecável, uma prova das longas semanas que passara longe. Matt jogou a mala em cima da colcha cor-de-rosa e começou a se despir. Foi quando viu o envelope encostado no abajur de sua mesa de cabeceira. Seu nome estava escrito na frente, com a inconfundível caligrafia de Raquel.

Matt sentiu um nó no estômago.

Pare de pensar o pior. Pode ser um cartão de boas-vindas.
Mas, mesmo enquanto abria a carta, sabia que não era.

FORAM AS BATIDAS QUE o despertaram. Eram ensurdecedoras. Deitado no chão, uma pequena poça de saliva manchando o carpete cor de pêssego, a primeira coisa que pensou foi: *Alguém está tentando demolir a minha casa. Comigo dentro.*

A segunda coisa foi: *Boa sorte para eles.*

Raquel havia pedido o divórcio. Ele tinha afastado a esposa e ela nunca mais voltaria. Naquele momento, poucas coisas pareciam melhores do que ser soterrado por uma pilha gigante formada pelos destroços de uma casa que um dia fora um lar feliz.

TUM, TUM, TUM!

Não era uma bola de demolição. Era um punho. Na porta. Um punho nervoso.

— Abra, Matt. Sei que você está aí.

A voz era familiar, mas Matt não conseguia distingui-la. Mas depois de duas garrafas de vinho e dos resquícios da vodca que sobrou do último Réveillon, Matt não conseguia nem colocar uma perna na frente da outra. Tentou levantar a cabeça do chão, apoiando-se com os braços até ficar de joelhos. O quarto rodava à sua volta. Teve ânsia de vômito.

TUM, TUM, TUM!

— Já vou, meu Deus! — Matt desceu cambaleando, apoiando-se no corrimão como um paraplégico. Cada passo era uma tortura, mas precisava acabar com o barulho. Abriu a porta. — Ah. É você.

Claire Michaels fez uma careta ao sentir o bafo de álcool. Seu irmão parecia dez anos mais velho.

— Raquel me deixou.

— Eu sei — disse Claire. — Ela passou na minha casa para deixar uma pilha de contas que você tem que pagar, "para o caso de você se dignar algum dia a voltar para casa", usando as palavras dela.

— O que eu vou fazer? — perguntou Matt entre soluços. — Eu a amo, Claire. Não posso viver sem ela.

— Ah, bobagem — comentou a irmã dele, passando por Matt e entrando na casa. — Suba, tome um banho e vou preparar um café da manhã para você. Depois, você me conta sobre a França. Ah, e Matt...? Escove os dentes e faça um bochecho, por favor. Parece que tem um bicho morto na sua boca há umas duas semanas.

O CAFÉ DA MANHÃ preparado por Claire estava delicioso. Panquecas frescas com framboesa, nozes e mel, omelete de salmão defumado e uma enorme caneca de café colombiano bem forte. Depois disso, Matt quase se sentia semi-humano de novo.

— Ela já pediu o divórcio, deve ter batido o recorde mundial de velocidade — disse ele para Claire, deprimido. — Ela quer metade de tudo.

— Exceto das dívidas.

— Exceto das dívidas, que eu realmente não tenho dinheiro para pagar. Quando quebrarem meu cartão de crédito ao meio, faço questão de mandar a metade dela. — Ele abriu um leve sorriso. — O que vou fazer da minha vida?

Claire começou a tirar os pratos da mesa.

— É sempre uma boa ideia tentar trabalhar. Arrumar um emprego, sabe? É aquela coisa para onde você vai todos os dias, faz coisas para as outras pessoas, e eles pagam por isso. É realmente um negócio legal.

— Ha ha — disse Matt. — Eu tenho um emprego. Sou roteirista.

— Ah! — Claire levantou as sobrancelhas de forma sarcástica. — Estou vendo, Ingmar Bergman. E como anda a sua obra-prima? A França foi tudo que você esperava?

— Foi ótimo. — Os olhos de Matt se iluminaram pela primeira vez naquela manhã. Ele contou à irmã sobre o encontro com Danny McGuire e sobre os inesperados desdobramentos do caso Didier Anjou, com Irina deixando todos os bens do marido para uma instituição de caridade, exatamente como as outras duas viúvas tinham feito. — Sei que é o mesmo assassino, o homem que matou nosso pai. E tenho certeza de que Danny McGuire também sabe disso, embora seja esperto o suficiente para não prometer muita coisa.

Claire franziu o cenho.

— Andrew Jakes não era "nosso pai". Papai era o nosso pai. Jakes foi um mero doador de esperma.

Matt ficou surpreso com a raiva dela.

— Ok. Talvez tenha sido. Mas ele não merecia ter a cabeça arrancada por um psicopata, nem que o cara escapasse.

— Talvez ele merecesse? — disse Claire enquanto enchia a máquina de lavar louças, fazendo vários barulhos altos. — Talvez ele fosse um FDP nojento. Talvez todos eles fossem. — Ela se virou para encarar o irmão. — Você já perdeu seu casamento, Matt. Mamãe está chateada com você, *eu* estou chateada com você. Você está quebrado. Não está na hora de você parar com essa perseguição maluca e colocar a sua vida no lugar? Se as autoridades desses três países e a Interpol não conseguiram solucionar esses assassinatos, o que faz você pensar que vai conseguir?

— Talvez eu seja mais esperto do que eles? — Matt sorriu, ganhando de Claire um olhar de puro desdém. Ele sabia que ela estava certa. Precisava arrumar um emprego remunerado, e logo, se quisesse sobreviver a esse divórcio e ter um telhado sobre sua cabeça. Ainda poderia trabalhar no documentário, poderia continuar mantendo contato com Danny McGuire. Mas não podia deixar que os assassinatos não resolvidos o consumissem da forma como vinham fazendo.

O telefone tocou. Ambos olharam para o aparelho, pensando a mesma coisa. *Raquel.*

— Mantenha a calma — avisou Claire. — Não grite com ela. E não chore.

Matt atendeu o telefone, tremendo.

— Alô!

A voz de Danny McGuire soou distante e baixinha, mas a agitação e a adrenalina estavam claras.

— Houve outro assassinato. Ontem à noite, em Hong Kong.

— É o nosso cara?

— Mesmo modus operandi — disse Danny. — Estupro, corpos amarrados juntos, a vítima é um homem velho e rico. Miles Baring.

Matt ficou em silêncio por um momento. Levou alguns minutos para compreender totalmente a importância do que Danny estava lhe contando. O assassino não estava apenas solto. Estava tornando-se mais ousado e ativo. Fazia pouco mais de dois meses desde seu último ataque, e mesmo assim, ali estava ele, atacando de novo do outro lado do mundo. Quase como se ele soubesse que alguém o estava observando, como se soubesse que alguém finalmente tinha encontrado as peças espalhadas daquele quebra-cabeça e queria tentar arrumá-las para formar uma figura coerente. *Após dez longos anos, ele tem uma plateia,* pensou Matt. *Ele está atuando para mim.*

— Onde está a viúva?

O entusiasmo na voz de Danny McGuire era inconfundível.

— Essa é a melhor parte. A polícia de Hong Kong a colocou sob custódia. Liguei para o cara que está à frente do caso e contei a ele o que aconteceu com as outras esposas. Lisa Baring não vai a lugar algum.

Matt desligou, ainda atordoado.

— Quem era? — perguntou Claire. — Deu para perceber que não era a Raquel.

— Quê? Não — respondeu Matt. — Preciso arrumar as malas.

— *Arrumar as malas?* — Claire olhou para ele, desesperada. — Matthew! Você escutou alguma coisa do que eu disse?

Matt se aproximou da irmã e deu um beijo em seu rosto.

— Preciso ir. E concordo com tudo que você disse. Você está totalmente certa, e eu prometo que vou procurar um emprego assim que voltar da Ásia. Enquanto isso, você tem um tempinho? Será que poderia me dar uma carona até o aeroporto?

Capítulo 13

MATT DALEY NUNCA VIRA nada parecido com Hong Kong. Ele se considerava um homem do mundo. Não no sentido James Bond, claro. Ninguém podia dizer que Matt Daley era sofisticado; cortês, menos ainda. Na maior parte dos dias, ele considerava um grande feito conseguir se lembrar de sair de casa com meias do mesmo par. Mas também não era um camponês que nunca fora exposto a outras culturas. Matt pode ter sido criado em uma cidade pequena, mas já tinha morado em Nova York e viajado bastante pela Europa e pela América do Sul quando tinha 20 e poucos anos. Mesmo assim, Hong Kong o deixou genuinamente admirado.

Central, o principal distrito comercial da ilha, era cheio de torres tão altas que faziam Manhattan parecer Lilliput. Lan Kwai Fong, o quarteirão de vida noturna e distrito da luz vermelha, brilhava, piscava e fedia, suas ruas estreitas apinhadas com os mais estranhos espécimes que a raça humana oferecia: anões malabaristas, dançarinas sem braço, travestis cegas se prostituindo e os onipresentes soldados da marinha americana que estavam de folga, bebendo todas. Fazia com que Matt se lembrasse de Venice Beach, elevada à milésima potência. Pensando nisso, Hong Kong inteira era assim. *Intensificada*. A grama do lado de fora de New

Territories era tão verde que brilhava como se fosse um desenho animado. Em Nova York e Londres, as ruas comerciais ficavam cheias. Em Hong Kong, elas ficavam inundadas, infestadas, vivas com humanidade, como um cadáver apodrecido crivado de vermes. A impressão geral de Matt era de um lugar onde tudo acontecia em excesso. Os barulhos eram mais altos; os cheiros, mais fortes; as luzes, mais brilhantes; e os dias, mais longos, aparentemente infinitos. Esqueça Nova York. Hong Kong era a verdadeira "cidade que nunca dorme". Após uma semana, Matt ainda não sabia se amava a cidade ou a odiava.

Não que isso tivesse alguma importância. Não estava ali de férias. Estava ali em uma missão.

Parecera uma proposta tão simples ao telefone com Danny McGuire. A divisão de Danny na Interpol agora estava "ajudando ativamente" a polícia chinesa de Hong Kong. Na prática, isso significava simplesmente que as duas organizações estavam trocando informações. Não havia conversa alguma sobre ter uma equipe responsável ou qualquer coisa parecida. Mas, pelo menos agora, Danny McGuire tinha a permissão da Interpol para dedicar tempo ao caso, até para se aprofundar nos assassinatos anteriores, "quando relevante". A tarefa de Matt era ir para Hong Kong, encontrar-se com Lisa Baring, a viúva da última vítima, e descobrir o que fosse possível. Então, passaria essas informações para Danny — sem ser oficialmente, claro.

— Se meus chefes descobrirem que estou usando mão de obra civil em campo, ou me intrometendo em uma investigação doméstica de um país-membro, eu irei para a geladeira rapidinho.

Ignorando os avisos de Claire para tomar cuidado, Matt desembarcara do voo da Qantas para Hong Kong com muitas expectativas. Até agora, essa esperança não estava nem perto de se concretizar. Entrar em contato com Lisa Baring estava se provando uma missão impossível. Miles Baring, o marido dela, era o Donald Trump de Hong Kong, e o assassinato dele e a violência sexual contra sua jovem e deslumbrante esposa estavam na primeira página de todos os jornais da ilha. A total falta de informações só aumentava o interesse da imprensa pelo caso. A polícia de Hong Kong era um exemplo de organização e eficiência e não estava disposta a dar coletivas de imprensa apenas para satisfazer a curiosidade de um público libertino. Miles e Lisa Baring sempre mantiveram sua privacidade, e a Sra. Baring não via a menor necessidade de mudar esse hábito simplesmente porque o marido fora massacrado a sangue-frio. Instalada no Queen Elizabeth Hospital em Gascoigne Road, ela não fez qualquer pronunciamento público e, aparentemente, não tinha a menor intenção de fazê-lo. Graças aos avisos da Interpol, o prédio do hospital estava cercado por policiais armados. Os visitantes de outros pacientes eram estritamente monitorados, e nem o pessoal da entrega e a equipe médica entravam e saíam sem serem interrogados. Quanto à própria Sra. Baring, as únicas pessoas com permissão para chegar perto dela eram seus médicos e o superintendente Liu, o detetive chinês à frente da investigação local.

Sem poder usar o nome de Danny McGuire, ou dizer que tinha alguma conexão com a Interpol, Matt foi obrigado a lançar mão da artimanha dos telefonemas.

Ele era um repórter do *60 minutes* que iria escrever uma matéria sobre a maravilhosa eficiência de Liu e sua equipe.

Era um adido da embaixada dos Estados Unidos que fazia uma visita de cortesia a sua cidadã aflita. (Lisa Baring era americana de nascimento, de Nova York, se é que se podia acreditar nos jornais.)

Ele era um advogado que estava de posse de um documento de vital importância, que só a Sra. Baring tinha permissão para assinar.

A resposta era sempre a mesma.

— Nada de visitantes.

No início, Matt ficou em uma pequena pensão em Peak. Mas a proprietária pediu que ele saísse depois que um carro de aparência sinistra e vidros escuros passou a ficar estacionado na frente do prédio dia e noite, só saindo quando Matt também saía. Matt contou a Danny McGuire sobre o carro.

— Você acha que os chineses podem estar me vigiando?

Danny pareceu preocupado.

— Não sei. É possível, embora eu não consiga imaginar por quê. Tenha cuidado, Matt. Lembre-se, o assassino também pode ser um habitante local. Enquanto Lisa Baring estiver em Hong Kong, existe uma boa chance de ele ainda estar por perto, esperando o momento certo para que possa afugentá-la como fez com as outras.

— Você acha que ele tem alguma coisa a ver com o desaparecimento das viúvas?

— Acho que é possível sim. Talvez ele tenha um cúmplice, alguém que atrai as mulheres para longe da segurança de suas casas e da proteção policial para que possa acabar com elas também.

Matt não estava convencido.

— Se ele quisesse matar as esposas, por que não matá-las junto com os maridos? Por que se preocupar em cometer dois assassinatos separados?

— Não sei — disse Danny. — Talvez, na opinião dele, não seja uma preocupação. Talvez ele goste.

Matt estremeceu.

— A única coisa que temos certeza sobre esse cara é que ele é muito perigoso e não fica dando bobeira por aí. Se ele achar que você está atrás dele, você pode estar correndo risco de verdade.

Matt se mudou para o Marriott, um grande e indistinto hotel no centro da cidade, e o carro escuro desapareceu. De vez em quando, ele ainda tinha a estranha sensação de estar seguido, no

DLR, o metrô de Hong Kong, ou a caminho do Starbucks perto do hospital, onde Lisa Baring continuava sob forte proteção. Mas nunca via ninguém ou tinha algo concreto para relatar a Danny. Com pouco dinheiro e ainda longe de conseguir falar com a elusiva Sra. Baring, Matt estava pensando seriamente em pegar um voo de volta para casa com as mãos abanando quando recebeu um e-mail da conta pessoal de Gmail de Danny McGuire. Danny escreveu:

"Delete assim que ler. Liu mandou isso hoje. Achei que poderia lhe dar algumas pistas."

Depoimento

Lisa S. Baring
16/09/2010, Queen Elizabeth Hospital, Hong Kong

Eu confirmo que meu nome é Lisa Baring e que sou esposa de Miles Baring, falecido. Confirmo que estava junto com o falecido na noite de sua morte, 04/09/2010, em Prospect Road, 117, Hong Kong. Confirmo que a história abaixo é um registro verdadeiro e completo dos eventos, até onde conheço e me lembro.

Miles e eu estávamos em casa como de costume. Anita, nossa cozinheira, havia preparado arroz e frango para o jantar, e nós tomamos uma garrafa de vinho. Eu não diria que nenhum de nós estava embriagado. Depois do jantar, nos recolhemos ao nosso quarto no andar de cima, onde assistimos a televisão — jornal da CNN — e fizemos amor. Apagamos as luzes por volta das 22h30 e fomos dormir.

Acordei e vi um homem mascarado encostando uma faca no meu pescoço. Vi Miles tentando apertar o botão de emergência ao lado da nossa cama, mas o homem gritou para que ele parasse, caso contrário, cortaria minha garganta. Miles fez o que ele mandou. O homem me amarrou primeiro com uma corda e me colocou no chão. Ele disse que se algum de nós emitisse qualquer som, ele nos mataria. Miles perguntou o que ele queria, mas ele não respondeu. Em vez disso, foi na direção de Miles. Miles tentou lutar com ele, e foi quando o homem o esfaqueou.

Sei que eu gritei. Não sei se Miles gritou, só sei que foi esfaqueado repetidas vezes. Havia muito sangue. Eu tinha certeza de que um dos empregados escutaria alguma coisa, mas ninguém apareceu. Devo ter desmaiado.

Quando acordei, o homem estava me estuprando. Ele fez cortes com a faca nas minhas costas, nádegas e pernas. Miles estava deitado no chão, sangrando. Eu não sabia se ele estava morto ou não. Acho que sim. Após uns cinco minutos, o homem parou de me estuprar. Acho que ele não ejaculou. Pegou uma arma, que eu não tinha visto antes. Lembro que achei estranho ele preferir usar a faca para nos render quando tinha uma arma. Supus que ele fosse me matar, mas, em vez disso, ele se virou e deu um único tiro na cabeça de Miles. Não fez barulho. Então, ele arrastou o corpo até onde eu estava e nos amarrou juntos com a mesma corda que usara em mim antes. Ele cobriu a minha boca com fita adesiva. E foi embora.

Não o vi roubando nem tentando roubar nada no quarto. Ele não perguntou a mim nem ao Miles em nenhum momento sobre o cofre. Não faço a menor ideia do que aconteceu depois que ele saiu do quarto, como escapou da nossa casa. Fiquei deitada no chão por mais cinco horas até que uma das empregadas, Joyce, nos encontrasse na manhã seguinte e ligasse para a polícia.

Confirmo que em nenhum momento reconheci o homem que nos atacou, nem sua voz nem nenhuma característica física. Confirmo que nosso sistema de segurança infravermelho foi desativado, mas não sei quando ou como isso aconteceu.

Lisa S. Baring

Matt leu e releu o depoimento, com várias perguntas em mente. Muito do que Lisa Baring disse não fazia sentido. Por que os empregados não escutaram nada nem viram o homem depois que ele entrou na casa? Devia haver muitos empregados no local naquela noite. Como um sofisticado sistema de segurança era desativado sem ninguém perceber? Por que Miles Baring, um homem inteligente de quase 80 anos, decidira desafiar fisicamente um atacante armado em vez de apertar o botão de emergência? Ele provavelmente tivera oportunidades de alcançá-lo enquanto sua esposa estava sendo amarrada. Por que, como a própria Lisa Baring observou, o criminoso usou uma faca se tinha uma arma com silenciador?

Matt Daley não dormiu naquela noite. Ficou acordado, olhando para o teto de seu quarto de hotel, sua cabeça se recusando a desligar. Percebeu que estava começando a pensar no assassino como uma sombra, irreal, como o personagem de algum livro de mistério. Mas, obviamente, ele não era uma sombra. Ele era humano, de carne e osso, e estava solto por aí essa noite, dormindo e comendo e pensando e seguindo com sua vida, apesar da série de crimes terríveis que tinha cometido. Lisa Baring conhecia esse homem, não pelo nome, mas de uma forma muito mais íntima, mais real. Lisa Baring o tocara, assim como Angela Jakes, Tracey Henley e Irina Anjou o tocaram antes. Ela escutara a voz dele, sentira o cheiro de seu hálito e de seu suor, sentira o peso dele sobre ela, dentro dela. Para Matt, ele podia parecer um enigma, um fantasma. Mas para Lisa Baring era muito, muito real. *Preciso fazer isso. De alguma forma, preciso me encontrar com Lisa Baring. Preciso chegar a ela antes dele.*

O Inspetor Liu fechou os olhos e contou até dez. Nunca teve muito apreço por mulheres ocidentais. Elas eram muito teimosas, muito arrogantes. Não podia entender por que Miles Baring não escolhera uma mulher chinesa, mais dócil, maleável, para ter como esposa. Isso certamente teria facilitado muito o trabalho do inspetor.

— Já lhe disse o porquê, Sra. Baring — repetiu ele, pacientemente. — A sua vida pode estar em perigo.

Lisa Baring continuava arrumando suas coisas dentro de uma pequena mala Louis Vuitton, ignorando-o. Os médicos tinham lhe dado alta do hospital naquela manhã, e ela estava de pé e vestida pela primeira vez em semanas, usando roupas que sua empregada de Hong Kong, Joyce, trouxera de casa. Calça jeans Hudson que destacava suas longas pernas, uma blusa de musselina branca da Chloé e suas sapatilhas preferidas Lanvin. O cabelo escuro estava preso em um rabo de cavalo frouxo, e simples e solitários diamantes brilhavam em suas orelhas e em seu pescoço, iluminando um rosto naturalmente adorável que nenhuma maquiagem poderia embelezar ainda mais. O inspetor Liu sabia que ela tinha 30 e poucos anos, mas, ao vê-la agora, era difícil de acreditar. A pele dela tinha o frescor da pele de uma adolescente. Infelizmente, ela era tão teimosa quanto uma adolescente também.

— Agradeço sua preocupação, Sr. Liu — disse ela, jovialmente —, mas não tenho a menor intenção de passar o resto da minha vida como uma prisioneira, olhando por cima dos ombros. Não quero proteção policial.

— Mas a senhora precisa, Sra. Baring.

— Mesmo assim, eu recuso. Não quero. Sou grata pela oferta, mas minha resposta é não.

Famoso por se manter calmo o tempo todo, o inspetor Liu sentiu uma rara onda de raiva.

— Isso não tem a ver apenas com a sua segurança, Sra. Baring. Como a senhora sabe, ficamos sabendo pela Interpol que quem quer que a tenha estuprado e matado seu marido já estuprou e matou antes. É quase certo que ele tente fazer isso de novo. Temos o dever de impedir que isso aconteça, de proteger futuras vítimas. Certamente, a senhora compreende isso.

O rosto perfeito de Lisa mostrava seu sofrimento.

— Claro que compreendo. Ninguém deseja mais do que eu que esse cretino seja preso, inspetor, ou impedir que ele ataque de novo. Como lhe disse antes, se ele tentar entrar em contato comigo, ou se qualquer coisa suspeita acontecer, eu o aviso imediatamente. Mas, enquanto isso, preciso poder viver a minha vida como eu quiser. Miles e eu temos uma *villa* em Bali. É um lugar afastado e seguro. Ficarei lá até que o frenesi da imprensa diminua.

O inspetor Liu, do alto de seu 1,60m, disse de forma autoritária:

— Sinto muito, Sra. Baring, mas isso está absolutamente fora de cogitação.

Quinze minutos depois, em uma limusine preta com vidros escuros a caminho do Aeroporto Chek Lap Kok, Lisa Baring pensou no infeliz policial chinês. Ele parecia um homem bom, e estava claro que tinha boas intenções. Mas Lisa vira policiais o suficiente nas últimas três semanas para encher a cota de toda a sua vida. Hong Kong trazia muitas lembranças de Miles e do que acontecera, sem falar na imprensa tentando invadir sua privacidade. Precisava sair dali.

No pátio norte, o G6 dos Baring estava esperando. Ao vê-lo, os olhos de Lisa se encheram de lágrimas. Miles amava o avião. Era seu orgulho e sua alegria.

— Bem-vinda a bordo, madame.

Kirk, o piloto, recepcionou Lisa.

— Sinto muito pelo que aconteceu. Se tiver alguma coisa que eu possa fazer, qualquer coisa...

Lisa colocou a mão no braço dele.

— Obrigada, Kirk. Mas a única coisa que quero é sair daqui.

— Somos os próximos a decolar — garantiu ele. — Fique à vontade.

Fique à vontade, pensou Lisa enquanto os motores ganhavam vida. Não era errado ficar à vontade enquanto Miles estava morto, deitado em um túmulo, seu corpo mutilado por facas e balas? Lágrimas encheram seus olhos. *Não posso me permitir pensar em Miles. Preciso bloquear esses pensamentos. Nada vai trazê-lo de volta.*

Era mais fácil falar do que fazer. Enquanto o avião se erguia sobre as nuvens, lembranças do marido estavam em todos os lugares. Havia a torre de escritórios de Miles, ao lado do prédio gigante do banco da China, como um bebê aninhado sob a asa da mãe. *Se isso, pelo menos, o tivesse protegido! Se alguma coisa pudesse tê-lo protegido.* Ela fechou a cortina da janela, mas Miles estava em todos os cantos dentro do avião também. Os assentos macios de couro marrom que ele mesmo escolhera quando reformaram a aeronave. A poltrona dele, ao lado da de Lisa, ainda com a marca deixada por seu corpo. Até mesmo seus gentis olhos fitando-a do retrato na parede. *Pobre Miles. Que crime ele cometeu além de ser rico e feliz? Quem ele feriu neste mundo? Quem algum de nós feriu?* Miles também tentara fazer Lisa feliz.

Mas nem mesmo o brilhante Miles Baring conseguia o impossível.

Só quando começaram a descer, ela se lembrou. *Viemos para Bali em nossa lua de mel.* De repente, estar aqui parecia errado. Desrespeitoso. Mas agora era tarde demais. Ela dissera para o inspetor Liu que ficaria em Bali. Até que o caso fosse encerrado e a imprensa perdesse o interesse no assassinato de Miles, esta seria a prisão que escolhera.

Isso era tudo a que sua vida se resumia, afinal, pensou ela com tristeza: uma série de prisões. Algumas eram luxuosas, como esta. Outras, muito tempo atrás, eram frias e solitárias. Pelo tanto que conseguia se lembrar, nunca havia sido livre.

Agora, sabia que nunca seria.

Ao fechar os olhos, uma lembrança lhe veio à mente. Ou talvez não fosse uma lembrança. Talvez fosse um sonho.

Itália.

Felicidade.

Uma praia ensolarada.

Deixou-se levar.

Positano era lindo. Tão lindo que ela quase o perdoara pela França.

O hotel era antigo e distinto. A clientela era exclusiva, ricos mas não espalhafatosos. A maior parte era da aristocracia europeia.

— Você é doida por um título, não é, querida? — implicou ele.

Ela gostava quando ele implicava com ela. Fazia com que se lembrasse dos velhos tempos.

— O que você não faria para ter uma coroa nessa sua linda cabecinha? Combinaria com você. Eu diria que você nasceu para isso.

Eles estavam no bar da piscina, tomando martíni e vendo o sol se pôr. *Gostaria de poder fazer isso com mais frequência, pensou ela. Apenas relaxar.* O barman sorriu de forma sedutora ao completar seu copo. Ele era bonito, tinha a pele bronzeada e cabelo escuro, com maliciosos olhos amendoados. Por um momento, ela entrou em pânico, com medo de que o marido tivesse visto o sorriso, pois ficaria furioso. Era estranho como ele conseguia fazê-la se sentir tão segura e, ao mesmo tempo, provocar tanto medo nela. Mas ele não havia percebido. Na verdade, ele parecia mais interessado no velho que jogava xadrez com a filha do outro lado do bar do que nela.

Terminaram seus drinques e voltaram para o quarto enquanto o sol se escondia no horizonte. Quando entraram, seu marido trancou a porta e se despiu, com tanta indiferença à nudez quanto um selvagem. E por que seria diferente? Com aquele corpo? Michelangelo não teria esculpido um melhor.

— Eu vi o barman olhando para você.

Ele se aproximou, e ela sentiu os pelos do seu braço se arrepiarem.

— Eu... Eu não sei do que você está falando — gaguejou ela. — Ninguém estava me olhando.

Ele a empurrou para a cama.

— Não minta para mim. Você gostou quando ele olhou para você, não gostou? Você o desejou.

— Isso não é verdade!

Com as mãos em volta do pescoço dela, ele disse:

— *É* verdade! Você também desejou aquele velho, do outro lado do bar, não foi? — Com o joelho, ele forçou para afastar as pernas dela. — Vamos encarar os fatos, ele faz mais seu tipo. Velho e rico.

— Pare com isso! — implorou ela. — Eu só desejo você. Só você.

Mas a última coisa que ela queria era que ele parasse. Ele estava excitado pela primeira vez em meses. Ela o abraçou, passando as mãos nas costas nuas dele, contorcendo-se para tirar a calcinha do biquíni, desesperada para ele penetrá-la. *Por favor, que ele faça amor comigo agora. Faz tanto tempo.* Mas após um beijo demorado, ele fez o que sempre fazia. Passava os braços em volta dela, como se fosse um casulo, e esperava até que ela caísse em um sono frustrado e agitado.

Foi uma longa espera. Finalmente, os movimentos regulares do peito dela o avisaram de que era seguro se mexer. Ele saiu da cama e atravessou o corredor do hotel. Do lado de fora estava um breu, mas ele sabia para onde estava indo. Atrás do prédio principal, ele passou pelas quadras de tênis até o prédio onde os empregados moravam.

Duas batidas.

— Eu já tinha quase desistido de você.

— Desculpe. Não consegui sair antes.

Ele beijou apaixonadamente o barman bronzeado na boca.

— Vamos para a cama.

A VILLA DOS BARING, Mirage, ao norte da ilha, era idílica e afastada, o sonho de qualquer um. O casamento perfeito entre luxo e simplicidade, com sua piscina infinita, suas paredes branquíssimas e o piso de madeira colonial escura. Villa Mirage era cercada por uma floresta fechada de um lado e pelo oceano do outro. Mesmo assim, Lisa tomara cuidados extras com a segurança, colocando guardas em todo o perímetro e dois guarda-costas armados dentro da propriedade, além da empregada, do caseiro e do mordomo que moravam na *villa* o ano inteiro. Nem por um momento, ela acreditou nos avisos do inspetor Liu de que o criminoso voltaria para sequestrá-la ou machucá-la. Isso era ridículo. Mas a atenção da mídia era outro problema. Na falta de informações, ou de um suspeito viável em quem concentrar a raiva, a imprensa chinesa optara por fazer da esposa americana e muito mais jovem de Miles a vilã da história. Da noite para o dia, Lisa parecia ter deixado de ser a vítima inocente para se tornar uma aproveitadora calculista na mente da maioria dos cidadãos de Hong Kong. Ela sabia, por experiência própria, que os paparazzi não sossegariam até conseguir uma foto dela, que, sem a menor dúvida, os jornais fariam com que parecesse que ela estava aproveitando a vida aqui em Bali. Como se ela não estivesse sofrendo por Miles. Mas Lisa não deixaria isso acontecer.

Já era tarde quando chegou à villa e ela estava cansada.

— Acho que vou direto para a cama se não se incomodar, Sra. Harcourt.

— Claro, madame. Pedirei que Ling lhe traga um copo de leite quente.

Karen Harcourt, a empregada de Villa Mirage, era baixa e gordinha e fazia o estilo maternal. Ela usava o cabelo grisalho em curtos cachos, que sempre faziam com que Lisa se lembrasse da doce avó dos desenhos do Piu-piu.

Se eu tivesse uma mãe assim, minha vida teria sido tão diferente. Se eu, pelo menos, tivesse tido uma mãe.

— Obrigada.

No andar de cima, o quarto de Lisa estava preparado para sua chegada. A cama de dossel de mogno tinha sido envolvida em um mosquiteiro. Velas da marca Diptyque lançavam uma iluminação fraca por todo o quarto e o deixavam com um suave cheiro de gardênia. As portas da varanda estavam abertas, permitindo que Lisa escutasse o suave som das ondas na praia abaixo. O único detalhe que destoava eram as fotos dela e de Miles em porta-retratos de prata que ainda estavam em cima de sua cômoda. *A Sra. Harcourt provavelmente achou que eu ia querer vê-lo. Ia querer me agarrar às lembranças.* Lisa guardou os porta-retratos na gaveta e suspirou.

Virando-se, ela congelou. Havia um homem parado à porta, escondido nas sombras. Lisa não conseguia ver o rosto dele, mas não precisava. Era um homem. Um estranho. Em seu quarto. Ela gritou o mais alto que pôde.

— Socorro! Guardas! Socorro!

O homem foi para a luz.

— Por favor, pare de gritar. Não estou aqui para machucá-la.

Lisa gritou ainda mais alto.

— INTRUSO! SOCORRO!

Ele se aproximou dela.

— De verdade, eu não queria assustá-la. Só queria conversar... Eu...

Ele caiu, duro, no chão. Atrás dele, a empregada de Lisa, Sra. Harcourt, estava tremendo como uma vara. Lisa olhou para a frigideira manchada de sangue na mão dela e desmaiou na mesma hora.

Capítulo 14

O HOMEM DEITADO NO CHÃO estava imóvel. Sangue jorrava do ferimento na parte de trás da cabeça dele, onde a empregada o atingira. Atrasados, os dois seguranças entraram no quarto, exatamente quando Lisa começava a voltar a si.

Um deles disse:

— Vou chamar a polícia!

— Não. — Lisa ficou surpresa com a firmeza em sua voz. — Nada de polícia. Ele está morto?

Um dos homens se ajoelhou ao lado do corpo.

— Não, madame. Ele está respirando.

O homem estendido no chão do quarto era branco e louro. Não era o homem que matara Miles. Apenas a voz dele era suficiente para ela saber disso. Mas quem era ele e o que estava fazendo ali?

— O ferimento dele é grave? Ele precisa de um médico?

O segurança sentiu o pulso dele.

— O pulso está forte. Mas é melhor que alguém o veja. Concussões podem ser perigosas.

Lisa assentiu.

— Vou ligar para Frank.

O Dr. Francis McGee era um velho amigo de Miles que tinha uma *villa* do outro lado da baía. Frank estava aposentado, mas sua mente ainda era brilhante. E, o mais importante, ela podia confiar nele para manter total discrição.

A Sra. Harcourt se adiantou.

— Precisamos estancar o sangramento imediatamente. Posso enfaixá-lo, mas preciso de ajuda para levantá-lo.

Quando Frank McGee chegou, quarenta minutos depois, o homem estava recostado em travesseiros em uma das suítes de hóspede da Villa Mirage. O ferimento na cabeça estava limpo e enfaixado. Enquanto ele oscilava entre momentos de consciência e inconsciência, dois guardas estavam à porta, observando atentamente cada movimento.

— Ele não estava armado — Lisa contou ao médico. — Mas eu não sabia disso na hora. Ele simplesmente apareceu no meu quarto e eu gritei. A Sra. Harcourt só queria imobilizá-lo.

— Você não precisa se explicar para mim, minha querida. Na minha opinião, arrombadores merecem isso. A Sra. Harcourt fez a coisa certa. — O Dr. McGee tirou as faixas e olhou o ferimento. Depois, puxou as pálpebras do homem e iluminou os olhos dele com várias luzes. As mãos do médico tinham manchas de velhice e veias nodosas, mas Lisa percebeu como elas eram firmes e certeiras enquanto ele trabalhava. — Ele vai sobreviver. Vou dar alguns pontos, mas, por enquanto, ele precisa descansar. Se ele começar a vomitar ou sangrar pelo nariz, me chame na mesma hora. Tem certeza de que não quer chamar a polícia?

— Absoluta. Ele me deve algumas respostas antes que eu o entregue para qualquer pessoa.

Só depois que Frank McGee foi embora, Lisa se deu conta do quanto estava exausta. Nem parecia que tinha saído do hospital em Hong Kong naquela manhã, deixando um furioso inspetor Liu para trás. Parecia que isso tinha acontecido semanas antes. Precisava ir para a cama, mas estava determinada a estar na cabeceira do intruso quando ele acordasse. Encolhendo-se em uma poltrona no canto do quarto, sob os atentos olhos dos seguranças, ela se cobriu com um cobertor de cashmere e caiu no sono na mesma hora.

— NOSSA. MINHA CABEÇA.

O homem louro estava acordado. Sonolenta, Lisa olhou para o relógio. Eram 4 da manhã.

— Com o que você me bateu? Com uma bigorna?

Ele era americano. Por alguma razão, Lisa não tinha notado isso na noite anterior.

— Com uma frigideira. E não fui *eu*. Foi a minha empregada. O homem sentou e colocou a mão nas faixas.

— A sua empregada é bem forte. Parece que lutei dez rounds com Andre Ward.

— Não faço ideia de quem seja essa pessoa — disse Lisa, rudemente. — Mas o que aconteceu de fato foi um round com uma avó de 72 anos.

O homem sorriu envergonhado.

— Isso é constrangedor.

— Eu diria que o constrangimento é o menor dos seus problemas. — O tom de voz de Lisa era gélido. — Quem é você? E o que você estava pensando ao invadir a minha casa?

O homem estendeu a mão.

— Matt Daley. Prazer em conhecê-la.

— Não vou *apertar a sua mão*! Você tentou me assaltar — Lisa estremeceu —, ou pior ainda. Me dê apenas uma razão para eu não mandar prendê-lo agora mesmo.

Matt não pôde deixar de admirar a forma como os seios dela se mexiam indignados por baixo da blusa decotada Chloé que ela usava e como aquele rosto ficava corado pela agitação. *Ela é linda. Assim como as outras.*

— Porque você está correndo sério perigo — disse ele solenemente. — E não sou eu esse perigo. Sra. Baring, sei que não tem nenhum motivo para confiar em mim. Mas o homem que matou o seu marido, o homem que a machucou, já fez isso antes. E as esposas das vítimas têm uma tendência a desaparecer...

— Sim, eu sei, eu sei. — Lisa sacudiu a mão. — O inspetor Liu me contou. Ele quer me manter presa a sete chaves até que prenda esse cara. Mas como a polícia de... quatro países agora, não é?... parece ter fracassado em prender esse homem na última década, a ideia de permanecer lá não é muito atraente.

Matt sorriu. Não sabia exatamente o que havia esperado de Lisa Baring. Se fosse honesto, achava que ela seria algum tipo de esposa troféu, dócil e burra, do tipo que os velhos geralmente procuram. Mas ela não era nada disso. Ela era mal-humorada e impetuosa, e tinha a língua afiada. Se tinha algo mais meigo por baixo, ela escondeu direitinho. Ele gostava dela.

Lisa o fitou com desconfiança.

— Você não respondeu à minha pergunta. Quem é você? E que interesse tem em mim e na minha segurança? Você é repórter?

— Não, de jeito nenhum. Sou uma vítima, mais ou menos. Como você. O homem que matou seu marido também matou meu pai.

O sangue sumiu do rosto de Lisa. *Isso era possível?*

— Quem era seu pai?

— Um homem chamado Andrew Jakes. — Matt fechou os olhos. Uma onda de náusea e tontura tomou conta dele. Recostou-se nos travesseiros. — Não estou me sentindo bem.

Lisa chamou uma das empregadas e pediu um copo d'água. Entregou-o a Matt.

— Beba isso.

Matt bebeu a água devagar e começou a melhorar. Lisa, por outro lado, ainda parecia em estado de choque.

Depois de um tempo, ela perguntou:

— Como você sabia que eu estaria aqui? Em Bali...

— Eu não sabia — disse Matt. — Achei que você ainda estivesse no hospital em Hong Kong. Mas ninguém me deixava chegar nem perto de você, e eu sabia que você e seu marido tinham uma propriedade aqui, então resolvi vir em busca de pistas.

— Que tipo de pistas?

— Qualquer coisa que pudesse ligar você ou Miles às outras vítimas. Tinha esperança de que você acabasse aparecendo. Para fugir de toda a agitação da imprensa. Mas não esperava que viesse para a villa ontem à noite. Essa é a verdade.

Não havia nenhuma razão no mundo para Lisa acreditar nele. Ainda assim, ela achava que acreditava. Havia certa honestidade no rosto dele, uma sinceridade que levava à confiança. Era uma emoção que Lisa Baring tinha quase se esquecido de que era capaz de sentir.

— E você encontrou alguma?

Matt pareceu confuso.

— Pista?

— Bem, não. — Ele esfregou a cabeça, pesaroso. — Uma senhora bateu na minha cabeça com uma frigideira antes que eu tivesse qualquer chance.

— A polícia sabe que você está aqui? A Interpol?

Matt foi pego de surpresa. Não esperava que ela lhe fizesse uma pergunta assim tão direta, tão específica. Não queria mentir para ela, parecia errado, mas Danny McGuire o fizera jurar que não mencionaria a ligação entre eles, e promessa era promessa.

— Não.

— Tudo bem, Sr. Daley. — Lisa Baring se levantou. — Tente descansar um pouco. Nós dois tivemos uma noite longa. Pedirei que a Sra. Harcourt traga comida para você mais tarde. Se estiver disposto, talvez possamos conversar mais sobre isso no jantar hoje à noite.

Matt arregalou os olhos.

— Você vai me deixar ficar aqui?

— Por enquanto.

Lisa virou para os guardas à porta.

— Se ele precisar ir ao banheiro ou qualquer outra coisa, um de vocês vai com ele. Não o percam de vista.

MATT SE SEGUROU COM força no corrimão ao descer as escadas. Sua cabeça estava bem melhor, mas ele ainda não se sentia muito firme. A *villa* irradiava paz e tranquilidade, como o hotel Aman no Marrocos em que ele e Raquel ficaram na lua de mel. Desde que chegara à Ásia, Matt percebeu, sentindo-se culpado, que ele mal pensara em Raquel e no divórcio. Talvez fosse um mecanismo de defesa. Negação. Por que se preocupar com coisas que você não pode mudar? Esse tipo de coisa. Sabia que teria de voltar para casa e encarar os fatos. Mas aqui, neste lugar mágico, idílico, de outro mundo, seus problemas domésticos mal pareciam reais.

— Está se sentindo melhor?

Matt engoliu em seco. Lisa estava usando um vestido simples, branco de algodão, sandálias rasteiras, e o cabelo estava puxado para cima em uma coroa de cachos desarrumados. O efeito era, ao mesmo tempo, inocente e elegante, puro e atraente. Raquel era uma mulher linda, mas a beleza dela tinha um tipo de sensualidade impetuosa, uma atração descarada, excitante, que precisava de saias curtas e muita maquiagem para alcançar o efeito total. Lisa Baring era o oposto. Era um clichê, mas para Lisa se encaixava perfeitamente: a beleza dela era natural.

— Muito melhor, obrigado — respondeu Matt.

Lisa sentou-se em uma extremidade da simples mesa de jantar de carvalho, carregada com um bufê de produtos locais frescos: lula ao alho, mamão fresco fatiado, *roti gambang* quente, um delicioso pão indonésio. Ela acenou para Matt se sentar.

— Está com fome?

— Agora estou — disse ele. — Está tudo com uma aparência incrível.

— Sirva-se.

Ela estava sendo simpática, agradável até, mas ainda havia uma cautela no ar. Provavelmente inevitável, dadas as circunstâncias, mas Matt se esforçou para afastá-la.

— Não a culpo por duvidar dos meus motivos — disse ele, servindo-se de pão e dos cheirosos frutos do mar. — Eu também seria cauteloso em seu lugar. Mas eu garanto uma coisa, quero o mesmo que você.

— E o que seria?

— Descobrir a verdade. E pegar esse cretino, quem quer que ele seja.

Lisa serviu duas taças de vinho tinto de uma garrafa que estava na mesa e entregou uma delas a Matt.

— Não tenho certeza se acredito "na verdade". Como se só houvesse uma. A verdade de cada um é diferente, não acha?

O vinho era excelente, encorpado e frutado. Matt o deixou um pouco na boca, saboreando os diferentes sabores em seu palato antes de responder.

— Discordo. Acho que a verdade é a verdade. As pessoas mentem para si mesmas, só isso. Elas veem o que querem ver.

— E o que *você* vê? — perguntou Lisa maliciosamente.

Vejo uma mulher inteligente, linda, desejável, que eu gostaria de levar para a cama agora mesmo. Estava claro que ela estava evitando o assunto do assassinato do marido. Talvez ainda fosse muito cedo para falar sobre o assunto. Doloroso demais.

— Vejo uma mulher que se faz de durona mas que está morrendo de medo por dentro.

Ela pareceu achar isso engraçado.

— Parece que tem visão de raio X, Sr. Daley. Mas acho que errou o alvo. Não sou nem durona nem estou com medo. Só estou dando um passo atrás do outro, tentando viver um dia de cada vez.

— E o que você fará no futuro? — perguntou Matt. — Você não pode se esconder aqui em Bali para sempre.

Lisa ficou pensativa.

— Não, acho que não. Mas não gosto de pensar no futuro, Sr. Daley.

— Por favor, me chame de Matt.

— Coisas acontecem, Matt, coisas que não podemos controlar. Coisas ruins. Nenhum de nós controla nosso destino. Aprendi a duras penas que isso é apenas uma ilusão. Para que fazer lindos planos para depois vê-los desmoronar e se transformar em dor, morte e pó?

Fitando os tristes olhos castanhos dela, Matt sentiu uma vontade avassaladora de protegê-la, tranquilizá-la, de consertar tudo. Danny McGuire admitira sentir algo parecido por Angela Jakes após o assassinato do velho Jakes, mas isso o distraíra da missão de avaliar Angela, de descobrir a verdade antes que ela fosse embora para a Europa e sumisse para sempre. Matt Daley não estava disposto a cometer o mesmo erro com Lisa Baring.

— O que o inspetor Liu lhe contou sobre os outros assassinatos?

Lisa franziu o cenho.

— Precisamos mesmo falar sobre isso?

— É por isso que estou aqui, não é? Por isso que me deixou ficar. Bem no fundo, você quer saber a verdade.

Lisa não respondeu. Era enervante ser psicanalisada por esse atraente desconhecido louro, principalmente porque ele estava certo. Preferiu responder à primeira pergunta de Matt.

— Liu não me contou muita coisa. Apenas que crimes similares foram cometidos antes, que a Interpol acredita ser possível estarmos lidando com um *serial killer*, e que a minha vida podia estar em perigo. Ele não entrou em detalhes.

— Ok. Eu vou entrar. — Durante a hora seguinte, Matt contou a ela tudo que sabia sobre o assassinato de seu pai e os assassinatos de Sir Piers Henley e Didier Anjou. Ele e Lisa terminaram a primeira garrafa de vinho e ela pediu mais uma. Lisa escutou calmamente toda a narrativa dele, mostrando pouca ou nenhuma emoção.

Quando Matt finalmente acabou, ela disse:

— Não tenho certeza se é o mesmo homem.

— Como assim? É claro que é o mesmo homem.

— Talvez tenha sido o mesmo homem nos ataques anteriores. Mas não tenho certeza se a pessoa que você está descrevendo é a mesma que matou Miles.

— O que a leva a dizer isso?

Lisa cortou um pedaço de pão com a mão e mergulhou-o no vinho, perdida em seus pensamentos.

— Pequenas coisas. Como a parte de doar o dinheiro para uma instituição de caridade. Miles não deixou nenhum centavo para caridade, e eu ainda nem comecei a pensar no que vou fazer com a minha herança. Mas, ainda mais importante, a coisa toda me soa como um tipo de complexo de Robin Hood, não acha? Tirar dos ricos para dar aos pobres?

Por mais bizarro que pudesse parecer, essa ideia não ocorrera a Matt. Parecia tão óbvio agora que Lisa estava dizendo.

— Possivelmente, sim.

— Bem, eu não sei nada sobre o homem que me estuprou. Mas posso lhe garantir uma coisa: ele não tem nada de Robin Hood.

A menção da palavra *estupro* fez cair um silêncio pesado sobre a mesa, uma nuvem de vergonha quase visível. Matt percebeu que gostaria de conhecer melhor esta mulher, bem o suficiente para abraçá-la e confortá-la, para assegurá-la de que nada disso era culpa dela. Mas acabou mudando de assunto.

— Me fale sobre Miles. Sobre o casamento de vocês.

Lisa sorriu, mas era um sorriso triste.

— Você quer saber se me casei com um homem trinta anos mais velho por amor ou por dinheiro? O que você acha?

Matt corou. *Era* o que ele queria saber, mas não queria ter parecido tão óbvio.

— Desculpe. Não quis ofendê-la.

— Tudo bem — disse Lisa. — Devemos ser honestos um com o outro. Eu não amava Miles. Isso é verdade. Mas eu gostava dele. Ele era um homem generoso e me tratava bem. Cheguei a um ponto na vida em que valorizo mais a bondade. Tive sorte por ele me escolher.

Ela fala disso com tanta passividade, pensou Matt. *Como se tivesse sido um casamento arranjado e ela não tivesse tido chance de opinar sobre o assunto.*

— Como vocês dois se conheceram?

— Em uma conferência em Xangai há um ano.

— Um ano? — Matt parecia surpreso. — Então, vocês não estavam juntos há muito tempo?

Lisa brincava com o guardanapo embaixo da mesa.

— Não. Estávamos casados havia nove meses. Tudo aconteceu muito rápido. Nosso romance. Miles era um homem brilhante e muito atencioso comigo.

— Mas não com as outras pessoas?

— Ele já estava no final da vida. Acho que quando mais jovem, provavelmente era mais rude, um pouco mais ambicioso. Ele já tinha sido casado uma vez, antes mesmo de eu nascer, e teve filhos. Acho que não os tratava muito bem. Mas quando nos conhecemos, ele já tinha amolecido bastante.

Matt pensou em Andrew Jakes. No péssimo marido que ele tinha sido para sua mãe, a forma como havia abandonado Claire e ele sem um pingo de remorso, e como no final da vida, ele se tornou um companheiro apaixonado para Angela.

— As pessoas mudam, eu acho.

— Mudam, sim. Mas não podemos mudar o passado, e ninguém consegue fugir da justiça. Todos devemos reparar os nossos erros. Todos precisamos pagar um preço.

Era uma coisa bem estranha de se dizer. Matt não sabia exatamente como reagir. Será que ela estava dizendo que, de alguma forma, Miles Baring *merecia* o que tinha acontecido com ele? Certamente não. Ela parecia estar sofrendo de verdade pelo marido e falava dele com carinho e respeito evidentes. Mas, então, de que "preço", de que "reparações" ela estava falando? Talvez eles dois tivessem tomado muito vinho.

De qualquer forma, Matt ficou aliviado quando a empregada entrou para tirar os pratos, trazendo café descafeinado e um pedaço verde-claro de *padan,* um bolo de arroz-doce balinês, para quebrar o silêncio constrangedor. Tomando o café, eles conversaram sobre outras coisas, um aproveitando a companhia do outro. Lisa fez muitas perguntas a Matt sobre a infância dele. Ela pareceu fascinada pelo fato de Andrew Jakes ter abandonado a mãe dele, e claramente não conseguia acreditar que ele, a mãe e Claire tinham conseguido seguir em frente e ter vidas felizes. Mas quando Matt perguntou sobre a infância dela, Lisa ficou relutante. Crescera em Nova York mas não tinha sido realmente feliz lá. Tinha uma irmã, mas haviam perdido o contato fazia muito tempo. Foi o máximo que ele conseguiu tirar dela.

Ao perceber Matt esfregando a parte de trás da cabeça, ela disse:

— Sinto muito pela pancada que você levou. Eu gostaria que você ficasse aqui enquanto se recupera.

— E os guardas? — perguntou Matt, meio em tom de brincadeira. — Eles vão continuar me observando enquanto faço xixi ou você já confia em mim para me deixar sozinho?

Lisa riu.

— Confio em você. Ficaria aqui como meu hóspede.

— Tem certeza de que não quer privacidade? — perguntou Matt, agora falando sério. — Eu poderia procurar uma pensão ou um hotel por aqui. Não quero me intrometer. Quer dizer, na verdade, tecnicamente, eu *sou* um intruso...

Lisa riu.

— Tenho certeza. Não pretendo ir embora daqui tão cedo. E seria bom ter companhia. E, vai saber? Talvez juntos, a gente consiga desvendar o mistério, encontrar o elo perdido que liga esses terríveis assassinatos... Se é que ele existe.

— Bem, se você realmente tem certeza — disse Matt. — Seria um prazer para mim. Obrigado.

— Ótimo. — Lisa Baring sorriu. — Miles sempre dizia que duas cabeças pensam melhor do que uma.

NAQUELA NOITE, DEITADO NA cama, Matt fitou o ventilador de teto girando e pensou em como sua vida parecia estar girando com a mesma velocidade. *Como eu cheguei até aqui, em uma luxuosa villa em Bali, como hóspede da mulher mais interessante e atraente que já conheci? E que ironia pensar que um assassino sádico, o homem que matou meu pai e estuprou essa mulher, tenha bancado o cupido.*

Precisava ligar para Danny McGuire em Lyon e informá-lo dos desdobramentos. E faria isso. Mas não agora. Matt Daley queria manter Lisa Baring só para si por um pouco mais de tempo. Para descobrir o que tornava aqueles olhos inteligentes tão tristes, mesmo na paz e na tranquilidade desta ilha mágica.

Pense nisso como férias, disse para si mesmo enquanto pegava no sono entre os lençóis de algodão egípcio. *Férias há muito tempo vencidas.* Raquel, o divórcio, Danny McGuire, e tudo em sua vida pareciam maravilhosamente distantes.

Pela primeira vez em meses, Matt Daley dormiu feliz e animado com o que a vida poderia lhe trazer no dia seguinte.

Capítulo 15

SRA. JOYCE CHAN. INTERROGATÓRIO iniciado às 9 da manhã. A gorducha chinesa piscava nervosamente para o inspetor Liu. Tinha medo da polícia de uma maneira geral, mas deste oficial em específico. Ele assumia uma postura de alguém muito importante e estava sempre com a testa franzida, batendo com o pé esquerdo na perna da cadeira de forma irritante. Joyce sabia que não tinha feito nada de errado, mas isso não era necessariamente importante quando se tratava da polícia de Hong Kong. Se eles quisessem um bode expiatório e resolvessem escolhê-la, não havia nada que ela pudesse fazer.

O inspetor Liu *estava* de mau humor. Mas isso não tinha nada a ver com Joyce Chan. Na verdade, ele estava com bastante esperança de que a empregada da mansão dos Baring finalmente jogasse alguma luz neste caso. Com Lisa Baring cooperando tão pouco e sendo tão teimosa, o inspetor Liu havia progredido pouco na tentativa de pegar o assassino de Miles Baring, um fracasso que estava começando a constranger não apenas Liu, mas também seus superiores. O inspetor ainda não tinha chegado ao ponto de começar a odiar a viúva de Miles Baring, com sua arrogante beleza ocidental e sua recusa em se submeter à autoridade dele. Nessas circunstâncias, qualquer mulher em sã consciência ficaria grata por proteção policial. E qualquer mulher que estivesse realmente sofrendo teria *querido* ficar e ajudar a polícia a pegar o homem responsável pela morte do marido, sem falar na sua própria violação. O fato de Lisa Baring não ter feito essas coisas, e sim fugido para Bali, fora da jurisdição do inspetor Liu, só fazia com que ele ficasse ainda mais cismado com ela. Lisa Baring era a única beneficiária do testamento do marido. Isso dava a ela o motivo. Ela mesma admitiu que estava perto quando o assassinato aconteceu. Isso lhe dava a oportunidade. É claro que ela não tinha estuprado a si mesma. Mas será que ela sabia mais sobre seu "estuprador" do que estava falando? E caso soubesse, estava com medo dele ou queria protegê-lo?

O inspetor Liu adoraria obrigar Lisa Baring a voltar para Hong Kong para responder a essas perguntas. Mas como ele não tinha provas para prendê-la, estava de mãos atadas.

Era onde Joyce Chan entrava.

— Há quanto tempo a senhora trabalhava na casa da Prospect Road, 117, Sra. Chan?

Suor escorria pelo rosto gordo da empregada.

— Muito tempo. O Sr. Baring comprou casa 1989. Comecei trabalhar dois anos depois. Muito tempo.

— E quais eram as suas tarefas?

A Sra. Chan fitou o inspetor Liu sem entender.

— O seu trabalho. O que a senhora fazia?

— Ah. Eu mandar nas empregadas dos quartos. Segundo andar e terceiro andar. Elas trocar lençol, limpar, arrumar.

— Entendo. Então, a senhora era supervisora. Não era a senhora quem limpava.

Ela confirmou com um aceno, ansiosa, feliz por ter dado a resposta certa.

— Supervisora. Sim. Só às vezes eu limpar para Sra. Baring. Coisa especial.

Os ouvidos do inspetor Liu ficaram atentos, como um urso sentindo o perigo no ar.

— Que tipo de "coisa especial"?

A Sra. Chan sacudiu as mãos. Murmurou:

— Coisa particular.

Finalmente, Liu percebeu que a mulher estava aterrorizada. Tentou acalmá-la.

— A senhora não está correndo nenhum risco, Sra. Chan. Posso lhe garantir que todas essas informações são muito úteis. Podem nos ajudar a pegar o homem que matou o Sr. Baring. A senhora compreende?

Ela fez outro aceno afirmativo, muda.

— Que tipo de limpeza particular a senhora costumava fazer para Lisa Baring?

A empregada se contorceu.

— Sra. Baring tinha amigo. Às vezes, visita durante o dia.

— Um amigo? Quer dizer, um homem?

Joyce Chan fez que sim.

— Depois, ela pedia para eu limpar tudo. Só eu.

Inspetor Liu mal conseguia conter sua animação. Isso era mais do que as conjecturas que os tabloides estavam publicando. Isso era fato. A adorável Lisa Baring estava tendo um caso!

— E a senhora conheceu esse homem? O "amigo" da Sra. Baring?

A Sra. Chan negou com a cabeça.

— Mas a senhora provavelmente o viu. Pode descrevê-lo para mim?

— Nunca vi ele.

O inspetor Liu franziu o cenho.

— A senhora tem que ter visto. Disse que ele a visitava durante o dia. Quem abria a porta para ele? Ele ia de carro até lá? Que tipo de carro ele tinha?

Mas a empregada só repetiu com mais firmeza:

— Nunca vi ele. Nunca. Só depois, Sra. Baring pedia para subir e limpar tudo.

O inspetor Liu interrogou a Sra. Chan por mais trinta minutos, mas parecia que o poço das revelações tinha secado. Sim, a Sra. Baring tinha um amante, mas ela não pedira nenhuma "limpeza especial" no dia do assassinato, nem mesmo na semana anterior. Ela *tinha* dispensado os empregados naquele dia e pedido para não ser incomodada, mas, aparentemente, isso não era raro. Segundo Joyce Chan, o Sr. e a Sra. Baring pediam com frequência para serem deixados sozinhos.

Depois que Joyce Chan saiu da sala de interrogatório, o inspetor Liu ficou sentado, pensando por bastante tempo.

Estava na hora de ter outra conversa com o americano da Interpol.

MUITAS PESSOAS DESCREVIAM BALI como um paraíso. Mas para Matt Daley, foi mais do que isso. Bali foi um lugar mágico, de cura, de transformação. Bali trouxe-o de volta à vida.

Primeiramente, quando Lisa Baring o convidou para ficar, Matt Daley presumiu que ficaria em Villa Mirage alguns dias até que sua cabeça ficasse totalmente boa. Ele descobriria tudo que pudesse sobre a noite do assassinato e sobre Miles e Lisa: alguma coisa na vida deles os levou a serem alvos? Algum vínculo com as outras vítimas que ele ainda não tivesse percebido e que pudesse ajudá-los a rastrear o assassino? Então, se reportaria a Danny McGuire na Interpol e voltaria para Los Angeles para lidar com seu monte de problemas em casa.

Mas, conforme ele e Lisa começaram a se aproximar, algo estranho começou a acontecer. Matt percebeu que estava se importando cada vez menos com o caso e cada vez mais com ela.

Embora não ousasse perguntar, ele tinha quase certeza de que ela se sentia da mesma forma. Ali, nos arredores idílicos da *villa*, os dias se transformaram em semanas, semanas em meses, e os dois mal saíam da propriedade. Os empregados iam às fazendas e aldeias comprar comida. Livros e outros luxos eram encomendados pela internet. Matt nunca passara tanto tempo confinado em uma única propriedade em toda sua vida, mas ele não se sentia preso. Muito pelo contrário. Era libertador.

Danny McGuire vinha tentando entrar em contato com ele freneticamente, bombardeando-o com e-mails e telefonemas, mas Matt não conseguia se forçar a ler nem responder às mensagens. Parara até de atender aos telefonemas de sua irmã Claire ou qualquer outra ligação que recebesse de casa. Uma vez que abrisse a porta para a realidade, para a vida fora da bolha, o idílio seria destruído. E Matt não estava pronto para isso. Ainda não.

Villa Mirage era um mundo em si mesma, um infinito ecossistema em miniatura. Matt e Lisa trabalhavam de manhã, Matt (oficialmente, pelo menos) no documentário, e Lisa nas montanhas de papéis que já vinha recebendo relacionados à herança de Miles. Bali podia ter lhe dado uma folga da polícia e da imprensa, mas ainda havia todos os advogados e as empresas de hipoteca com quem lidar, sem mencionar os acionistas das várias empresas de Miles. Por sorte, Lisa tinha ótimas habilidades como secretária. Uma das poucas coisas que Matt conseguira descobrir sobre a vida dela antes de Miles fora que ela havia trabalhado como assistente em um escritório de advocacia em Los Angeles.

Mas logo os dois começaram a viver esperando as tardes chegarem, quando saíam e exploravam juntos os ilimitados prazeres de Mirage. Às vezes, Lisa contratava guias locais para levá-los para a selva fechada que contornava os terrenos da *villa*, um mundo borbulhando de vida selvagem e, às vezes, perigosa. Conforme os guias apontavam perigos em potencial — uma cobra coral aqui, uma víbora ou aranhas ali — e ensinava a eles sobre a flora local de tirar o fôlego, Matt e Lisa escutavam maravilhados, como crianças soltas em uma Nárnia estranha e tropical. Outras vezes, eles pescavam no lago, ou nadavam em uma das piscinas de rocha vulcânica escondidas aos pés das montanhas. Matt amava observar Lisa nadar. Ela era uma mulher leve, mas seu corpo esbelto era forte e atlético, e ela praticamente deslizava sobre a água com toda a graça de um golfinho. Havia uma outra coisa também quando ela nadava. Alegria. Prazer. Uma falta de inibição que ele não costumava ver nela em outros momentos. Certa tarde, ele perguntou isso a ela.

— Eu sempre amei a água. — De pé em uma rocha, enxugando o cabelo molhado com uma toalha, Lisa estava radiante. Sua pele fresca brilhava como a de uma adolescente, e seus olhos estavam iluminados, cheios de vida. — Tem a ver com liberdade. Silêncio. Leveza. Ninguém pode tocá-lo ali. Ninguém pode machucá-lo. É assim que eu imagino que seja a morte.

— A morte? É um pensamento meio mórbido, não?

— Você acha? — Ela riu, envolvendo a toalha em seus quadris, ao estilo turco. — Não para mim. Sempre vi a morte como uma fuga. Ela não me assusta.

Matt já escutara pessoas comentando isso, mas sempre considerara exagerado. Como alguém podia não ter medo de morrer? Certamente, o instinto humano mais básico era o de sobrevivência. Agarrar-se à vida era como respirar, um fato fundamental da natureza humana, uma falha ou uma força, dependendo de como você encarava, que todos nós compartilhávamos. Mas quando Lisa expressou esse sentimento, de alguma forma, foi diferente. Podia ver que ela falava sério. Havia uma estranha e fatal aura de paz exatamente onde deveria estar o medo. Ele a invejou.

— Sorte sua — disse ele, enfiando suas roupas em uma mochila para voltarem para a *villa*. — Imagino que isso deva ajudar muito. Em relação à morte de Miles.

Desde os primeiros dias que passaram juntos, quando ele a bombardeou com perguntas sobre o casamento e o passado dela, tendo chegado a lugar nenhum, Matt parara de perguntar a Lisa sobre o assassinato e sobre Miles. Em um mútuo acordo subentendido, o nome de Miles Baring não era mais mencionado entre eles. Ao escutá-lo agora, Lisa pareceu surpresa.

— Não muito — disse ela, sem expressão. — Vamos entrar. Estou com frio.

Matt queria morder a língua. Odiava quando essa sombra de tristeza pairava sobre Lisa, e odiava ainda mais quando ele era o causador disso. De volta à *villa*, eles se secaram, se vestiram e tomaram um pouco de chá quente e doce na varanda. Lisa vestira calça jeans e camiseta branca. Descalça, com o cabelo ainda molhado caindo sobre o rosto e os joelhos encostados no peito, ela parecia mais uma adolescente do que uma adulta, ainda mais uma adulta que passara por tantas atribulações. Matt percebeu, sobressaltado, que em algum momento durante esses dias longos e felizes em Mirage ele começara a ver sua vida de uma forma diferente, como *antes* de Lisa Baring e *depois* de Lisa Baring. Isso acontecera quase sem que ele percebesse, mas estava apaixonado por ela.

Antes de Lisa, Matt estivera perdido. Não era apenas a decisão de Raquel de deixá-lo, embora esse certamente tivesse sido um golpe que o acertou em cheio. Eram muitas coisas, coisas que ele não tivera tempo de processar até agora, mergulhado aqui na paz da selva balinesa. Sua carreira fracassada. A morte de seu pai adotivo. O fato de não conseguir ter filhos com Raquel. Nunca ter conhecido Andrew Jakes, o homem que lhe dera a vida e depois o abandonara, aparentemente sem o menor remorso. Pesquisar sobre o assassinato de Jakes e ficar obcecado pelo seu documentário, agora Matt percebia, tinha sido uma forma de se afastar do sofrimento. Mas Lisa Baring lhe mostrara um caminho melhor.

Depois de Lisa, era como se um peso que ele nem sabia que estava carregando tivesse sido retirado de seus ombros. Matt se sentia esperançoso, feliz, vivo. O que quer que o futuro trouxesse, qual fosse o resultado de seu trabalho com Danny McGuire de rastrear este elusivo assassino, ficar com Lisa fez com que Matt percebesse que *havia* um futuro para ele, um futuro cheio de possibilidades, assim como a selva em volta deles fervilhava de vida. Matt percebeu que, cada vez mais, desejava que seu futuro incluísse Lisa.

Mas havia problemas, contudo. Nada físico acontecera entre eles. Às vezes Matt achava que ela o observava enquanto estava sentado em frente ao computador ou lendo um livro no sofá. Mas sempre que ele levantava o olhar, a atenção dela se voltava para outra direção. Ainda assim, um zunido de atração mútua parecia pairar no ar entre eles.

Na semana anterior, pescando no lago privativo de Mirage, Lisa escorregara e Matt, instintivamente, a segurara pela cintura. Lisa congelou. Mas, após um momento de hesitação, ela não fez objeções e, aos poucos, permitiu-se relaxar nos braços dele. Foi maravilhoso. Matt desejava ir mais longe, mas sabia que não deveria apressá-la.

Preciso ser paciente. Deixar que ela venha até mim. Ela acabou de perder o marido. Ela acabou de ser estuprada.

Esse era outro problema. Lisa nunca falava sobre a noite em que Miles foi assassinado, e ela, violentada. Como se ao se recusar a falar a respeito, ela pudesse fazer o fato desaparecer. E para seu constrangimento, Matt viu que estava conspirando com esse silêncio. Ele também queria esquecer o passado. Mas esse assassino *não* era apenas parte do passado. Ele estava solto por aí, em algum lugar, observando, esperando, planejando o próximo assassinato.

Matt viera para Bali em busca de pistas, sinais que pudessem ajudá-lo a descobrir um *serial killer*, mas ele permitira que seu amor por Lisa e sua felicidade por estar na companhia dela o distraíssem. Observando-a tomar seu chá, ele se forçou a se lembrar:

O homem que estou procurando estuprou e aterrorizou Lisa. Se os crimes anteriores dele dizem alguma coisa, seu próximo passo será sequestrá-la. Fazer com que ela "desapareça", como Angela Jakes, Tracey Henley e Irina Anjou.

Lisa estava correndo perigo. E Matt ainda não fazia ideia de como, onde ou quando o perigo atacaria. Percebeu que suas próprias expectativas não eram muito otimistas. Esse assassino, quem quer que fosse, tinha o terrível histórico de despachar os homens envolvidos com suas vítimas mulheres. Mas era a segurança de Lisa que o corroía por dentro.

Não posso perdê-la. Não posso perder outra pessoa que amo. Se isso acontecer, vou perder a cabeça.

O INSPETOR LIU LIGOU o gravador quando Jim Harman começou a falar.

Um inglês que crescera em Hong Kong, filho de pais expatriados e ricos, Jim tinha o próprio negócio de segurança e eletrônicos na ilha. Ele supervisionara pessoalmente a instalação do sistema de alarme na mansão dos Baring em Prospect Road.

— Vou lhe dizer uma coisa, camarada — disse ele com firmeza ao inspetor Liu. — Não havia nada de errado com o sistema de alarme.

Alto e magro, com um rosto de fuinha e olhos pequenos e separados, Jim Harman estava pronto para defender sua reputação com unhas e dentes.

— Eu mesmo o instalei, com mais dispositivos de segurança do que a porra da Casa Branca, perdoe o palavreado.

Liu perguntou calmamente:

— Então como você explica o fato de o assassino do Sr. Baring ter conseguido burlar o sistema?

— Ele não burlou o sistema — disse Jim Harman seriamente. — Alguém deixou que ele entrasse.

— E por que alguém faria isso?

Harman deu de ombros.

— Trabalho com sistemas, não sou detetive, inspetor. Me diga o senhor. Mas a única explicação é que alguém deliberadamente desarmou o sistema, deixou o sujeito entrar e depois o ligou de novo.

— E quem sabia fazer isso?

Pela primeira vez, o inglês com cara de fuinha pareceu perplexo.

— Esta é a questão. Ninguém. Eu e o Sr. Baring éramos as únicas pessoas que sabíamos como mexer no sistema de segurança. Isso não faz sentido.

Quando o interrogatório terminou, o inspetor Liu pegou o metrô para Wan Chai, parte norte da ilha, para almoçar. Os trens do metrô eram limpos e pontuais, uma raridade em Hong Kong. Andar nesses vagões acalmava Liu e o ajudava a pensar.

"Não faz sentido" foi o que Harman disse. Mas fazia sentido. Na verdade, as possibilidades eram claras e satisfatórias: ou Miles Baring ensinou a esposa a desarmar o sistema de segurança, ou o próprio Miles o desabilitara, abrindo sem querer a porta para seu assassino.

Era alguém que ele conhecia?

Era o amante de Lisa?

O amante de Lisa era amigo de Miles?

Não seria a primeira vez que algo do gênero acontecia.

O inspetor Liu saiu do metrô piscando por causa do sol de Wan Chai, parecendo uma toupeira relutante. Seu telefone tocou nesse exato instante.

— Liu falando.

— Senhor. — Era um dos rapazes de sua equipe de investigação, um reduzido e selecionado grupo que mandara para Bali para ficar de olho na linda e teimosa Sra. Baring. — Conseguimos umas fotos muito boas da *villa* hoje, com as câmeras de longo alcance.

— Então, ela ainda não saiu da propriedade?

— Não, senhor.

Villa Mirage, o refúgio balinês dos Baring, era tão isolado quanto quase completamente inacessível e extraordinariamente difícil de fotografar. Liu tentara mas não conseguira instalar escutas no lugar, pois a equipe de segurança particular da Sra. Baring era excelente. Nenhum de seus homens conseguira chegar perto dela. Sua esperança era ter mais sorte se ela resolvesse se aventurar de carro fora da propriedade, mas até agora ela vivera virtualmente isolada. Era como se cada ação — ou falta de ação — dela tivesse sido planejada para frustrá-lo.

— Mas temos algumas notícias boas, senhor. Parece que tem um homem hospedado na casa com a Sra. Baring.

Liu quase engasgou.

— Um homem?

— Sim, senhor. Um ocidental. Eles tomaram café da manhã na varanda juntos esta manhã. Eles pareciam... — o detetive procurou a palavra apropriada — íntimos.

Se o inspetor Liu fosse um tipo diferente de homem, teria dado pulos de animação. *O amante de Lisa Baring! Ela conseguiu fazer com que ele entrasse sem ser visto!* Era difícil acreditar que alguém pudesse ser tão imprudente. Ela não sabia que a polícia ainda a estaria vigiando? O inspetor Liu nunca havia se apaixonado e esperava que isso nunca acontecesse. Como o amor deixava as pessoas tolas.

Agora só precisavam de provas físicas. Se as impressões digitais desse homem ou algum traço de DNA fossem encontrados na casa dos Baring, teriam provas suficientes para prender os dois. Danny McGuire da Interpol o avisara de que era provável que o assassino fosse próximo da Sra. Baring. Então, enquanto Liu tivesse Lisa Baring, teria a isca.

O problema era que o inspetor Liu não "tinha" Lisa Baring. Precisava entrar naquela *villa*.

Capítulo 16

Sozinho em uma mesa no canto de um tranquilo café, Danny McGuire pegava lasquinhas da cobertura de seu *pain au chocolat* enquanto esperava sua equipe chegar. Depois que o inspetor Liu solicitou formalmente a ajuda da Interpol, o chefe de Danny, Henri Frémeaux, autorizara com relutância que uma pequena força-tarefa dedicasse "não mais do que oito horas por semana", coletando provas para o caso que agora tinha o codinome Azrael.

— É de um poema — explicara Danny para Frémeaux, ainda na sede. — Azrael é o Anjo da Morte, mas ele se vê como um tipo de salvador. Com todas essas doações para caridade, nosso assassino tem algum complexo de messias.

Frémeaux o fitou sem expressão. Não tinha o menor interesse em poesia. Seu interesse era em estatísticas, fatos e resultados. Era melhor Danny justificar esse uso de mão de obra, e logo, se quisesse apoio de sua agência para continuar.

Por "pequena força-tarefa", Frémeaux quis dizer dois homens a mais. Danny escolheu Richard Sturi, um estatístico alemão com tanta personalidade quanto o croissant que Danny estava comendo, mas com um misterioso talento para ver padrões significativos e reais em conjuntos de números aparentemente ininteligíveis, e Claude Demartin, um especialista da perícia.

Para o trabalho de investigação em si teria de contar consigo mesmo e com Matt Daley, seu "agente infiltrado" em Hong Kong.

Até agora, Daley tinha sido sua maior decepção. Ele parecera tão entusiasmado no início. Na verdade, se não fosse por Matt Daley, a investigação Azrael nem teria decolado. Mas, após uma primeira semana infrutífera em Hong Kong, Matt enviara um breve e-mail para Danny falando sobre "jogar sua rede mais fundo" e desaparecera em algum passeio pelo sudoeste da Ásia. Após semanas de e-mails e telefonemas sem resposta — além de uma mensagem de voz no meio da noite garantindo que Matt estava "bem" e "trabalhando no caso" —, Danny oficialmente desistira. De vez em quando, o inspetor Liu compartilhava algumas informações, mas como a maioria dos policiais locais, o homem em Hong Kong estava mais interessado em receber dados da Interpol do que em compartilhar os seus. Como Henri Frémeaux sempre lembrava Danny: "Este é um caso chinês. Nosso trabalho é só ajudar e facilitar."

Foi quando Richard Sturi chegou, usando terno e gravata, como de costume, e segurando seu laptop embaixo do braço como se ele fosse um cobertor de estimação. Em seu rosto que mais parecia o de uma coruja, ele piscava, desconfortável, ao observar o lugar "pouco comum" em que o diretor-assistente Danny McGuire marcara a reunião. Reuniões externas de equipes da Interpol não eram frequentes, e as pessoas costumavam não gostar, mas Danny estava determinado a reunir e trocar ideias com sua pequena equipe fora do ambiente rígido da sede da Interpol. Quando Claude Demartin chegou minutos depois, também estava vestido formalmente, mas, sendo francês, diferente de Sturi, ele nunca se opunha a reuniões em cafés. Pediu um *café crème* e um *croque-monsieur* antes de começarem.

— Ok, pessoal — começou Danny. — Até agora, não temos nada tangível de Hong Kong. O que temos é uma enorme pasta de papel sobre o caso Jakes, que acredito que vocês dois tenham visto e que estejam inserindo no I-24/7. Correto, Richard?

O estatístico alemão assentiu, nervoso. Ele parecia estar sempre nervoso e com uma expressão de quem estava prestes a ser preso e morto pela Gestapo.

— Para aproveitarmos melhor nosso tempo, sugiro que nos concentremos nos casos Henley e Anjou, para ver se conseguimos descobrir alguma coisa que as polícias locais tenham deixado passar.

— As polícias locais estão cooperando? — perguntou Claude Demartin, terminando o que restava de seu café.

— Resumindo, não. Temos de pisar em ovos e tentar não estragar as coisas. Tem orgulho profissional de muita gente na reta. Até agora, esse cara saiu livre de três homicídios, e parece que vai acontecer pela quarta vez em Hong Kong. Frémeaux já está procurando uma desculpa para nos afastar do caso, e se irritarmos a Scotland Yard, a polícia de Los Angeles ou qualquer outra polícia local, ele terá arranjado a desculpa. Entendem o que estou dizendo?

Os dois assentiram.

— Bom. Então, o que temos até agora? Nosso assassino é um homem. Seus alvos são homens velhos e ricos casados com mulheres mais jovens. A motivação dele, pelo menos em parte, é sexual. Os crimes são selvagens. Alguma coisa que gostariam de acrescentar?

Claude Demartin sugeriu dizer alguma coisa, depois achou melhor ficar quieto.

— O quê? — perguntou Danny.

— Sou da perícia. Não sou especialista nesses outros assuntos.

— Não estou atrás de especialistas. Estou atrás de ideias, teorias. Siga seus instintos.

Richard Sturi visivelmente estremeceu.

— Ok — começou Demartin. — Então, eu diria que ele é um homem sofisticado.

— Por quê?

— Ele é viajado. Provavelmente fala vários idiomas. Os crimes aconteceram em diferentes lugares do mundo.

Danny concordou, encorajando-o a continuar.

— Bom.

Demartin estava aquecendo o discurso.

— Ele também planeja meticulosamente. E parece ter habilidade com sistemas de segurança complicados. Faz com que eu desconfie de que é engenheiro elétrico ou algum tipo de gênio da informática.

A questão da segurança sempre incomodou Danny. Pensando no caso dos Jakes, ele lembrou que o sistema de alarme de Loma Vista, 420 era altamente sofisticado, o mais moderno da época. Os Henley tinham um sistema Banham simples mas confiável em Londres, e a casa em Saint-Tropez de Didier Anjou era cercada de câmeras do circuito interno de televisão, todas elas com imagens em branco na noite do assassinato. Segundo o inspetor Liu, da polícia de Hong Kong, Miles Baring tinha instalado um sistema de segurança para rivalizar com o do Forte Knox. Ainda assim, em todos os quatro casos, um único homem conseguira entrar e sair da casa das vítimas sem ser notado.

Um assassino com habilidade rara em tecnologia era uma possibilidade. Mas havia outra, mais simples, uma possibilidade que assombrava Danny desde a época do caso Jakes.

— Talvez algum dos empregados da casa conhecesse o assassino — disse ele em voz alta. — Alguém o deixou entrar. Um empregado ou coisa parecida.

— Ou as esposas. — Claude Demartin falou diretamente as palavras que Danny não conseguia se forçar a dizer. — Esta é uma teoria: os alvos do assassino, um homem sofisticado e inteligente, são as jovens esposas entediadas das vítimas. Ele se aproxima delas, as corteja, conquista a confiança delas, talvez até seduzindo-as sexualmente. Então, uma vez enfeitiçadas, ele convence que elas deixem todo o dinheiro do marido para instituições de caridade.

— E depois? — perguntou Danny, cético. — Ele invade a casa delas?

— Por que não? A esta altura, ele já conhece a propriedade, sabe os códigos de segurança, a posição das câmeras etc. Ele esconde sua identidade usando uma máscara... Provavelmente faz alguma coisa com a voz para que as mulheres não o reconheçam. Mata os maridos. Estupra as esposas. Depois volta como um ombro amigo para as viúvas chorarem. Quando o dinheiro está seguro na conta das instituições de caridade, ele convence as viúvas a desaparecerem com ele. Bem longe da cena do crime, ele também as mata, descarta os corpos e segue para o ataque seguinte.

Todos os três homens ficaram em silêncio. A teoria de Demartin era um grande avanço em muitos sentidos. Supondo que o assassino tentava se disfarçar ao invadir as casas, seria possível uma mulher deixar de reconhecer o próprio amante? Parecia forçado demais. E os policiais não o pegariam quando estivesse desempenhando o papel de ombro amigo? Provavelmente, se algum homem jovem, bonito e inteligente estivesse rondando as vítimas...

Danny congelou.

Houve um homem como esse. Com Angela Jakes. Rondando-a como uma mosca.

Lyle Renalto.

Demartin estava falando de novo, curtindo seu recém-descoberto talento como Sherlock Holmes. Preso no laboratório de perícia da Interpol, ele raramente tinha a chance de deixar a imaginação fluir.

— Ou podemos considerar outras alternativas. Que tal esta? O assassino *não* esconde a identidade. As esposas sabem muito bem quem ele é e permitem deliberadamente que ele entre em suas casas. As esposas não são vítimas. São cúmplices.

Danny McGuire se lembrou dos terríveis ferimentos de Angela Jakes depois de ter sido estuprada. Ela havia apanhado tanto que quando ele a viu pela primeira vez, amarrada ao corpo do marido, pensou que ela estivesse morta. Ele balançou a cabeça.

— Não. De jeito nenhum. Não tem nada de fingimento nos estupros. Não no que eu vi, pelo menos. Nem em um milhão de anos aquilo seria consensual.

Claude Demartin levantou uma sobrancelha. Os americanos podiam ser um tanto ingênuos quando o assunto era sexo.

— Tem certeza? Algumas mulheres gostam de violência.

— Não tanta violência — disse Danny. *Não aquela mulher. Ela era tão doce e amável. Um anjo.*

Demartin deu de ombros.

— Não se esqueça de que havia centenas de milhões de dólares em jogo em cada um desses assassinatos. Algumas pessoas são capazes de tolerar um grande sofrimento para colocar as mãos numa quantia tão grande de dinheiro.

— Mas nenhuma das viúvas ficou com o dinheiro. Elas abriram mão dele.

— Exceto Lisa Baring.

— Exceto Lisa Baring. Até agora.

O silêncio tomou conta deles mais uma vez. A teoria de Demartin era plausível. Um assassino. *Possivelmente Lyle Renalto?* Cortejar esposas. Matar maridos. Desviar dinheiro. É claro que ainda havia muitas questões a serem respondidas. E a menor delas era "por quê?".

— O motivo ainda é um problema — disse Danny.

Richard Sturi riu alto. Era o primeiro som que ele emitia em 15 minutos, e Danny e Demartin viraram-se para ele surpresos.

— *O motivo* é um problema? Tudo é problema! Vocês não têm um fiapo de evidência para provar nada do que acabaram de dizer.

O tom de voz do alemão era de desprezo. Seu amigo francês o interrompeu na hora.

— Ok, Albert Einstein. Vamos escutar o que você tem a dizer sobre os crimes.

Sem dizer nenhuma palavra, Richard Sturi tirou seu laptop da pasta e o colocou sobre a mesa. Enquanto ele alisava carinhosamente a capa, Danny se lembrou claramente de Blofeld, dos filmes de *Austin Powers* com seu gato.

— Isto é apenas uma análise inicial. Muito básica.

Danny McGuire e Claude Demartin fitaram a tela admirados. Os gráficos se abriram, um a um em uma série de *pop-ups* coloridos. Vermelho para o assassinato de Jakes, azul para o caso Henley, verde para Anjou e lilás para os Baring. Havia linhas do tempo, mostrando o período entre a data de cada casamento e o respectivo assassinato do marido, e de cada assassinato até o desaparecimento das esposas. Gráficos de barras, analisando tudo desde a diferença de idade entre cada casal até a distância geográfica entre os crimes. Na última tela, em amarelo, havia outro conjunto de gráficos, ainda sem nome.

Danny apontou para eles.

— O que são esses gráficos?

— Projeções. Não são conjecturas, entende? — Sturi fitou Demartin com uma expressão que se dividia entre pena e desdém. — São probabilidades matemáticas, tiradas dos fatos estritamente *conhecidos*. Estou construindo um perfil do assassino com base nos dados passados. As linhas amarelas predizem estatisticamente o próximo passo dele.

Danny engoliu em seco.

— Você quer dizer o próximo assassinato?

— Exatamente. Ocorreu-me que a forma mais eficaz de ajudarmos um país-membro a realmente prender esse indivíduo seria antecipar seu próximo passo e nos preparar para isso. É claro que não podemos dizer *quem* exatamente será a próxima vítima dele. Mas podemos prever a idade do indivíduo, posição social, localização geográfica, provável data de casamento. Existe uma pletora de fatos que podem ser determinados estatisticamente, nos dizendo como o assassino se comportará no futuro tendo como base seu comportamento no passado.

Danny observou as linhas amarelas e pensou em *O mágico de Oz*, por algum motivo. *Será que vai ser assim que vamos pegá-lo? Seguindo o tortuoso caminho amarelo de Sturi? Talvez já tivéssemos as respostas o tempo todo, como Dorothy e seus amigos. Só não sabíamos onde procurar.*

Embaixo dos gráficos, havia números, páginas e páginas deles. Análises estatísticas de todo tipo, desde testes de DNA, datas de transferências bancárias, dados comparativos entre as instituições de caridade, até as datas de nascimento das quatro vítimas. Um mar de números que só deixavam Danny zonzo.

Richard Sturi concluiu:

— Na minha opinião, é um uso medíocre dos nossos já limitados tempo e fontes nos concentrarmos em *quem* o assassino pode ser e *por que* ele faz o que faz. Simplesmente não temos fatos suficientes para responder a essas perguntas. Esses dados nos dizem *como* ele age, *quando* e *onde* ele mata. Olhem aqui. — Sturi passou tão rápido entre as telas que Danny não viu nada além de um borrão colorido. — O ritmo dele ao cometer os crimes parece estar aumentando rapidamente.

— Não só "parece" — disse Danny. — Não aconteceu nada em cinco anos depois do caso Jakes, mas o assassinato de Baring ocorreu menos de um ano depois do de Didier Anjou.

— Ah, mas você está supondo que Sir Pier Henley foi a primeira vítima depois de Andrew Jakes.

Demartin arregalou os olhos.

— Você acha que teve outro crime entre eles? Do qual não tomamos conhecimento?

— Não acho nada. Achar não é o meu trabalho. Mas, estatisticamente, seria provável ter havido outro crime. Provavelmente na América do Sul, em 1998, início de 1999. Estou pesquisando isso.

— Caraca! — Danny assoviou. — Ok, continue.

— Ele mata a cada dois ou três anos, vindo cada vez mais para leste no globo, mudando de identidade e, possivelmente, de aparência, entre cada ataque. Ele é muitíssimo inteligente e manipulador. A diferença de idade entre as vítimas e as esposas está diminuindo em uma média de cinco anos a cada assassinato.

— As vítimas estão ficando mais jovens?

— Não. As esposas estão ficando mais velhas. Assim como, claro, o nosso assassino.

Danny pensou sobre isso, ansiando por algo que tivesse lhe escapado até agora. A questão da idade lhe pareceu importante, mas não soube dizer por quê. Após um longo silêncio, ele perguntou:

— Você acha que as esposas estão mortas?

Richard Sturi hesitou.

— Provavelmente. Não existe nenhuma razão plausível, pelo menos não que eu consiga ver, para mantê-las vivas.

— Exceto Lisa Baring — disse Demartin de novo.

Exceto Lisa Baring. Como Danny gostaria que Matt Daley tivesse conseguido se aproximar da Sra. Baring. Ele teve bastante tempo para sumir sem deixar rastro.

— Ok. Como vocês sabem, só fomos permitidos alocar oito horas por semana ao caso Azrael. Todos nós temos outros casos que precisam da nossa atenção, por isso não quero sobrecarregá-los. Richard, quero que continue o que está fazendo. Mas nada deve ir diretamente para o banco de dados I-24/7. Quaisquer estatísticas e projeções ligadas a esta investigação passam por mim primeiro. Entendido?

O alemão levantou a sobrancelha, mas concordou. Postergar a inserção de dados nos sistemas da Interpol não era nem um pouco comum. Mas também não era comum desobedecer às ordens de um superior.

— Claude, por enquanto, preciso que você se concentre na sua área. Veja se tem alguma coisa nas análises de sêmen, sangue e impressão digital que as polícias locais não tenham percebido.

— Sim, senhor. Se importa se eu perguntar em que vai trabalhar?

— Vou investigar em Los Angeles — disse Danny. — Tem um homem com quem quero falar de novo. Um advogado chamado Lyle Renalto.

O INSPETOR LIU NÃO conseguia falar com o diretor Danny McGuire. Segundo a secretária dele, uma mãe de família francesa que gostava de obstruir seu caminho e se chamava Mathilde, McGuire estava em uma reunião e provavelmente iria demorar. Nada mau para a Interpol, que prometia suporte 24 horas por dia, sete dias da semana.

Irritado, Liu deixou um recado.

A Sra. Baring tinha um amante que era suspeito de envolvimento no assassinato do marido. Dessa forma, a própria Sra. Baring agora também era suspeita na investigação. Ela continuava em Bali, e provas fotográficas sugeriam que esse homem estava hospedado lá com ela. Será que o diretor-assistente McGuire poderia designar uma equipe da Interpol para ajudar Liu e seus homens a conseguir acesso à *villa* e, se necessário, prender os suspeitos? As autoridades indonésias não estavam ajudando em nada.

Ao desligar o telefone, o inspetor Liu olhou para o relógio. Quatro da tarde em Hong Kong. Se não tivesse notícias de McGuire até de manhã, cuidaria do assunto à sua maneira.

CÉLINE MCGUIRE NÃO ESTAVA feliz.

Não estava feliz porque o *boeuf bourguignon* que cozinhara meticulosamente para o marido tinha se reduzido a uma massa viscosa e carbonizada no fundo da panela.

Não estava feliz porque arrumara o cabelo e colocara seu vestido mais bonito, mas tudo isso por nada.

Não estava feliz porque todas as desculpas que Danny daria para seu atraso seriam mentiras, mas ela tinha medo de desafiá-lo com a verdade:

Angela Jakes tinha voltado para a vida deles.

Às vezes, Céline associava Angela Jakes a uma amante. *Que patético sentir ciúmes de uma mulher com quem seu marido nunca fez amor e nunca vai fazer; uma mulher que provavelmente está morta.* Desta vez, porém, Céline via Angela mais como um vício, como álcool, metanfetamina ou uma carreira reluzente da mais pura cocaína. Após cinco anos felizes, Danny tivera uma recaída. O vício em mentiras havia começado.

"Frémeaux me chamou para uma reunião."

"Mathilde está doente, então tive que ver uma papelada."

"A minha divisão vai passar por uma inspeção no mês que vem. Vou ter que fazer hora extra."

Céline verificara cada uma das histórias, mas já sabia o que ia descobrir. *Se você queria mentir descaradamente, Danny, não devia ter se casado com uma detetive.* Ele nem tivera coragem de lhe contar que uma nova investigação — Azrael — tinha sido autorizada, muito menos que ele era o chefe da equipe. Mas se as mentiras de Danny eram ridiculamente transparentes, as táticas de Céline eram igualmente risíveis. Jantares deliciosos. Roupas sensuais. Como se ela tivesse alguma chance contra o vício dele. Contra Angela.

— Desculpe o atraso. — Danny entrou pela porta com uma pilha de pastas embaixo do braço e uma valise cheia embaixo do outro. — Você não cozinhou, cozinhou?

— O que você acha? — respondeu Céline, olhando sobre os ombros para os restos queimados do bife.

Danny parecia arrasado.

— Desculpe, amor. Você devia ter falado comigo.

— Eu devia ter falado com você? *Eu* devia ter falado com *você?* — Ela passou por ele, furiosa, como um relâmpago vestido de seda vermelha, pegando um casaco pendurado atrás da porta ao sair. — Vá se foder, Danny. E foda-se Azrael.

Antes que Danny pudesse falar qualquer coisa, ela já tinha ido embora.

Azrael. Ela já sabia. Merda.

Seu instinto foi de ir atrás dela, mas sabia por experiência própria que quando Céline ficava com muita raiva, como aparentava estar, ela precisava de espaço. Cansado, ele organizou seu trabalho na mesa da cozinha. Tinha sido uma longa, exaustiva e infrutífera tarde. Passara a maior parte do tempo ao telefone com Los Angeles, rastreando cada pista e ligando para cada pessoa que achava que poderia ajudá-lo a encontrar Lyle Renalto. Mas ninguém vira ou ouvira falar do sujeito desde 1997. Aparentemente, foi nesse ano que ele fechara o escritório de advocacia, 12 meses depois do assassinato de Andrew Jakes, e dez do sumiço de Angela. No mesmo que ano que Danny também deixou a cidade.

Segundo seus colegas, Lyle assumiria um novo cargo em Nova York — ele era de lá —, mas Danny não conseguiu encontrar nenhum vestígio dele nos bancos de dados públicos que verificou. Contas de telefone e luz, departamento de transportes, previdência social, todos resultaram em nada. É claro que Danny ainda estava no início. Mas os principais envolvidos na investigação Jakes tinham uma sinistra tendência de evaporar exatamente quando o investigador queria falar com eles. Os sentimentos de frustração, impotência e desespero estavam voltando. Em Los Angeles, lá na década de 1990, Danny sentira como se a verdade que estava procurando fosse um sabonete molhado: estava na sua mão em um momento e escorregando por entre seus dedos no seguinte. Será que também seria assim com Azrael?

Perguntou-se por um momento quem tinha contado a Céline sobre a investigação e então deixou pra lá. Isso realmente importava? Ele mesmo deveria ter contado a ela. Agora, ela nunca compreenderia, nunca o perdoaria. *A não ser que eu resolva esse caso logo. A não ser que eu tenha sucesso desta vez, que pegue esse cretino e coloque um fim nesse pesadelo de uma vez por todas.*

Após um jantar apressado que consistiu em uma baguete com queijo brie e presunto e uma Sam Adams bem gelada — os franceses sabiam fazer muitas coisas direito, mas cerveja não era uma delas —, ele começou a ler sua montanha de anotações. Já eram quase 10 da noite quando teve tempo de checar seus recados no telefone. Três eram memorandos internos sobre orçamento, outro era uma pista de um caso em que sua divisão estava trabalhando em Bogotá e o quinto era de sua mãe em Los Angeles, perguntando se ele tinha se lembrado do aniversário de 90 anos da avó (ele não tinha). Mas foi o sexto e último recado, do inspetor Liu, que fez Danny ficar arrepiado.

Lisa Baring tinha um amante. De repente, a teoria maluca de Demartin não parecia mais tão maluca assim. Seria Lyle Renalto, depois de todos esses anos, usando nome e identidade diferentes? Ele estaria mais velho, claro, com quase 50 anos, mas provavelmente era atraente o suficiente para seduzir uma esposa jovem e entediada.

Liu disse alguma coisa sobre estar hospedado na *villa* dos Baring em Bali. Se isso fosse verdade, se tivesse alguma chance de isso ser verdade, não poderiam deixar que ele fugisse de novo. Pensou em retornar a ligação de Liu, mas decidiu que poderia esperar. E se Renalto, ou quem quer que fosse, estivesse arrumando as malas e Lisa também? Levando-a para longe, de forma que pudesse matá-la como fizera com as outras? Liu pedira ajuda à polícia de Bali, e era com isso que Danny iria ajudá-lo.

Danny discou o número do quadro de distribuição da Interpol.

— Preciso da liberação para uma operação em Bali. Me coloque em contato com o chefe de polícia em Jacarta.

Inspetor Liu verificou seu Blackberry. Nenhuma notícia de Lyon ainda.

A Interpol e os indonésios podiam ir se foder.

Esta investigação é minha. Estou farto de pedir permissões.

O telefonema para a Indonésia não foi bom.

Eles não pediram ajuda da Interpol e não sabiam nada sobre os crimes Azrael.

A polícia de Hong Kong já havia causado problemas antes, importunando cidadãos em território indonésio. Depois de não conseguir obter os favores básicos, o inspetor Liu agora tinha a audácia de pedir cooperação, solicitando que emitissem uma ordem de prisão apesar de não ter prova alguma de qualquer crime cometido por alguém em Villa Mirage.

O inspetor Liu (e a Interpol) podiam enfiar seus pedidos onde o sol não bate.

Deprimido, Danny voltou para sua infindável lista de afazeres, mas seu coração não estava ali. Talvez devesse ligar para Céline? Ela ainda não tinha voltado para casa, o que era estranho da parte dela. Após uma briga, ela costumava ficar fora por algumas horas e voltar algumas taças de vinho depois, pronta para uma discussão acalorada e uma reconciliação apaixonada na cama.

Ao deixar os papéis de lado, um fax saiu da pilha; Danny notou que também era do escritório de Liu em Hong Kong. Como não vira isso antes? Na folha do fax havia uma fotografia em preto e branco, de qualidade ruim. Claramente, tinha sido tirada à distância. Mostrava um homem e uma mulher em uma varanda, abraçados. Danny examinou o homem com atenção, procurando em seus traços alguma semelhança com Lyle Renalto. Era impossível. A fotografia era de baixa qualidade. Mas ainda assim *havia* algo de familiar na imagem. A forma da cabeça, a postura dele ao estender o braço na direção da mulher — provavelmente a Sra. Baring —, a forma como os traços do rosto pareciam esticados, quase como se o sujeito estivesse se desfazendo em um enorme sorriso...

O estômago de Danny se revirou.

Ah, meu Deus. Não.

Não pode ser.

Tremendo, ele pegou o telefone.

Capítulo 17

MATT DALEY ESTAVA SENTADO à beira da piscina, curtindo o pôr do sol e tomando uma das perfeitas misturas de gim e tônica da Sra. Harcourt, quando seu telefone tocou. O número de Danny McGuire piscou na tela.

Droga, pensou Matt. Sentia-se culpado em relação a McGuire. Culpado por estar evitando os telefonemas do cara, culpado por não ter contado sobre Lisa. Não tinha como explicar totalmente o seu silêncio, nem mesmo para si. Mas o que tinha com Lisa era tão particular e precioso que ele tinha medo que quando abrisse a porta para o mundo exterior, as comportas se abririam e o sonho seria arrasado.

Mas teria de falar com Danny McGuire em algum momento. Por um único motivo: ainda havia um assassino perigoso solto por aí, um maníaco que precisava ser pego, pelo bem de Lisa e de todo mundo. Tomando coragem para a inevitável discussão, ele atendeu.

— Oi, Danny. Desculpe, sei que tem sido difícil falar comigo.

— Escute o que vou dizer com atenção, Matt. — A voz de Danny parecia mais tensa do que furiosa. — Você precisa sair daí. Agora mesmo.

— Sair de onde? — Matt riu. — Você nem sabe onde eu estou.

— Você está em Bali, hospedado na *villa* de Lisa Baring.

A gargalhada morreu nos lábios de Matt. *Como Danny McGuire sabia disso?*

— Eu ia contar pra você.

— Contar o quê? Que vocês são amantes? — Pela primeira vez, um tom de raiva apareceu na voz de McGuire.

— Contar que eu estou aqui — respondeu Matt, tenso. — Que eu conheci Lisa. E, em todo caso, não somos amantes. — *Ainda.*

— Não é a mim que você precisa convencer — disse Danny. — É o inspetor Liu. Você sabia que a polícia chinesa considera Lisa Baring suspeita do assassinato do marido?

Matt riu alto.

— Isso é loucura. Lisa não teve nada a ver com a morte de Miles, isso é fato.

— É mesmo? Ou você apenas quer que seja?

Era uma noite quente, mas Matt de repente sentiu o ar gelado. Danny continuou:

— Lisa tinha amantes, Matt. A polícia já sabe de pelo menos um. Talvez haja mais.

— Besteira.

— Matt, me escute. Ela levava homens para casa para fazer sexo enquanto Miles estava fora.

— Você está errado. — *Você tem de estar errado.*

— Fica ainda pior. Liu acha que você é um dos amantes dela. Os homens dele estão observando vocês dois na *villa*. Vocês estão sendo vigiados há semanas. Você deveria estar sendo discreto, e em vez disso, você acaba como um maldito de um suspeito!

— Suspeito? — repetiu Matt. — Isso é ridículo. Eu nem estava em Hong Kong quando Miles Baring foi assassinado.

— Eu sei disso — falou Danny. — E é por isso que estou lhe contando tudo isso agora e não correndo junto com Liu para prendê-lo. Mas você não está exatamente se ajudando, meu amigo.

— Não acredito que os chineses estavam nos vigiando — disse Matt, indignado.

Ao ouvir isso, Danny perdeu a paciência.

— Isso é uma investigação de homicídio! Alô? Você não está de férias. Ou se esqueceu disso?

Matt não tinha se esquecido, mas certamente queria. Queria esquecer tudo que acabara de ouvir, principalmente as mentiras que McGuire contara sobre Lisa. Queria levá-la para bem longe para protegê-la e amá-la e nunca mais ter de pensar em morte, sofrimento ou traição. Tentou se manter calmo.

— Você não conhece Lisa, Ok? Eu conheço. Ela nunca trairia Miles. Ela não é esse tipo de pessoa.

Quase era possível escutar pelo telefone os olhos de Danny McGuire revirando.

— Corta essa, cara...

— E se ela traiu, qual o problema? — A voz de Matt soava cada vez mais desesperada. — Isso não faz dela uma assassina.

— Não, não faz. Mas pode fazer dela cúmplice.

— Do quê? Do próprio estupro?

— Talvez não tenha sido estupro. Talvez tenha sido consensual.

— Retire isso — disse Matt baixinho.

— Desculpe — disse Danny, percebendo a mágoa e a raiva na voz de Matt. — Eu não estou dizendo que é isso que *eu* penso.

— Espero que não.

— Eu ainda não faço a menor ideia do que aconteceu naquela noite. Mas Liu não perde Lisa de vista, e ele tem boas razões para isso. Lisa *tinha* um namorado, ainda tem, pelo que sabemos. Ela era a única pessoa a se beneficiar financeiramente com a morte de Miles. Ela instruiu os empregados a não irem ao andar de cima na noite do crime. Ela era a única pessoa, além do marido, que sabia desligar o alarme de segurança. E, a propósito, ele *foi* desligado naquele dia, caso queira se ater a fatos. Quem quer que tenha matado Miles Baring teve ajuda de alguém de dentro da casa.

Matt não queria escutar.

— Se Liu tivesse provas suficientes para prender Lisa, ele já teria feito isso. Mas não o fez. Ele está se prendendo a detalhes porque não tem nada. Assim como você não tinha nada na investigação da morte do meu pai.

Aquilo foi um golpe baixo, mas Danny não tinha alternativa a não ser engolir. Só queria que Matt Daley saísse de Bali antes que a coisa toda explodisse na cara de ambos. Se alguém ligasse Matt Daley a Danny McGuire, a Operação Azrael estaria acabada, assim como a carreira de Danny.

— Você se lembra do que me disse no dia em que nos conhecemos no meu escritório em Lyon? — perguntou Danny.

— Por que demorou tanto, seu cretino? — gracejou Matt.

— Depois disso, você disse: "São as esposas. Elas são a chave para tudo isso." Você se lembra disso?

— Lisa não.

— Por que não Lisa? — Danny o desafiou. — Porque você está apaixonado por ela?

Sim!

— Não. Claro que não.

— Há quanto tempo você conhece essa mulher, Matt? Um mês? Dois? Já lhe ocorreu que ela pode estar usando você?

— Hum, deixe-me ver — disse Matt. — Ela é uma milionária deslumbrante, e eu sou um escritor de comédia fora de forma, falido e quase divorciado. Sim, estou percebendo aonde você quer chegar. Ela definitivamente está me usando.

Danny sorriu. Daley estava furioso, mas seu humor ainda era afiado.

— Eu quero dizer que ela pode estar usando você para conseguir informações. Você sabe tanto quanto a polícia sobre esses crimes, ou até mais. Se o namorado de Lisa estiver por trás deles...

— Não está.

— Como você sabe?

— Porque ela não tem um namorado! Você não escutou uma palavra do que eu disse?

Danny não conseguiu segurar sua irritação.

— Deixa eu explicar uma coisa. Se você não sair dessa *villa*, supondo que o amante da sua namorada não mate você na sua cama antes disso, os homens de Liu vão prender você e jogá-lo em alguma prisão chinesa fedorenta, e eu *não* vou, repito, *não vou*, sair correndo para resgatá-lo.

— Ok — disse Matt com petulância. E desligou o telefone.

— Ei? Está tudo bem? Escutei você gritando.

Lisa veio andando para a piscina. Ela vestia um quimono azul-escuro com uma faixa na cintura e usava o cabelo solto, escovado, claramente pronta para ir para a cama. Matt alegrou-se ao vê-la. *Ela é o meu anjo. Meu anjo. Não devo preocupá-la com essas besteiras.*

— Está tudo bem. — Matt forçou um sorriso. — Nada com que se preocupar. Apenas um desentendimento com um amigo.

— Alguém de casa?

Casa. Aqui não era sua casa?

— Mais ou menos.

Lisa apertou um botão e a lareira de pedra acendeu. As chamas envolveram sua pele em um tom alaranjado.

— Posso me sentar aqui com você?

Matt abriu um sorriso.

— Claro. — Ele indicou o lugar ao seu lado. A vontade de tocá-la era tão forte, quase insuportável. — Estava trabalhando?

— Tentando. — Ela abriu um sorriso tímido. — Ser o testamenteiro de alguém dá mais trabalho do que parece. Os números me deixam zonza. Não consigo me concentrar.

Eles ficaram sentados em silêncio por um momento, observando as chamas dançarem.

— Tinha uma lareira como essa em Positano — murmurou Lisa vagamente. — Miles gostou tanto que mandou colocar uma igual aqui.

Matt não falou nada. Não queria falar sobre Miles nem escutar sobre as férias passadas do casal. Não agora.

Então, de repente, Lisa soltou:

— Fico pensando no que aconteceu comigo. No estupro.

Matt prendeu a respiração. Era a primeira vez que ela falava sobre a noite do ataque em meses, e a primeira vez que ele a ouvia usar a palavra com E.

— Quer falar sobre isso? Não precisa se não quiser.

Puxando os joelhos para perto do peito, Lisa encostou em Matt, passando um braço coberto pelo quimono de seda pela cintura dele. Ela nunca havia chegado tão perto dele fisicamente, não de livre e espontânea vontade. Matt fechou os olhos, perdido no calor, no cheiro dela — óleo de patchuli e jasmim —, o carinho dos fios do cabelo dela. Já se sentira assim com Raquel? Tão desesperado e intoxicado de desejo? Se já, não se lembrava. De fato, neste momento, ele mal conseguia se lembrar de sua esposa.

Quando Lisa falou, sua voz era baixa mas firme.

— Quero falar sobre isso. Preciso. Preciso falar sobre isso com você.

Posteriormente, Matt Daley se esforçaria para lembrar de cada detalhe daquela noite. Lisa abrindo seu coração sobre o estupro. Primeiro, nervosamente, com sua voz presa e estranha, mas, depois, ela se tornou mais firme, conforme seu medo se transformava em raiva. Ela contou a ele como o homem havia batido nela e a estrangulado, forçando-a a fazer coisas horríveis e pervertidas enquanto Miles assistia. Como tentara se desprender, se afastar mentalmente dos ataques violentos a seu corpo. Como ela sabia o tempo todo que o homem machucaria Miles, mas, ainda assim, como ficou chocada quando viu a arma.

As palavras dela saíam cada vez mais rápidas, uma bola de neve de dor ganhando velocidade e volume enquanto ela contava toda a terrível história. Então, de repente, *bum*, a bola explodiu, a raiva passou, e lágrimas começaram a escorrer.

Ela soluçou nos braços de Matt.

— Ele não podia ter feito isso. Ele sabia que eu não queria que ele fizesse. Pedi que parasse. Implorei! Mas o que eu podia fazer? Que poder eu tinha? Que poder eu já tive?

Ela estava divagando, suas palavras eram uma complexa mistura de emoções, parte dor, parte raiva e parte culpa. Era a última parte que mais torturava Matt, embora ele soubesse que era comum que vítimas de estupro se sentissem culpadas, como se de alguma forma pudessem ser responsabilizadas pelo que aconteceu a elas. A última coisa de que Lisa precisava era do inspetor Liu e de Danny McGuire tentando comprometê-la com suas teorias sem sentido. Matt precisava protegê-la disso.

Ela chorou pelo que pareceram horas. Matt chorou também — por ela, por ele mesmo, pelo mundo violento e deturpado que permitia que esse tipo de horror acontecesse com uma mulher inocente e linda como Lisa. Em algum momento durante esse longo abraço cheio de lágrimas, as últimas barreiras entre eles caíram, os últimos elos de postura comedida cederam.

Matt não se lembrava de quem despiu quem ou quem deu o primeiro beijo. A única coisa de que se lembrava era de se entregar de corpo e alma a Lisa, rendendo-se de uma forma como nunca fizera antes. E Lisa se entregou da mesma forma, com necessidade e desejo tão grandes quanto os dele. Fizeram um amor lindo. *Ela* era linda, macia e quente. Fizeram amor sob as estrelas no deque da piscina, depois na água. Então, Matt enxugou-a como se ela fosse uma criança e carregou-a para o quarto, onde ela implorou que ele fizesse de novo e de novo e de novo. Essa foi a coisa mais maravilhosa de todas. O desejo de Lisa, seu apetite, foi uma gloriosa surpresa depois de tantas semanas de timidez e incerteza. Era como se Matt tivesse destrancado uma porta e outra mulher tivesse assumido o controle total do corpo de Lisa: uma mulher sensual, travessa e completamente desinibida.

Matt gemeu de prazer quando ela o tomou em sua boca, depois abriu-se para ele, cavalgando e ofegando até explodir em mais um orgasmo. Quando ela atingia o clímax, enterrava as unhas nele, puxando-o mais para dentro de si, como se quisesse consumi-lo, possuí-lo. Matt se submetia feliz, perdendo-se no momento. A mulher engraçada, reservada e séria que ele passara a conhecer nas últimas semanas desapareceu e foi substituída por essa criatura magnífica, por esse animal voraz, faminto e selvagem.

Matt perdeu a conta das horas que passaram explorando o corpo um do outro. Só soube que ainda estavam acordados, aninhados um nos braços do outro, quando os primeiros raios de sol atravessaram as cortinas. E que, logo depois disso, ele mergulhou em um sono delicioso, profundo e saciado.

Quando acordou, a luz forte do sol fez seus olhos arderem como ácido. Puxando os lençóis de forma protetora em volta de Lisa, Matt levantou o braço para proteger-se da claridade. A Sra. Harcourt devia ter aberto as cortinas, a forma dela de dizer que precisava arrumar o quarto.

— Karen, você se importaria de fechar as cortinas, por favor? — falou Matt com a voz rouca. — Nós... Bem, fomos dormir tarde.

Uma voz masculina e rude gritou alguma coisa em indonésio e, de repente, Matt percebeu: *não era a empregada*. Antes que pudesse dizer ou fazer alguma coisa, seis policiais armados cercaram a cama, armas em punho.

— Lisa Baring?

Lisa se mexeu.

Depois abriu os olhos.

Então, gritou.

— Lisa Baring. Temos um mandado para prendê-la.

— Acusada de quê? — perguntou Matt.

O oficial chinês olhou para ele e sorriu. Depois, bateu com a arma no rosto de Matt. O mundo ficou preto.

Capítulo 18

LISA BARING ENCAROU o homem sentado à sua frente. A última vez que vira o inspetor Liu fora no seu quarto no Queen Elizabeth Hospital. Nessa ocasião, ela não prestou muita atenção nele, o que se provou um grave erro. Só se lembrava de Liu como um homem baixo, fisicamente normal, e respeitoso. Apesar da frustração dele por ela recusar proteção policial, ele a tratara com o respeito devido a uma paciente, vítima de estupro e viúva de um homem poderoso.

Hoje, ele estava diferente. Transformado. Sentado atrás da mesa de fórmica na sala de interrogatórios toda branca no Distrito Central de Hong Kong, o rosto redondo, o cabelo oleoso e curto e as mãos cuidadosamente feitas continuavam os mesmos de que ela se lembrava, assim como o terno barato e a fina gravata de poliéster. Mas a postura dele mudara totalmente. Seus traços antes plácidos pareciam, de repente, ter ganhado vida, sua boca estava animada, seus olhos com um brilho que Lisa não conseguia definir. *Animação? Crueldade?* A linguagem corporal dele era agressiva, pernas separadas, mãos abertas em cima da mesa, torso e cabeça esticados para a frente. *Ele acha que está no controle da situação, e gosta disso.*

— Vou lhe perguntar de novo, Sra. Baring. Há quanto tempo era amante desse homem que foi preso com a senhora esta manhã?

— E eu vou lhe responder mais uma vez, inspetor. O nome dele é Matt Daley. E não é da sua maldita conta.

Ela sabia que estava provocando o chinês, o que provavelmente não era a coisa mais inteligente a se fazer nessas circunstâncias, mas ela não conseguia evitar. Ele era tão arrogante, tão *rude*. As coisas que ele estava sugerindo a respeito de Matt eram simplesmente ridículas.

Era estranho ela se sentir tão confiante nessas circunstâncias. Quando acordara esta manhã em seu quarto em Mirage e vira seis homens com armas apontadas para sua cabeça, imagens do assassinato de Miles pipocaram na sua mente com tanta vividez que ela sinceramente achou que desmaiaria. Se Matt não estivesse ali para acalmá-la, isso provavelmente teria acontecido. *Querido Matt.* Como alguém poderia achar que ele estava envolvido em um caso desses? Perguntou-se onde ele estaria agora e rezou para que não estivesse sendo maltratado. Ela não tivera tempo para processar o que tinha acontecido entre eles na noite anterior, já que fora levada para um avião, empurrada para dentro de uma viatura e deixada nesta sala de interrogatório no prédio da Central com o detestável inspetor Liu lhe lançando perguntas como se fossem dardos envenenados.

Fechando os olhos, Lisa ainda podia sentir o corpo apaixonado e rígido de Matt contra o seu. A onda de desejo foi tão forte que ela corou. Mas estava misturada com outras emoções. Medo. Culpa. E era difícil desemaranhar seus sentimentos com Liu na sua cola. Ainda assim, não estava com tanto medo quanto achara que ficaria.

Porque não estou mais sozinha. Agora tenho Matt. Matt vai me salvar.

A porta se abriu.

— Lisa, querida. Vim o mais rápido que pude.

Não era Matt Daley, mas era um tipo de salvação. John Crowley, advogado dela, era o sócio-gerente da Crowley & Rowe, uma das principais empresas de advocacia de Hong Kong. Com 50 e poucos anos, alto, moreno e com aparência distinta, John Crowley certamente irradiava autoridade. Ele estava usando abotoaduras com monogramas, um terno sob medida que custava mais do que o inspetor Liu ganhava em um ano, e exalava um cheiro de loção pós-barba Floris e autoconfiança. Lisa percebeu a forma como Liu visivelmente tremeu com a presença dele.

— John! Como você sabia onde me encontrar? Eles não me deixaram telefonar.

— Eu sei — disse Crowley, sentando-se sem ser convidado.

— Apenas mais uma das muitas quebras de protocolo do inspetor Liu. Um amigo seu, Sr. Daley, entrou em contato comigo.

Lisa arregalou os olhos.

— Eles já soltaram Matt?

— Naturalmente. Assim que ele apresentou o passaporte, ficou claro que ele nem estava no país na noite do assassinato de Miles. Qualquer sugestão de envolvimento dele é pura fantasia. Assim como qualquer sugestão do seu envolvimento. — John Crowley olhou para seu relógio vintage Cartier, impaciente. — Inspetor Liu, com base em que o senhor está detendo a minha cliente?

— Temos a autoridade necessária. — Liu entregou uma pilha de papéis, aparentemente mandados, todos em chinês. John Crowley olhou para eles como se contemplando a hipótese de usá-los para assoar o nariz, depois os empurrou para o lado.

— A Sra. Baring foi acusada?

— Ainda não. Ela está aqui para responder a algumas perguntas. Existem algumas discrepâncias, bem sérias, entre a versão da Sra. Baring do que aconteceu na noite do crime e a versão dos empregados.

John Crowley se virou para Lisa:

— Quando você foi presa? A que horas?

— Esta manhã. Por volta das 10. Acho, não tenho certeza. Eu estava dormindo quando eles invadiram meu quarto.

Crowley olhou de novo para o relógio.

— Isso foi nove horas atrás. O que significa que Liu tem no máximo mais três horas para terminar suas perguntas. Se ele não acusar você até lá, estará livre para ir embora.

Liu fitou o advogado com raiva. Desconfiava de que Danny McGuire, da Interpol, estava, de alguma forma, envolvido nisso. Que em vez de retornar a ligação de Liu, McGuire assumira o controle e entrara em contato com a embaixada americana, preferindo lidar com expatriados a lidar com a polícia chinesa. A Interpol deveria ser imparcial, mas McGuire, Crowley, Lisa Baring e Matt Daley eram todos americanos. Os americanos tinham essa mania de sempre se ajudar.

— Como o senhor bem disse, Sr. Crowley, o tempo é limitado. Então, eu agradeceria se parasse de desperdiçá-lo. Sra. Baring... — Liu virou-se para Lisa. — No Hospital Queen Elizabeth, a senhora me disse que seu marido não tinha parentes vivos que precisássemos avisar. Na verdade, como a senhora bem sabe, ele tem uma filha do primeiro casamento, Alice.

— É verdade. Mas Miles não tinha nenhum contato com ela, nem ela com ele. Depois que ele se divorciou, a ex-mulher voltou para a Europa e ele perdeu todo contato com ela e com a filha.

— Um homem com os meios do seu marido poderia facilmente ter rastreado os passos delas ou ter pedido em seu testamento que elas fossem localizadas após sua morte. Na verdade, o Sr. Baring tinha tomado tais precauções antes de conhecê-la, não tinha?

— Eu... Eu não faço ideia — gaguejou Lisa.

— Foi a senhora quem o convenceu a não apenas se casar mas também a deixar toda a fortuna dele para a senhora. Estou certa, Sra. Baring?

Lisa abriu a boca para responder, mas John Crowley se intrometeu.

— Ela já lhe disse, não sabia nada sobre o conteúdo do testamento de Miles antes de conhecê-lo. Não é raro homens mudarem seus testamentos a favor de suas esposas depois do casamento.

— O que *é* raro, Sr. Crowley, é uma esposa consternada mentir repetidamente para a polícia que está tentando prender o assassino de seu marido — respondeu Liu. — Sra. Baring, a senhora declarou, sob juramento, que não sabia como desarmar o sistema de segurança em Prospect Road. Mas sua empregada, Joyce Chan, garantiu que o Sr. Baring lhe explicou o procedimento em diversas ocasiões.

— Eu... Ele até tentou. Mas não sou muito boa com assuntos técnicos.

— Por que a senhora instruiu seus empregados a não irem aos andares superiores da propriedade na noite em que seu marido foi assassinado?

— Não me lembro.

— Foi para que pudesse abrir as portas para seu amante?

— Não!

— A senhora nega que tinha um amante?

— Sim, eu nego. Claro que nego.

John Crowley fez o melhor para desviar e obstruir, mas Liu continuava insistindo que o amante existia, que Lisa o ajudara a entrar na casa, e o policial exigiu repetidas vezes que ela falasse o nome do suposto homem. Será que havia tantos que ela nem conseguia se lembrar? Com quantos homens ela dormira antes de se casar com Miles? E durante o casamento? Com quantos homens dormira desde a morte de Miles, no período em que deveria estar de luto? Ou Matt Daley era o único? Como conhecera o Sr. Daley? Deve tê-lo convidado para ficar com ela em Bali, o que significa que já o conhecia antes.

Quando as três horas se passaram e o inspetor Liu a liberou, na condição de que não deixasse a ilha e "cooperasse totalmente" com a investigação, Lisa estava emocional e fisicamente exausta. Mas ela conseguira não dizer a Liu nada sobre o passado de Matt. No final das contas, Matt também era uma vítima. Se ele quisesse falar sobre a morte do pai dele, ou sobre seu interesse nos outros crimes, era escolha dele.

John Crowley segurou o braço de Lisa enquanto saíam do prédio. A pobrezinha ainda estava tremendo.

— Você foi muito bem. Tente não se preocupar com isso. Duvido muito que eles a acusem de alguma coisa.

Lisa balançou a cabeça.

— Ele me olhava com tanto ódio. Como se eu *quisesse* que isso acontecesse. Como se eu *quisesse* que Miles morresse. Eu não queria que nada disso tivesse acontecido. Simplesmente aconteceu. Talvez tivesse que acontecer, não sei. Mas não havia nada que eu pudesse fazer para evitar.

John Crowley a fitou com estranheza. Parecia uma escolha bizarra de palavras, para dizer o mínimo. Por que o assassinato de Miles talvez "tivesse que acontecer"? Mas depois da tortura que Liu infligira a Lisa, talvez fosse um milagre que ela ainda conseguisse formular uma frase.

— Você precisa descansar. Quer que eu a leve para casa?

Lisa olhou para ele sem saber o que responder. *Casa?* Onde ficava isso? Certamente não a casa de Prospect Road.

— Você disse que foi Matt Daley quem ligou para você e avisou sobre mim. Sabe onde ele está?

— Estou bem aqui.

O rosto doce, cansado e amável de Matt surgiu de um mar de rostos asiáticos que ainda lotavam as calçadas àquela hora da noite. Lisa chegara a pensar que nunca mais na vida ficaria tão feliz em ver alguém. Jogou-se nos braços dele.

— Você está bem? — sussurrou ele, abraçando-a com força. — Eles machucaram você?

— Não, estou bem. — Ela o beijou, sem tentar esconder seu carinho por ele na frente de John Crowley. O advogado engoliu uma onda irracional de ciúme. Não tinha tantas clientes tão atraentes quanto a Sra. Baring, e teria curtido bancar o reluzente cavaleiro dela esta tarde.

Matt disse:

— Você deve ser o Sr. Crowley. Obrigado por vir tão rápido.

— De forma alguma. Eu que lhe agradeço por ter me telefonado. — Os dois apertaram as mãos. — Tudo correu bem hoje. Acho que Liu está se segurando onde pode. Mas certifique-se de não dar munição a ele — acrescentou ele para Lisa. — Fique em Hong Kong, seja discreta e mantenha contato. Se a polícia lhe procurar de novo, me avise imediatamente.

— Claro.

Matt observou John Crowley entrar no táxi. Estreitou os olhos, desconfiado.

— Ele é bonito demais para um advogado.

Lisa riu. Passando os braços em volta do pescoço de Matt, ela o beijou na boca.

— Está com ciúmes?

— Muito.

Eles se beijaram de novo, e Lisa ficou encantada com a felicidade que sentia, com a sensação de segurança. Experimentara ciúme masculino suficiente no passado, e até agora isso só significara sofrimento. Mas com Matt Daley era diferente. Segura nos braços de Matt, ela era capaz de olhar para trás e ver que a maior parte de sua vida fora passada sob uma nuvem negra de medo, esperando o ciúme de um homem explodir em raiva e violência, esperando ser machucada. Aceitara isso porque era só o que conhecia. E por causa do segredo, o segredo que destruíra não apenas a sua vida como a de tantos outros. O segredo para o qual apenas um homem tinha a chave, e que Matt nunca poderia saber.

Matt segurou o rosto dela.

— Você parece tão preocupada. É por causa do inspetor Liu?

— É — mentiu ela. — Ele quer me pegar.

— Bem, mas não vai conseguir — garantiu Matt. — Não enquanto eu estiver por perto. Escute, Lisa, sei que não é a hora. E sei que ontem à noite foi inesperado para nós dois. Mas preciso lhe dizer uma coisa. Nunca me senti assim antes. Eu...

Lisa colocou o dedo sobre os lábios dele.

— Aqui não. Liu e os homens dele podem sair por aquela porta a qualquer momento.

Ela estava certa. Uma rua movimentada na frente de uma delegacia não era o lugar para declarar seu amor eterno. Matt estendeu um braço. Um táxi parou na mesma hora.

— Hotel Peninsula.

Lisa levantou uma sobrancelha. Peninsula era o hotel mais grandioso de Hong Kong. Podiam pagar agora que as autoridades tinham descongelado as contas de Miles e permitido que Lisa tivesse acesso ao dinheiro. Mas isso não era ser discreta.

— Pensei que se temos que ficar virtualmente sob prisão domiciliar, é melhor que a nossa cela seja de ouro — disse Matt. — Quero que você seja feliz.

Lisa conhecia muito bem celas de ouro.

— Serei feliz em qualquer lugar — disse ela, sendo sincera —, contanto que esteja com você.

Se eu, pelo menos, pudesse ficar com ele para sempre.

Se eu, pelo menos, pudesse contar a verdade para ele.

Mas ela sabia que nunca poderia.

* * *

A SUÍTE DELES ERA generosa. Havia uma pequena, mas lindamente mobiliada, sala de estar e duas banheiras grandes de mármore adjacentes ao quarto duplo com uma linda vista para a enseada. Após um banho quente e um sanduíche trazido pelo serviço de quarto, Lisa sentia-se revitalizada o suficiente para contar a Matt sobre o interrogatório com o inspetor Liu.

— Ele tinha informações novas. Deve ter falado com Joyce Chan. Ela ficou assustada o suficiente para falar.

— Quem é Joyce Chan?

— Nossa empregada em Prospect Road. Ela é a única pessoa que poderia ter colocado na cabeça de Liu a ideia de que eu estava tendo um caso.

Então foi assim que começou o boato, pensou Matt, lembrando-se de sua discussão acalorada com Danny McGuire. *Fofoca maliciosa de empregados.*

— Que fofoqueira maldita.

— Ah, não! — Lisa parecia horrorizada. — Não, a Sra. Chan é um amor. Ela nunca tentaria me atingir de propósito.

— Então, por que ela falaria uma coisa dessas?

— Porque ela estava com medo — disse Lisa. — E porque é verdade.

— NÃO FUI TOTALMENTE honesta com você.

Isso foi vinte minutos depois e os dois estavam na cama. Nus, um nos braços do outro... Parecia o momento ideal para trocar confidências.

— Eu queria, mas não sabia por onde começar.

— Tudo bem. — Matt fez um carinhoso cafuné no cabelo dela. A verdade era que ele também não tinha sido totalmente honesto com ela, que ainda não sabia nada sobre a conexão dele com a Interpol e com Danny McGuire. Durante todo esse tempo, ela dividira sua casa, e agora sua cama, com um informante da polícia. Se isso não era traição, Matt não sabia o que era.

Nervosa, com palavras hesitantes, Lisa contou a Matt sobre o romance. Havia apenas um amante, e não vários, como Danny McGuire sugerira. Ela negara o romance para a polícia para proteger o jovem envolvido. Ela nunca o amara, nem ele a amara, mas ele a ajudara a aliviar a solidão do casamento dela com Miles.

— Quando eu e Miles namorávamos, tínhamos intimidade. Não era o relacionamento mais apaixonado do mundo, Miles era muito mais velho, mas nós fazíamos amor. Mas depois que nos casamos, as coisas mudaram. Miles era generoso e carinhoso comigo. Mas na cabeça dele, me colocou em um pedestal. Como se eu fosse algo puro e intocável. As relações entre nós eram... Raras.

Por um segundo, Matt sentiu certa afinidade com Miles Baring. Lisa era incrivelmente desejável. Mas, ao mesmo tempo, era *tão* perfeita, *tão* boa, que ele entendia a necessidade dele de mantê-la como uma madona, alguém para ser venerada e não maculada.

— Então, foi um lance sexual. Entre você e esse homem?

Lisa corou e desviou o olhar.

— Você me odeia?

Matt puxou-a para mais perto de si, sentindo o cheiro delicioso dela.

— Eu nunca poderia odiá-la. Você é tudo para mim.

Lisa parecia estar sofrendo.

— Não diga isso.

— Por que não? É a verdade. Acho que eu poderia até odiá-*lo,* mas isso é outra história. E eu realmente acho que você não deveria se colocar em maus lençóis para protegê-lo.

— Preciso protegê-lo — disse Lisa.

— Por quê?

— Porque é minha obrigação. Prometemos não revelar a identidade um do outro.

— Ok, mas isso foi antes de Miles ser assassinado e você ser estuprada. Esse tipo de coisa muda tudo, não acha? É óbvio que Liu suspeita que ele esteja envolvido.

Lisa balançou a cabeça, mostrando sua tristeza silenciosa.

— Nada muda uma promessa. Quebrar uma promessa é errado. Errado e ponto. — Ela se afastou dele, indo para o outro lado da cama.

— Você conhece bem esse sujeito? — perguntou Matt, seu sangue congelando. E se o inspetor Liu e Danny estivessem certos. Não sobre Lisa ser cúmplice do assassinato de seu marido, isso era ridículo, mas sobre o amante dela ser o assassino? Era claro que ele ainda tinha algum tipo de poder sobre ela.

Lisa respondeu, fitando a parede:

— É possível conhecer alguém bem? — *Mais enigmas.* — Eu e você nos conhecemos bem, se for esse o caso?

O eco das palavras de Danny McGuire reverberava em seus ouvidos. Aquela conversa acontecera mesmo ontem à noite? Parecia ter sido em outra vida.

— Lisa, me diga o nome dele.

— Não posso, me desculpe.

— Você não confia em mim — disse Matt, com amargura.

Lisa virou-se, apoiando-se sobre o cotovelo, seus magníficos seios caindo sobre os lençóis Frette.

— Eu confio em você, Matt — disse ela, indignada. — Você não sabe o quanto isso é difícil para mim. Pelo menos estou sendo honesta, que é mais do que posso dizer a seu respeito.

— Como assim?

— Aquele telefonema ontem à noite. Você desconversou quando perguntei. Mas não foi apenas um "mal-entendido com um amigo", foi? Era alguma coisa sobre mim.

Matt suspirou.

— Ok, era mesmo. — Após todo esse tempo, era um alívio admitir isso. Contou a ela sobre Danny McGuire, que ele trabalhou nas investigações do homicídio de Andrew Jakes e depois passou a trabalhar na Interpol, e como Matt conseguira encontrá-lo e contá-lo sobre os outros assassinatos, de Didier Anjou e Piers Henley.

— Todas as outras viúvas desapareceram, como você sabe, mas você ainda estava a salvo no hospital. Vim até aqui para descobrir o que conseguisse e me reportar a Danny McGuire.

O sangue sumiu do rosto de Lisa.

— Foi o que você fez? Quero dizer, se reportou a ele? Ah, meu Deus. Foi por isso que você dormiu comigo? Para tentar tirar mais informações de mim, para fazer com que eu me abrisse?

— Não! — Matt balançou a cabeça com veemência. — Esse foi o motivo para eu vir para cá, mas depois que conheci você, tudo mudou. Não entrei em contato com Danny McGuire nenhuma vez, juro. Essa era parte da razão para ele estar tão furioso comigo ontem no telefone. Eu sumi e não dei notícias.

Lisa puxou os joelhos para perto dos seios, o lençol envolvia seu corpo protetoramente. Ela pensou no que Matt dissera. Depois, perguntou:

— E a outra parte? Você disse que essa era "parte da razão" para ele estar tão furioso. Qual era a outra?

Matt engoliu em seco. Já que havia começado, tinha de ir até o fim. Devia contar a ela logo.

— Ele tinha falado com Liu, e me contou que você traía Miles e que ele achava que você tinha sido cúmplice do assassinato.

Lisa ficou boquiaberta.

— Eu sei, eu sei. Eu disse que ele estava falando besteira, que você não tinha nada a ver com isso. Mas ele queria que eu a deixasse, que saísse de Mirage e voltasse para casa. Liu tinha fotos de nós dois juntos. Ele juntaria dois e dois e chegaria a mil. Acho que Danny estava preocupado que eu fosse preso e contasse que estávamos trabalhando juntos. O pessoal da Interpol não gosta muito de ter amadores ajudando em seus casos. Danny poderia se meter em encrenca ou, no mínimo, ser afastado do caso.

— Então, você sabia que eu estava traindo Miles — disse Lisa. — Você sabia e isso não o incomodou?

— Eu não sabia. Danny McGuire me contou, mas eu não acreditei nele. Não combinava com a Lisa que eu conheço.

A Lisa que você conhece! Era tão mordaz, tão patético em um aspecto, que Lisa não sabia se ria ou chorava.

Matt disse:

— Eu amo tanto você. Não me importo com o que aconteceu antes de nos conhecermos.

— Mas deveria, Matt. O passado...

— ... Já passou. Sabia que ontem à noite Danny McGuire me fez a mesma pergunta que você me fez hoje: se eu conhecia você bem? Se você me conhecia bem? E sabe qual é a resposta?

— Qual?

— A resposta é que sabemos o que precisamos saber. Sabemos que nos amamos. E isso é o suficiente.

Lisa acariciou o rosto dele.

— Você não acredita realmente nisso, acredita?

— Acredito, sim.

— Mas e se o passado de alguém for um pesadelo... E se for pior do que você pode sequer imaginar? Se for imperdoável?

— Nada é imperdoável. — Matt estendeu o braço para tocá-la. — Não estou apaixonado pelo seu passado, Lisa. Estou apaixonado por você.

Quando fizeram amor, foi mais contido do que na noite anterior. Menos explosivo, só que mais íntimo, mais delicado. Se Matt tivesse quaisquer dúvidas sobre os sentimentos de Lisa, elas evaporaram ao toque da mão dela, dos lábios dela em sua pele, em seu cabelo, à cadência suave da voz dela. *Eu amo você, Matt. Eu amo você.*

Depois, Matt pediu dois uísques para o serviço de quarto. Era muito tarde, mais de 1 hora da manhã, mas a cabeça dos dois estava a mil.

Matt falou primeiro.

— Vamos fugir juntos.

Lisa riu. Adorava o senso de humor dele. Rira mais desde que o conhecera do que em toda a sua vida, apesar das circunstâncias desesperadoras.

— Estou falando sério. Vamos fugir.

— Não podemos — disse Lisa, colocando o dedo sobre os lábios de Matt.

— Claro que podemos. Podemos fazer o que quisermos.

— Shhh. — Lisa se aninhou nele. Seus olhos pesados finalmente começando a fechar.

— Estou falando sério — disse Matt.

— Eu também. Agora vamos dormir.

QUANDO LISA ABRIU OS olhos, Matt já estava sentado à mesa, na frente de seu laptop. Pedira à Sra. Harcourt para mandar o computador dos dois pelo avião particular dos Baring, junto com uma pequena mala e outras coisas essenciais. Tudo tinha chegado no hotel durante a noite.

Lisa observou enquanto ele trabalhava, nu, exceto por uma toalha branca amarrada na cintura. *Ele é tão bonito*, pensou ela, aflita. Não era uma beleza de modelo, como de tantos homens que conhecera ao longo dos anos, mas sensual do seu próprio jeito apaixonado, carinhoso, peculiar. Permitiu-se sonhar por um momento: ela e Matt casados, felizes, morando bem longe de Hong Kong, bem longe do resto do mundo. Seguros. Livres. Juntos.

Percebendo o olhar dela, Matt levantou o seu e sorriu.

— Café da manhã?

Lisa sorriu.

— Claro. Estou morrendo de fome.

Pediram salada de frutas frescas e croissant com café quente, e um pouco de bacon para Matt. Lisa tomou seu café da manhã na cama, mas Matt permaneceu grudado na tela.

— O que você está fazendo? — perguntou ela, passando o que restava do mel em seu terceiro croissant e mordendo-o vorazmente.

— Eu disse para você ontem à noite — falou Matt. — Planejando nossa fuga.

— E eu disse para *você* ontem à noite — replicou Lisa. — Não podemos simplesmente desaparecer juntos. O inspetor Liu só me liberou na condição de que eu ficasse em Hong Kong. Lembra o que John Crowley falou ontem? *Não dê munição para ele.* É vital que sigamos as regras ao pé da letra.

Matt fechou o laptop.

— Que se dane John Crowley.

— Matt, vamos lá. Ciúme de namorado pode até ser bonitinho, mas isso é sério.

— Eu sei que é, Lisa. A polícia chinesa está tentando acusá-la pelo assassinato de Miles. Eles já conseguiram convencer a Interpol da teoria deles, de que você e seu namorado misterioso armaram a coisa toda. Não é porque Liu ainda não a acusou de nada que não vá fazer isso em breve.

— Mas ele não tem provas.

— É claro que tem. É circunstancial, e uma besteira, mas algumas condenações já foram baseadas em menos do que isso, acredite em mim. Se você continuar a se recusar em dizer o nome desse cara...

— Nós já falamos sobre isso. — Lisa parecia exasperada.

— Eu sei. Não estou tentando fazê-la mudar de ideia. Estou simplesmente analisando o fato de que eles não têm o cara, mas têm *você*. E um pássaro na mão é melhor do que dois voando. Liu sabe que as polícias dos Estados Unidos, da Inglaterra e da França acabaram de mãos vazias. Ele não vai deixá-la em paz até que consiga alguma coisa.

Lisa hesitou. Não que a ideia de fugir com Matt não fosse tentadora. Era maravilhosa, um sonho, uma fantasia. Mas não era possível. *Era?*

— Cada dia que continuamos aqui, é como se fôssemos patinhos, esperando Liu ou o assassino, quem quer que ele seja — disse Matt. — É isso que você quer?

Não. Você está certo. Não é o que eu quero. Mas a minha vida nunca foi como eu queria. Sempre fiz o que tinha de fazer. Meu dever. Meu destino.

— Se eu fugir, vou parecer culpada.

— Você já parece culpada, meu anjo. Infelizmente, isso é parte do problema. Os tabloides já odeiam você.

— Muito obrigada! — Lisa tentou fazer graça, mas o riso ficou engasgado em sua garganta. Matt foi até a cama e lhe deu um beijo.

— Só estou sendo realista.

— Sei que está. — Lisa afastou a bandeja com o café da manhã. Não estava mais com fome. — Então, o que vamos fazer? Teoricamente, neste seu grandioso plano de fuga. Para onde vamos?

Pegando o laptop na mesa, Matt levou-o até a cama. Com um clique, o mapa-múndi se abriu.

— É só você escolher.

Ele queria escolher algum lugar especial, algum lugar do qual Lisa tivesse boas lembranças. Mas, quando acordou esta manhã, percebeu que ainda não sabia quase nada sobre a vida de Lisa antes de ela conhecer Miles. Ela era americana, criada em Nova York. Seus pais estavam mortos e ela não tinha nenhum familiar, além de uma irmã desconhecida. Era óbvio que já tinha viajado bastante. Seus assuntos eram cheios de referências à Europa e ao Norte da África. E, em algum momento, ela trabalhara na Ásia, onde conhecera Miles. E era isso. Se ela tinha raízes em algum lugar, Matt não sabia.

— Onde você acha que seria feliz?

Onde eu seria feliz? Já estive em tantos lugares maravilhosos. Roma, Paris, Londres, Nova York. Tomei sol na praia de Malibu e nadei no Mediterrâneo, na Riviera Italiana. Mas já fui realmente feliz?

— Qualquer lugar que seja significativo. Qualquer lugar que tenha alguma importância para você... Fora dos Estados Unidos, claro. Acho que voltar para lá não seria o melhor passo que poderíamos dar.

Lisa fitou o mapa, a mente vazia. Então, de repente, a resposta apareceu, tão óbvia, tão na sua cara. Passou o dedo carinhosamente pela tela.

— Marrocos. Eu gostaria de ir para o Marrocos.

Capítulo 19

— Não estou satisfeito com isso, McGuire. Nem um pouco satisfeito.

Henri Frémeaux não parecia satisfeito. Mas Henri Frémeaux nunca parecia satisfeito.

— Eu entendo, senhor.

— Estamos aqui para ajudar e facilitar. *Ajudar* e *facilitar*. Que parte dessas duas palavras você não entende?

— Eu entendo, senhor.

— Ah, é mesmo? Então, por que eu recebi uma ligação extremamente tensa do chefe de polícia de Hong Kong, me informando que a equipe Azrael estava obstruindo e dificultando o caminho dele, e não estava disponível, e que... — ele consultou suas anotações: — O inspetor Liu não recebeu nenhum retorno.

— Com o devido respeito, senhor, Liu me pediu para "ajudá-lo" a fazer contato com as autoridades indonésias. Eu estava fazendo isso quando ele decidiu agir sozinho, prendendo pelo menos um cidadão americano inocente, possivelmente dois. Podemos dizer que, na melhor das hipóteses, a atitude dele foi dúbia.

— Não estou aqui para julgar como a polícia chinesa de Hong Kong conduz seus casos! — respondeu Frémeaux, furioso.

— Meu dever é garantir que nós, da Interpol, façamos o *nosso* trabalho. Esses protocolos existem por uma razão, entendeu?

Claro, pensou Danny, *para satisfazer burocratas como você.*

Mesmo assim, podia compreender a irritação de Henri Frémeaux. Até agora, a força-tarefa Azrael fizera pouco ou nenhum avanço, além da brilhante análise estatística de Richard Sturi; mas sem nenhuma prisão à vista, isso era acadêmico demais. Azrael também tomara um fenomenal número de horas e recursos, muito mais do que as oito que Frémeaux alocara de má vontade. A maior parte do tempo era de Danny McGuire, embora ele tivesse acabado de enviar Claude Demartin em uma missão para esclarecer fatos em Aix-en-Provence e mergulhar mais fundo nas insuficientes amostras de DNA envolvendo o caso Didier Anjou. *Graças a Deus, Frémeaux não sabe disso. Nem do envolvimento de Matt Daley no fiasco de Hong Kong. Se soubesse, nós estaríamos realmente ferrados.*

— Vou lhe dar um mês, McGuire — grunhiu Frémeaux. — Isso, supondo que eu não receba mais nenhuma ligação de países-membros reclamando da sua postura.

— Isso não vai mais acontecer, senhor, eu garanto.

— Se eu não vir nenhum progresso tangível até lá, e por *tangível* eu quero dizer alguma coisa que justifique o dinheiro que estamos gastando correndo atrás de nossos próprios rabos, a Operação Azrael será encerrada.

Danny McGuire voltou para seu escritório desanimado. Céline mal estava falando com ele. No trabalho, seu departamento, que sempre fora extremamente leal a ele pessoalmente, estava começando a reclamar do número de horas que ele dedicava à Azrael, que a maioria deles considerava desperdício. Quando começou com tudo isso, considerara Matt Daley um parceiro, um compatriota americano que queria pegar o assassino de Jakes — que era como Danny ainda pensava nele — tanto quanto ele. Mas até Daley o deixara para trás, aparentemente apaixonado pela linda Sra. Baring, a última viúva. Fazia muito tempo que Danny McGuire não se sentia tão sozinho. Desde aquele tempo depois do desaparecimento de Angela Jakes.

No começo, ele concentrara suas energias em tentar rastrear Lyle Renalto, incapaz de afastar e ideia de que o advogado de Angela Jakes era uma peça-chave no quebra-cabeça. Foi Claude Demartin quem apresentou a teoria do "amante-assassino", embora a desconfiança de Danny por Lyle tivesse sementes plantadas mais de uma década atrás, quando eles se conheceram no quarto de hospital de Angela. Mas após semanas de intensa investigação, procurando nos bancos de dados de todos os países ligados ao caso Azrael, além dos bancos de dados de todas as grandes cidades americanas, Danny não chegara a nada. A primeira referência oficial a Lyle Renalto era uma declaração de imposto de renda feita em Los Angeles um ano antes da morte de Andrew Jakes. Antes disso, não havia nada. E um ano depois do assassinato, *puf*, ele desapareceu de novo, como se nunca tivesse existido.

As palavras de Angela Jakes na noite do assassinato ficavam voltando à mente de Danny: *Eu não tenho vida.* Lyle Renalto também não. Oficialmente, nem Angela nem Lyle tinham passado ou futuro. Procurando por algum tipo de padrão, Danny começou a pesquisar o passado das viúvas das vítimas: Tracey Henley e Irina Anjou. Em ambos os casos, foi a mesma coisa. Havia certidões de casamento, mas nenhuma certidão de nascimento. Nenhuma família nunca procurou essas mulheres desaparecidas nem fez queixa oficial de seus desaparecimentos. Aparentemente, elas também "não tinham vida" nem antes nem depois dos terríveis crimes que presenciaram.

— Ah, aí está você. Passei a manhã toda atrás de você. — Mathilde, a secretária de Danny, o atacou no momento em que ele passou pela porta. Ela leu uma longa lista de solicitações e exigências que diziam respeito a ele, os tantos outros casos de seu departamento que Danny vinha negligenciando e os nomes de vários colegas que queriam seu sangue. Quando ela finalmente terminou, Danny entrou em sua sala. E, ao se lembrar do último recado, Mathilde o chamou:

— Ah, Claude Demartin ligou. Ele disse que tem novidades e pediu que você ligasse para ele assim que possível.

No Hotel Peninsula, as coisas começaram a acontecer na velocidade da luz. Toda manhã, quase todas as horas, Lisa Baring pensava a mesma coisa: *Preciso parar com isso. Nós não podemos simplesmente fugir.* Mas o entusiasmo de Matt, a autoconfiança dele, era tão forte, tão inebriante que ela se permitiu ser levada, acreditar no impossível: que talvez, com ele, ela *pudesse* fugir. Desafiar seu destino. Ser feliz.

Matt passava as manhãs inteiras fazendo ligações pelo Skype em seu computador. Depois de decidir que viajar de avião era arriscado demais, ele planejara uma rota usando apenas botes e trens, fazendo reservas com nomes falsos e transferindo dinheiro anonimamente via DigiCash da conta de Lisa no exterior. Matt esperava que, na Ásia pelo menos, uma robusta propina fosse se provar uma alternativa aceitável para conseguir uma identidade. No plano, Matt iria embora primeiro, ainda de madrugada. Supondo que os dois estavam sendo vigiados 24 horas por dia pelos homens do inspetor Liu, a ideia era que a saída dele afastaria a equipe de vigilância do hotel. Então, ele iria se desvencilhar no metrô e seguir para o porto. Isso daria tempo para Lisa escapar às 6 da manhã, vestida com o simples uniforme azul, na altura dos joelhos, que as camareiras do Peninsula usavam, esperando assim não ser notada.

Lisa perguntou a Matt:

— Como vamos conseguir um uniforme? Dando uma pancada na cabeça de alguma pobre garota?

— Não. Pediremos na boa. Se não conseguirmos, tentaremos uma nota de 50 dólares e uma fotografia autografada de Matt LeBlanc.

Lisa riu alto.

— Você acha que estou brincando? *Friends* ainda é um sucesso aqui. — Ele tirou uma pilha de fotografias publicitárias da gaveta. — Você ficaria espantada de ver como conseguimos as coisas com nossos amigos chineses usando isso. Funciona como cigarro na cadeia.

Lisa balançou a cabeça.

— Então a nossa grande fuga começa com Joey Tribbiani?

— Isso mesmo. Acredite, Lisa. Sei o que estou fazendo.

Depois da fuga de Lisa, a etapa seguinte era um barco pesqueiro para o continente, onde um "transportador" — Sr. Ong — concordara em providenciar a passagem deles pelo Mar da China Meridional e pelo Estreito de Sunda até a Cidade do Cabo. De lá, uma série de viagens noturnas de trem os levaria para o norte. Levaria, pelo menos, um mês até chegarem a Casablanca.

— Simples — disse Matt, fazendo Lisa rir de novo, porque, obviamente, o plano não tinha nada de simples. Na verdade, havia perigos escondidos em cada trecho dele. Mas a confiança de Matt era inabalável, e a fantasia, doce e perfeita demais para resistir.

Viveremos anonimamente em alguma casinha tranquila, vendo os passarinhos voando ao redor da fonte no quintal. Tudo será paz, calma e beleza.

Ele nunca vai me encontrar.

A loucura vai chegar ao fim.

Às 9 horas da noite anterior à fuga deles, Matt deixou um envelope lacrado com dinheiro no balcão da recepção. Fugindo ou não, Matt Daley não era o tipo de cara que desaparecia sem pagar a conta. Na suíte, ele e Lisa tomaram uma última dose de uísque antes de dormir e se acomodaram para as poucas horas de sono. Havia programado o despertador para 2 da manhã. Para o plano funcionar, Matt tinha de estar na rua antes das 3.

Claude Demartin já estava na autoestrada havia cinco horas quando pegou a saída para Aix-en-Provence. Após contornar a antiga cidade, ele finalmente estacionou o carro na frente de um pouco notável complexo industrial.

Preso entre uma autoestrada e uma linha ferroviária, o Laboratoire Chaumures era um laboratório forense usado por toda a polícia do sudoeste da França. Dois dias antes, Danny McGuire recebera uma ligação de um dos técnicos de pesquisa sênior, confirmando que o laboratório realmente fornecera, no ano anterior, uma análise de amostra de DNA sobre o caso de assassinato e estupro Anjou.

— Mas esses resultados não estão nos arquivos da polícia — disse Danny.

O técnico suspirou.

— Não. Infelizmente, isso é normal. A não ser que haja um julgamento e a perspectiva de fortuna e fama, a postura da polícia de Saint-Tropez no que se diz respeito a preservar provas é *laissez-faire,* para dizer o mínimo.

Trinta e seis horas depois, Claude Demartin se encontrava com o técnico pessoalmente. O nome dele era Albert Dumas. Com 50 e poucos anos, alto, magro e com traços angulosos, usando jaleco branco e óculos redondo com aro de metal empoleirado em cima de seu nariz de rato, na mesma hora, Demartin o reconheceu como um nerd forense. Eles simpatizaram um com o outro imediatamente.

— Entre, detetive. — Dumas apertou a mão de Claude Demartin com entusiasmo. — Acho que você vai ficar animado com o que descobri.

O laboratório era um enorme espaço aberto, com uma série de cubículos de vidro fechados contornando todo o perímetro. Alguns eram escritórios, com mobiliário projetado simples. Outros eram salas de aula, com quadros brancos, bancos e *laser pointers*, e com bancadas de microscópios bem arrumadas ao longo das paredes dos fundos. Outros permaneciam laboratórios. Albert Dumas levou Claude Demartin para um dos escritórios, onde havia uma pilha de impressões ao lado do computador.

— Então, a polícia local não tem registros desses dados? — perguntou Claude.

— Foi o que seu chefe me disse. Mas não posso dizer que fiquei surpreso.

— Mas você mantém seus próprios registros independentes?

Dumas pareceu ofendido.

— Claro. Temos análises de sêmen, cabelo, sangue e impressões digitais. Está tudo aqui. Fizemos uma comparação com os dados que vocês nos mandaram dos outros casos.

— E...?

— A notícia ruim é que a amostra de sangue que vocês nos mandaram foi inútil.

Claude franziu a testa. *Isso deveria me deixar animado?*

— As amostras do caso Henley claramente foram contaminadas de alguma forma no laboratório da Scotland Yard.

— E os resultados do caso Jakes?

Albert Dumas folheou as impressões.

— Encontraram apenas sangue das vítimas na cena do crime em Los Angeles. O que, a propósito, também aconteceu no caso Anjou.

— Então, não temos nada?

— Não completamente. Hong Kong foi um pouco mais promissor. Havia três amostras distintas tiradas da casa dos Baring. Mas o sangue que não era das próprias vítimas é do tipo O, o mais comum, infelizmente.

— O que reduz nossos suspeitos a aproximadamente quarenta por cento da população mundial — disse Claude friamente. — Ótimo. Então essa era a boa notícia?

— Ah, bem. — Dumas se animou. — No começo, achei que não havia nenhuma. A maior parte das digitais estava comprometida, então não havia como procurar correspondências, e os resultados das análises de sêmen eram conflituosos.

— Conflituosos como?

— Tanto a Sra. Henley como a Sra. Jakes tiveram relação sexual com seus maridos nas noites em questão, e não houve ejaculação durante o estupro no caso Baring. Isso nos deixa apenas com uma amostra decente de sêmen: a nossa amostra, de Irina Anjou. Mandei os dados para o escritório do diretor-assistente Danny McGuire assim que cheguei hoje de manhã, enquanto você vinha para cá, mas infelizmente não tinha nenhum estuprador correspondente nos sistemas da Interpol.

Demartin esperou o "mas". *Por favor, permita que haja um "mas".*

— Mas — disse Albert Dumas — eu tive uma ideia algumas horas atrás sobre outra prova física. Havia muitas amostras de cabelo coletadas na cena do crime em Hong Kong. Em mais nenhum lugar. Apenas na casa dos Baring.

Claude Demartin se lembrava vagamente.

— Os chineses examinaram essas amostras na época mas não chegaram a lugar nenhum. E aqueles caras não brincam em serviço. Os laboratórios forenses deles são considerados uns dos melhores do mundo.

— Verdade. Mas as evidências do caso Anjou nunca foram inseridas em nenhum banco de dados. Eles só podiam estudar o que tinham, e não tiveram acesso aos nossos dados.

Claude sentiu o formigamento que sempre sentia quando estava prestes a solucionar um caso. O comportamento humano era cercado por erros e inconsistências. Mas provas forenses, se tratadas apropriadamente, nunca mentiam.

Albert Dumas sorriu.

— Agora eu posso lhe dizer, com cem por cento de certeza, que as amostras de cabelo encontradas no quarto do Sr. Baring, evidência 0029076 do inspetor Liu, têm exatamente o mesmo DNA do sêmen retirado da Sra. Anjou. — Ele entregou a Claude Demartin o papel relevante.

— Foi o mesmo homem — murmurou Claude, animado. — O mesmo assassino.

Albert Dumas franziu o cenho.

— Isso é você quem está dizendo, detetive. Eu não arriscaria um palpite.

— Mas os resultados...

— Eles nos dizem que o homem que inseminou Irina Anjou em 16 de maio de 2006 é o mesmo homem cujo cabelo foi encontrado no quarto de Miles Baring. Isso é um fato cientificamente provado. Qualquer coisa além disso é mera conjectura.

Claude Demartin praticamente correu para o carro.

— Preciso falar com Danny McGuire. Diga a ele que é Claude Demartin. Tenho novidades.

No momento em que Matt Daley encostou a cabeça no travesseiro, se sentiu com muito sono. Projetar confiança era uma coisa. Sentir era outra. O estresse de arquitetar o plano de fuga dele e de Lisa deve ter tirado mais das suas forças do que imaginara.

Uma vez que estivermos longe daqui, no Marrocos, eu poderei protegê-la. Começaremos de novo, só nós dois. Novos empregos, novas vidas, novas identidades.

Sentia-se culpado por causa de sua irmã, Claire, e de sua mãe. Nos últimos dois meses, não tinha sido apenas para Danny McGuire que Matt dera as costas. Tinha sido para toda a sua vida em casa. Sua vida passada, como agora estava começando a vê-la. Antes de conhecer Lisa. Antes de renascer. O advogado que estava cuidando de seu divórcio deixava recados todos os dias, e o tom deles e dos e-mails era cada vez mais desesperado. Se Matt não assinasse esse ou aquele papel, ou aparecesse nessa ou naquela audiência, Raquel ficaria com tudo.

Tudo e nada, pensou Matt. *Deixe que ela fique. Lisa tem dinheiro suficiente para nós dois, e nós nem precisaremos de muito dinheiro.*

Ele já estava quase dormindo quando seu celular tocou.

Danny McGuire.

Cansado, Matt ignorou a ligação e desligou o aparelho.

A última coisa de que se lembrava era dos dedos ágeis de Lisa acariciando suavemente seus cabelos.

— Olá, você ligou para Matt Daley. Por favor, deixe seu recado.

Danny McGuire teve vontade de chorar. Não tinha conseguido falar com Matt Daley. Aparentemente, ninguém conseguia falar com Matt Daley agora. A obsessão dele por Lisa Baring estava deixando-o inalcançável.

— Matt, aqui é Danny. Temos provas forenses concretas que colocam o amante de Lisa Baring na cena do crime do caso Anjou. Você está escutando isso? Quem quer que tenha estuprado Irina Anjou convenientemente nos deixou uma amostra de cabelo no quarto da sua namorada. Então, você estava certo. Os assassinatos estão conectados. E eu estava certo. Você está correndo um sério risco agora. Você precisa se afastar dessa mulher, e precisa me ligar de volta. Por favor, Matt, me liga.

Danny desligou.

Com o coração pesado, discou o número do inspetor Liu.

MATT DALEY TEVE SONHOS horríveis. Acordou em pânico. *Onde eu estou?*

Tudo parecia tão estranho. A cama. O quarto. Até o cheiro do ar era diferente, pesado e úmido como um cobertor encharcado de chuva. Sentou-se. Devagar, começou a se lembrar das coisas, como objetos distantes emergindo de uma névoa intensa.

Hotel Peninsula. O plano de fuga.

Preciso levantar.

Cambaleou até a janela e abriu as cortinas. Luz do dia inundou o quarto. Mas não era aquela luz pálida do amanhecer. Era o forte brilho do sol no meio da manhã. Alguma coisa dera muito errado. Não escutara o despertador? Mas como?

Sua cabeça latejava dolorosamente. *O uísque...* Tinha sido drogado?

Zonzo, ele fitou a cama vazia.

Cama vazia. Foi como levar um soco no estômago.

A cama estava vazia.

Lisa Baring tinha ido embora.

PARTE III

Capítulo 20

O HOTEL ERA GLORIOSO. EXIBIA um suntuoso saguão, corredores com tapetes de veludo vermelho, um spa espetacular com tema romano e uma suíte maior do que a maioria dos apartamentos de Manhattan. O melhor de tudo era a vista, do outro lado da Baía de Sydney, a famosa ópera se erguia como um grandioso navio com velas balançando contra o horizonte.

Lisa sempre teve vontade de vir para a Austrália. Mas não assim.

— Qual é o problema?

Com calça de linho Ralph Lauren e camisa de seda azul-clara, ele estava lindo como sempre. Com mais dinheiro para gastar do que antes, ele desenvolvera gostos caros por roupas e relógios que poderiam parecer espalhafatosos em alguns homens, mas não nele. Como sempre, tudo caía bem nele.

— Nada, só estou cansada. — *Cansada de ficar olhando para trás. Cansada dos pesadelos, da solidão, da farsa.*

Lisa estava de pé perto da janela. Atrás dela, ele começou a esfregar seus ombros.

— Todas aquelas horas de sexo com Matt Daley a deixaram esgotada?

— Para com isso — respondeu ela. — Ele é um homem bom, entendeu? Além disso, foi você quem mandou me aproximar dele.

Era verdade. Ele dissera a Lisa Baring para se aproximar do americano, para descobrir o que ele sabia. O inspetor Liu estava claramente tateando no escuro, como todos os outros detetives com quem tinha lidado antes. Mas Daley era diferente. Ele não pensava como um policial, pensava como um ser humano, como o filho de alguém. E isso, por si só, já o tornava perigoso.

— Você se apaixonou por ele, não foi?

— Não seja ridículo — disse Lisa. Ela não queria falar sobre Matt. Não aqui. Não com ele. Ela se tranquilizava pensando que, pelo menos, com ela fora de cena, Matt estaria seguro. E ele poderia voltar para Los Angeles e para a vida de antes, e retomá-la de onde a largara. O que ela não daria para poder fazer o mesmo!

Ela se virou para encará-lo.

— Olha, eu fiz o que você pediu. Com Miles. Com Matt Daley. Estou com o dinheiro, posso transferi-lo para onde você quiser. Mas e a sua parte do acordo? Quando poderei ver a minha irmã?

— Logo.

— Logo? Quando? Você prometeu!

Ele a agarrou violentamente pelo pescoço. Lisa soluçava de medo. Como, algum dia, pôde se sentir atraída por esse homem? Confiado nele?

— Quando acabar. Quando todos os culpados tiverem sido punidos.

Os culpados. Quem são os culpados? Miles era mesmo culpado? Ele merecia morrer? E os outros, os homens que você massacrou tantos anos atrás? E as pobres esposas?

Houve uma época em que ela acreditou que Miles *era* culpado. Quando ela via o mundo da mesma forma que *ele* via. Mas conhecer Matt Daley mudara tudo. Era como se Matt a tivesse acordado de um transe, feito com que voltasse à realidade. Mas já era tarde demais.

Ele a soltou e Lisa bateu contra a parede, lágrimas escorriam pelo rosto dela. Quando ele esticou o braço de novo, ela recuou de medo, mas desta vez o toque dele foi gentil, enxugando as lágrimas dela.

— Não chore, meu anjo. Só mais uma vez, prometo, e estará tudo acabado. Como você quer ir para a Índia?

— Não! — soluçou Lisa. — Por favor. Não posso. Não vou fazer.

— Vai sim... — Ele acariciou o cabelo dela. — Primeiro, você precisa descansar, só isso. Como você mesma disse, está cansada. Mas você sabe que, no final, vai me ajudar. Nós vamos nos ajudar. Lembre-se: sua irmã está contando com você.

DANNY MCGUIRE VIROU à direita em Cliffwood, curtindo a sensação provocada pela brisa em seu rosto e pelo sol quente de Los Angeles em suas costas enquanto seu carro conversível alugado acelerava ladeira acima. Fazia tanto tempo que não dirigia em Los Angeles, e suas últimas lembranças da cidade eram tão sombrias que se esquecera completamente do quanto a amara um dia. Brentwood, em especial, ficava maravilhosa sob a luz do sol, com suas ruas de subúrbio largas e limpas, ladeadas por árvores de todas as cores e tamanhos, suas lindas casas no estilo espanhol e jardins bem cuidados, com cercas brancas e ônibus escolares amarelos e moradores saudáveis e sorridentes.

Preciso trazer Céline aqui, pensou ele, *assim que ela suportar minha presença outra vez.* Desde a descoberta de Claude Demartin no laboratório Chaumures, seu relacionamento tinha melhorado muito não apenas com o inspetor Liu, mas também com as polícias britânica e francesa. Até mesmo a polícia de Los Angeles estava disposta a esquecer o passado e entrar na Operação Azrael. Consequentemente, Henri Frémeaux finalmente dera a Danny um orçamento um pouco mais decente, mais mão de obra e livre controle para dedicar todas as suas horas à operação pelos próximos seis meses. Danny ficou em êxtase, mas Céline se debulhou em lágrimas quando ele contou a ela, principalmente quando ele anunciou que seu pontapé inicial seria uma viagem de um mês para os Estados Unidos.

— Então é assim que começa. Um mês aqui. Seis semanas lá. E nós, Danny? E o nosso casamento?

Ele fez o que pôde para explicar a ela. Um assassino louco estava solto. Vidas estavam em perigo. Mas a resposta era sempre a mesma:

— Então, deixe que outro policial salve essas pessoas. Você pode salvar vidas aqui, em Lyon, como tem feito há cinco anos. Você pode *nos* salvar. — Ela nem foi levá-lo ao aeroporto para se despedir.

Virando à esquerda em Highwood, Danny afastou seus problemas conjugais da cabeça. Estava indo ver Matt Daley na casa da irmã dele e juntar as informações que conseguisse sobre Lisa Baring. O desaparecimento de Lisa foi notícia de primeira página em Hong Kong e agora a mídia se referia a ela abertamente como suspeita da morte do marido. Danny McGuire estava evitando julgar. A única coisa que sabia neste momento era que Lisa Baring era um vínculo — *o* vínculo — para o assassino Azrael. E que Matt Daley era um vínculo com Lisa Baring.

— Você deve ser Danny McGuire. É melhor você entrar.

Claire Michaels atendeu à porta, mas parecia desconfiada. Ela era loura, como o irmão, e tinha os mesmos traços alegres dele, embora, neste momento, eles estivessem com uma expressão fechada.

— Obrigado por me receber.

Ela o acompanhou até a sala de estar.

— Matt está lá em cima se vestindo. Já vai descer. — Ela já ia sair, mas aparentemente mudou de ideia. — Olha — disse ela para Danny, lágrimas furiosas em seus olhos —, esse lance com a tal Lisa Baring realmente acabou com ele, entende? Desde que ele se envolveu com esse documentário estúpido, ele mudou, mas quando ele conheceu Lisa Baring, a coisa atingiu um outro nível. Ele já perdeu o casamento, a casa e agora o coração. Honestamente, acho que ele não aguenta mais.

— Eu entendo, Srta. Daley.

— Sra. Michaels. Sou a Sra. Michaels — respondeu Claire. — Sou casada. E acho que você *não* entende, Sr. McGuire. Matt precisa esquecer esse caso estúpido. Ele precisa reconstruir a vida dele. Por que não pode simplesmente deixá-lo em paz?

Foi neste momento que Matt entrou. Danny não o via pessoalmente desde o encontro deles em Lyon no ano anterior. Esforçou-se para não demonstrar surpresa. Magérrimo, os olhos que já tinham sido alegres estavam afogados em um rosto sem cor, o cabelo louro muito grisalho nas têmporas. Parecia que Matt tinha envelhecido vinte anos. Não era de se espantar que a irmã estivesse tão preocupada.

— Oi, Danny. — Eles trocaram um aperto de mão. Apesar da aparência frágil, Matt parecia feliz em vê-lo.

— Oi, Matt.

Os dois filhos de Claire entraram correndo na sala, pulando nas pernas de Matt, como bichinhos de estimação, querendo a atenção do tio.

Matt virou-se para Danny:

— Vamos para o gazebo. É onde fica a maior parte dos meus arquivos e é mais tranquilo. Não seremos incomodados.

* * *

Nas duas horas seguintes, os dois homens compararam anotações. Danny inteirou Matt sobre todas as descobertas recentes da Interpol. As evidências de DNA, os mistérios nos passados de todas as esposas do caso Azrael e, mais recentemente, o depósito anônimo de grandes quantias nas contas bancárias de duas instituições de caridade para crianças em Hong Kong.

— Não temos certeza se foi o dinheiro de Baring. Estamos tendo muita dificuldade em rastrear a origem desses fundos. Mas, considerando o momento e as quantias envolvidas, parece provável.

Essa última notícia pareceu chatear Matt imensamente.

— Uma vez que ela tenha doado o dinheiro, ele não terá razão para poupar a vida dela. Ele vai matá-la, como matou todas as outras! — Os olhos dele se encheram de lágrimas. — Como eu posso ter dormido? Por que eu não escutei nada, não senti nada? Ele a levou, Danny. Ele a tirou da minha cama. Meu Deus.

Danny fez o que pôde para acalmar Matt.

— Não vamos nos precipitar. Primeiro, não temos certeza se o dinheiro doado para as instituições foi de Lisa. Segundo, não temos certeza se as outras viúvas estão mesmo mortas. Não temos nenhum corpo. — Matt levantou uma sobrancelha, mas Danny continuou: — Terceiro, você está supondo que Lisa foi sequestrada. Mas é muito mais razoável supor que ela tenha ido embora de livre e espontânea vontade.

— Não. — Matt balançou a cabeça.

— Mas, Matt — disse Danny, sendo razoável —, colocaram droga na sua bebida, certo? Só pode ter sido ela. Lisa precisava que você ficasse inconsciente para fugir.

— Não! — Matt bateu seu frágil punho na mesa de centro. Com seu cérebro racional, sabia que Danny estava certo. Mas seu coração não o deixava acreditar, ou pelo menos admitir a verdade em voz alta. — Ela me amava. Ela não me deixaria de livre e espontânea vontade.

— Não estou dizendo que, necessariamente, foi de livre e espontânea vontade. Talvez tenha sido sob coação. Talvez esse cara tenha algum tipo de poder sobre ela.

Matt estava fitando o nada.

— Nós íamos fugir para o Marrocos.

Danny pareceu não acreditar.

— Vocês iam *o quê?*

— Liu estava tentando incriminá-la — murmurou Matt. — Nós precisávamos fugir. Desaparecer.

— E eu? — perguntou Danny. — Você ia desaparecer pra mim também? Eu não estava tentando incriminar ninguém, Matt. Só quero a verdade. Descobrir quem está cometendo esses crimes hediondos, *saber* o que aconteceu com aquelas mulheres. O que pode estar acontecendo com Lisa Baring neste momento.

— Não! — Matt tampou os ouvidos com as mãos e fechou os olhos com força, balançando para a frente e para trás como uma criança autista. — Não posso suportar isso.

Talvez a irmã dele esteja certa, pensou Danny, preocupado. *Talvez ele realmente esteja acabado.* Então, lembrou-se de como ele mesmo ficou mal depois do desaparecimento de Angela Jakes. Apesar de todos os medos de Céline, Danny nunca chegou a amar Angela Jakes da forma como Matt Daley claramente amava Lisa Baring. Mas pensamentos sombrios de Angela sendo torturada, sofrendo abusos ou sendo assassinada ainda deixavam Danny à beira de um ataque de nervos. Era mesmo de se espantar que Matt estivesse tão arrasado?

— Tudo bem — disse ele baixinho. — Nós vamos encontrá-la. Mas precisamos trabalhar juntos. E você tem que me prometer que não vai fazer nenhuma besteira.

— Besteira? Como o quê?

— Como fugir de novo. Como ir procurá-la sozinho. A única coisa de que temos certeza é que este cara, o assassino, é extremamente perigoso. Deixe os confrontos para os profissionais, pelo bem de Lisa e pelo seu próprio bem.

Matt apoiou a cabeça nas mãos.

— Não posso ficar simplesmente parado, sem fazer nada, enquanto ela... Ela... — A voz dele fraquejou até se tornar um gemido angustiado.

Danny disse:

— Não estou pedindo que não faça nada. Estou pedindo que me ajude. Que me ajude a ajudá-la.

— Como?

— Falando. — Danny ligou seu gravador. — Me conte sobre Lisa Baring, Matt. Me conte tudo que sabe.

MAIS TARDE NAQUELE MESMO dia, em seu quarto de hotel em Santa Monica, Danny McGuire estava deitado na cama, comendo um pacote grande de batata frita Lay's e inserindo tudo que Matt Daley lhe dissera nos arquivos Azrael.

Depois, pediria para Richard Sturi trabalhar com esses dados para ver onde eles se encaixavam nos padrões estatísticos. Danny admirava muito Sturi pela forma como o alemão conseguia pegar informações cruas e dar-lhes vida e significado, como um oleiro modelando uma escultura a partir de um punhado de argila. Mas Danny McGuire também respeitava algo que Richard Sturi consideraria uma superstição ridícula. Respeitava o instinto. A intuição. Principalmente os seus.

De tudo que Matt Daley lhe contara hoje, o que era mais importante? De todos os pequenos detalhes, o que mais chamava sua atenção?

Sem pensar, Danny começou a digitar.

Nova York. Marrocos. Irmã.

Viera a Los Angeles primeiro para investigar o paradeiro de Lyle Renalto. Mas o encontro de hoje com Matt Daley fizera com que mudasse de ideia. Lisa Baring era a chave para tudo. Se descobrisse *quem* era Lisa, teria uma chance de descobrir *onde* ela estava. E se encontrasse Lisa, Danny McGuire tinha certeza de que também encontraria o assassino.

Do outro lado da cidade, Matt Daley também estava na cama, fitando a tela de um computador.

Mas não era o seu computador. Era o de Lisa.

Chegara a pensar em entregá-lo para Danny McGuire esta manhã. Talvez a equipe de crackers da Interpol conseguisse descobrir alguma coisa que ele não era capaz. Mas a verdade era que, por mais que gostasse de Danny, não confiava mais inteiramente nele. Ele era um cara legal com um bom coração. Mas não estava convencido da inocência de Lisa. Não dissera com todas as letras que desconfiava dela. Mas Matt podia sentir isso em suas perguntas, em suas expressões faciais, em todas as coisas que ele não falava.

O trabalho de Danny McGuire era encontrar o assassino, conseguir que alguém fosse condenado. Matt Daley também queria isso, mas não era mais sua prioridade. Sua prioridade era salvar Lisa.

Desde que trouxera o computador dela escondido da Ásia, ele já pesquisara cada arquivo salvo ali, de e-mails antigos a arquivos de fotos e documentos do Word, procurando alguma coisa, qualquer coisa que lhe dissesse quem era esse homem. O amante de Lisa. Aquele que ela estava protegendo. Aquele que a roubara de sua cama. Mas não havia nada. A única pista que Matt tinha era uma fotografia amadora de férias que mostrava Lisa de mãos dadas com um homem. O rosto de Lisa sugeria que a foto era recente, tinha um ou dois anos no máximo. Ela estava exatamente como Matt a imaginava todas as noites em seus sonhos. Mas o rosto do homem estava obscurecido por uma intensa luz. Provavelmente um sol muito forte ou um reflexo do flash da câmera. Ambos vestiam short e camiseta e estavam na frente do muro de pedra de um porto.

Abrindo a foto, Matt a examinou de novo. O muro parecia europeu. *Europa no verão.* Uma placa no canto superior esquerdo chamou sua atenção. Deu zoom, esperou a imagem entrar em foco, depois deu mais um zoom. Finalmente viu, uma única palavra, escrita em letra cursiva: *GELATO.*

Itália! Eles estavam na Itália. Em um porto italiano. Algum lugar na costa.

De repente, Matt se lembrou de Bali. Na varanda de Mirage com Lisa... Observando o fogo... Assistindo às chamas dançarem na noite em que fizeram amor... O que ela dissera mesmo?

— *Tinha uma lareira assim em Positano. Miles a adorava.*

O homem na foto não era Miles Baring. Mas talvez tenha sido tirada na mesma viagem à costa de Amalfi.

Foi lá que ela o conheceu? Foi lá que o pesadelo começou, onde ela caiu nessa armadilha?

Matt Daley prometera a Danny McGuire que não faria nenhuma besteira. Quebrar promessas feitas a Danny estava se tornando um hábito ruim.

Ao fechar o computador com as mãos trêmulas, ele começou a fazer as malas.

Capítulo 21

Davíd Ishag estava olhando pela janela de seu escritório no 23º andar do centro financeiro de Mumbai, sorrindo como um idiota. David Ishag não era um idiota. Filho de mãe indiana e pai inglês descendente de judeus, David Raj Osman Kapiri Ishag era um dos empreendedores mais respeitados de sua geração. Era formado em engenharia por Oxford e pelo MIT, e era o fundador e CEO da Ishag Electronics, a empresa exportadora de componentes de hardwares que mais crescia na Índia. Aos 48 anos, embora parecesse bem mais jovem, tinha a pele macia e morena da mãe e fortes traços aristocratas do pai. David era bonito, brilhante e obscenamente rico. Embora se considerasse indiano — a Ishag Electronics tinha escritórios em todo o mundo, mas a torre em Mumbai com vista para Nariman Point seria sempre sua sede —, na realidade, David Ishag era um verdadeiro cidadão global. Criado na Índia, educado na Inglaterra e nos Estados Unidos, convivendo não com uma nem duas, mas *três* religiões — o cristianismo da mãe, o judaísmo do pai e o hinduísmo de sua terra natal —, David poderia se encaixar praticamente em qualquer lugar. Mais do que seu brilhantismo acadêmico, era sua visão global de mundo e sua capacidade de se relacionar com pessoas de todas as culturas e classes sociais que faziam de David Ishag o fenômeno nos negócios que era.

Esta manhã, porém, seu tino comercial estava adormecido. Esta manhã, David Ishag só conseguia pensar em um lindo rosto feminino.

ELES TINHAM SE CONHECIDO dois meses antes em um evento de caridade. Era uma daquelas maçantes festas a rigor no Oberoi, onde os donos de fundos multimercado e fundos de private equity davam lances de centenas de milhares de dólares por objetos sem valor para "arrecadar dinheiro para as crianças de rua", mas na verdade, faziam isso mais para se exibir na frente de suas namoradas. Normalmente, David evitava esses eventos como se fossem pragas. Doava muito dinheiro para caridade, anonimamente e por transferência bancária, como qualquer ser humano normal e decente, e não tinha o menor interesse em ser perseguido em um salão de baile por dúzias de socialites histéricas atrás de seu dinheiro. As mulheres que iam a esses eventos eram ainda piores do que os homens, interesseiras sem-vergonha, cheias de Botox no rosto e nada na cabeça. Elas praticamente conseguiam farejar o seu valor do outro lado do salão, como cachorros bem adestrados farejavam drogas escondidas. Essas mulheres assustavam David.

Infelizmente, ser um proeminente membro da comunidade de negócios de Mumbai significava que ocasionalmente David Ishag precisava colocar uma máscara e ir a esses eventos de caridade. Nesta noite em particular, pela primeira vez, ficou feliz por ter ido.

Ele a viu em uma mesa no canto, parecendo tão entediada quanto ele. Não aquele tédio arrogante e afetado das modelos que olharam para David quando ele entrou, tão intoxicadas com a própria beleza que consideravam todos os demais como seres inferiores. O dela era aquele tédio genuíno e profundo de uma pessoa inteligente que está presa em uma mesa cheia de antas tagarelas.

Ela estava vestida com simplicidade em um tubinho preto que, decididamente, não era de grife, mas a beleza dela não precisava de enfeites. Com as maçãs do rosto proeminentes, pele branca e inteligentes olhos castanhos, contornados por um cabelo preto cortado no estilo Cleópatra, ela tinha uma presença, uma aura que atraiu David. Ao notá-lo encarando-a, ela levantou o olhar e sorriu.

O nome dela era Sarah Jane Hughes. Era professora e trabalhava para uma instituição que ajudava a educar crianças de favelas em todo o subcontinente.

Era irlandesa, apenas alguns anos mais nova que David e extremamente engraçada. As imitações dela dos chatos investidores que estavam sentados à sua mesa ainda eram capazes de fazer David rir dias depois, assim como o rosto dela o assombrava, fazendo-o sair de reuniões mais cedo só para ver se ela tinha retornado suas ligações e concordado em sair com ele.

Não tinha.

David Ishag tinha saído com outras garotas difíceis de conquistar. As mais espertas sabiam que o solteirão mais cobiçado, e também o mais inveterado, provavelmente não iria se impressionar com carência. Mas Sarah Jane não estava jogando. Ela era realmente ocupada com suas crianças da escola, suas aulas, sua vida. Ela não fazia ideia de quem David era quando eles se conheceram, e quando descobriu, não deu a menor importância.

David Ishag já sabia que estava apaixonado. Para ele, foi instantâneo. Mas depois que Sarah Jane concordou em sair com ele, levou mais um mês para ele convencê-la de que ela também estava apaixonada. Exatamente quando ele estava começando a acreditar que isso nunca ia acontecer com ele, que os tabloides tinham razão e que ele não era o tipo de homem para casar, David encontrou a mulher de seus sonhos. Ele estava sublime e ridiculamente feliz.

O interfone tocou.

— Tem alguém aqui que quer vê-lo, Sr. Ishag. Uma jovem senhora.

O coração de David acelerou. *Sarah Jane!* Eles só iam se ver à noite, no jantar. Depois que ela aceitara se casar com ele na semana passada — Danny queria que fossem de avião até algum lugar perfeito e romântico, Ilhas Maurício ou, pelo menos, Goa, para fazer o pedido, mas Sarah Jane se recusou veementemente a tirar alguns dias de folga; no final, ele acabou sendo forçado a entregar o anel em um jantar no Schwan's —, eles tinham muito o que discutir. Mas David sabia que se tivesse de esperar mais seis horas para vê-la, seu dia de trabalho não renderia nada. Estava felicíssimo por ela ter se dado ao trabalho de vir até aqui, deixando sua amada sala de aula.

Mas quando a porta do escritório se abriu, David ficou decepcionado. *Não era Sarah Jane, é sim Elizabeth Cameron. Sua advogada.* Tinha se esquecido totalmente da reunião.

Elizabeth Cameron sorriu.

— Obrigada por me receber, mesmo tendo marcado tão em cima da hora.

David se esforçou para manter a postura profissional, mas sua decepção estava estampada no rosto.

— De nada, Elizabeth. Como posso lhe ajudar?

Elizabeth Cameron era loura, atraente e ambiciosa. Uma jovem advogada promissora, ela sabia como um cliente dos grandes como David Ishag era importante para sua empresa, sem falar para sua carreira. *Por favor, não atire na mensageira.*

— Não trago boas notícias, infelizmente. A Srta. Hughes devolveu os documentos. Sem assinar.

— Ah.

Se David Ishag pareceu surpreso era porque realmente estava. Os papéis em questão eram de um acordo pré-nupcial padrão. Sarah Jane queria um casamento rápido, em algum lugar reservado e discreto, sem necessidade de muita preparação.

— Assim que você resolver a parte legal, casamos — foram as exatas palavras dela.

— Você tem certeza de que ela entendeu o que eram os papéis?

Elizabeth Cameron se mexeu na cadeira, pouco à vontade.

— Absoluta. Ela leu o documento inteiro. Eu entreguei a ela pessoalmente. A resposta dela foi... Bem, foi... — Ela buscou em sua memória uma palavra apropriada. *Franca... Decidida...*

— Fala logo, garota — disse David, com uma fúria pouco peculiar. — O que ela disse, exatamente?

A advogada engoliu em seco.

— Bem... As palavras exatas dela foram... Que ela não se casaria com o senhor nem se fosse o último homem da face da Terra. Ela disse que eu podia devolver esse acordo maldito junto com isso. — Estendendo a mão, ela colocou um lindo anel de noivado de safira e diamante na palma da mão de David. — Sendo totalmente honesta, ela sugeriu que o senhor poderia... Nas palavras dela... Enfiar o anel e o acordo no seu...

— Ok, entendi. — David já estava de pé. — Onde ela estava quando você a viu? Na escola?

Elizabeth Cameron assentiu.

— Se eu fosse o senhor, não sei se eu iria correndo até lá agora. Ela estava muito, *muito* furiosa. Falando como mulher, não como sua advogada... Acho que o senhor deveria dar um tempo para ela esfriar a cabeça primeiro.

— Sábio conselho — disse David, vestindo seu paletó. — Mas, infelizmente, sou incapaz de segui-lo. O problema, Srta. Cameron, é que amo essa mulher. E se ela não se casar comigo, vou me jogar pela janela. Desculpe não acompanhá-la até a porta.

As colegas de Sarah Jane nunca a tinham visto com tanta raiva. Na verdade, nunca a tinham visto com raiva.

Sinéad, a professora-assistente, disse:

— Provavelmente, foi apenas um mal-entendido.

Rachel, a diretora, completou:

— Tire o dia de folga se precisar, Sarah. E vá resolver esse assunto.

Mas Sarah Jane não queria "tirar o dia de folga". Ela queria quebrar a cabeça de David com um furador de gelo. É verdade, o romance deles tinha sido relâmpago. E sim, em muitos aspectos, eles ainda estavam se conhecendo. Mas se David achava, *sonhava,* que ela ia começar o casamento deles assinando uma apólice de seguro horrível, ele claramente não a conhecia.

A escola onde Sarah Jane trabalhava era um prédio com uma única sala, realmente nada mais do que um barracão, no coração do complexo de favelas Dharavi. Aproximadamente 1 milhão de pessoas moravam nas fétidas vielas e barracos que se espalhavam por mais de meio quilômetro quadrado entre Mahim, a leste de Mumbai, e Sion, a oeste. Dois terços desse número eram crianças, menos de cinco por cento delas recebendo qualquer educação formal. As duzentas crianças que se amontoavam na sala de aula de Sarah Jane todos os dias eram as poucas escolhidas, felizes por estarem lá e ansiosas para aprender e, em muitos casos, eram alunos brilhantes. Apesar da falta de instalações e do calor de 100 graus onde trabalhavam, Sarah Jane e suas colegas consideravam aquele o emprego dos sonhos.

Conhecer David não tinha mudado isso. A vida cotidiana dele era completamente diferente da dela. Mas essa era uma das coisas que Sarah Jane amava na Índia. Era um lugar de extremos, um lugar onde um romance como o deles poderia realmente dar certo. É claro que era bem mais fácil para ela ter uma visão geral, olhando de baixo para cima, do que para David, que tinha o mundo aos seus pés. Ele podia ser moreno, e seu nome do meio podia ser Raj, mas quando se tratava de morar e trabalhar entre os pobres e oprimidos, Sarah Jane era muito mais indiana do que ele. David visitara a escola dela uma vez. Sarah Jane achara extremamente engraçado ver o medo no rosto dele quando entrou na favela Dharavi.

Esta era a segunda visita. Ao entrar na sala de aula lotada, ele parecia ainda mais assustado do que da primeira vez, mas por uma razão bem diferente.

— Podemos conversar?

Duzentas crianças tagarelas ficaram em silêncio na mesma hora. O namorado da Srta. Hughes era de outro planeta, rico, bonito e vestindo um terno que os pais delas não conseguiriam comprar nem se trabalhassem a vida toda.

— Não.

— Por favor, Sarah. É importante. Não sei o que Elizabeth lhe disse, mas...

— Não culpe a sua advogada! — respondeu Sarah Jane. — Foi você quem a mandou.

— É verdade. Mas me deixe explicar.

— Estou dando aula.

— Ok. — Com medo de perdê-la, David Ishag não quis pressionar. Puxando uma cadeira de madeira maciça de uma das carteiras do fundo da sala, ele se sentou e cruzou os braços. — Eu espero.

Foi uma longa espera. Uma hora. Duas. Três. O calor era insuportável. David tirou o paletó e a gravata, depois os sapatos. Queria tirar a camisa ensopada de suor também, mas achava que um striptease ali não ajudaria em sua causa com Sarah Jane a essa altura. Ela já estava tendo trabalho suficiente para manter a atenção da classe apenas com a presença dele. Se tinha uma coisa que jovens indianos amavam, de mansões a favelas, era uma boa novela. Esta tarde, o CEO da Ishag Electronics estava fornecendo isso, esperando como um garoto levado para se explicar para a professora.

Finalmente, ela dispensou a classe. Sinéad e Rachel se afastaram. Os pombinhos estavam a sós.

— Por que você veio aqui, David? O que você quer?

A raiva ainda brilhava nos olhos de Sarah Jane. David escolheu suas palavras com cuidado.

— Você. Eu quero você.

— Nos seus termos. — Sarah Jane juntou seus livros e começou a enfiá-los furiosamente dentro de sua pasta.

David tocou o braço dela.

— Não vou deixar um mal-entendido estragar as coisas. Eu quero você, Sarah Jane. Em quaisquer termos.

Por um momento, uma expressão de tristeza genuína cruzou o rosto dela.

— Você nem me conhece.

David recuou, magoado.

— Como você pode dizer isso?

Porque é verdade. Porque eu mesma, às vezes, mal me conheço. É como se eu estivesse desempenhando um papel, o papel principal da minha vida, mas é como se eu só tivesse recebido metade do script.

— Se você realmente me conhecesse, saberia que eu não dou a mínima para o seu dinheiro estúpido.

— Eu *sei* disso — protestou David.

— Então, por que precisa de um acordo pré-nupcial? Era a mesma coisa se tivesse escrito uma carta para mim dizendo "não confio em você".

David passou a mão pelo cabelo, frustrado.

— Meus negócios valem 1 bilhão de dólares, Sarah Jane, Ok? Você gostando ou não, essa quantidade de dinheiro traz complicações. Sócios, acionistas, implicações fiscais. Não posso simplesmente fugir e me casar sem pensar nas minhas responsabilidades.

— Bem, não vai mais precisar se preocupar com elas. Porque nós *não* vamos nos casar!

Desde Anastasia, sua namorada da época da faculdade, que David não lidava com uma mulher tão insensatamente teimosa. Por ironia, Anastasia foi a única outra mulher por quem David se apaixonou. Mas quando ela engravidou dele, não apenas recusou a se casar com ele, como se recusou a continuar com o relacionamento, insistindo que ele era "imaturo demais" para ser pai. Depois de voltar para a casa dos pais em Moscou e dar à luz uma menina, ela cessou todos os contatos. Quando David se recuperou o suficiente para ir até a Rússia e insistir em ver sua filha, Anastasia já tinha desaparecido. Sem nenhuma carta, nenhum endereço para contato, nada.

Ele não ia deixar a história se repetir.

— Pelo amor de Deus, Sarah Jane. — Puxando-a para perto de si, ele se recusava a soltá-la. — Achei que você quisesse dizer isso quando me pediu para cuidar dos assuntos legais. Nunca me passou pela cabeça que isso fosse deixá-la tão chateada.

— Você achou que eu estivesse me referindo a um acordo pré-nupcial?

— Os documentos que Elizabeth trouxe para você hoje não são nada diferente do padrão. Não para um homem na minha posição. Mas se eu errei, me desculpe. Eu confio em você, totalmente. E preciso que aceite ser minha esposa.

Ele a beijou. Embora não quisesse, Sarah Jane se derreteu nos braços dele. Ele era um homem tão bom. Tão decente. Tão atraente. Tão forte. Fazia com que se lembrasse de alguém, alguém que precisava esquecer. Era tudo tão confuso, era tão difícil distinguir o certo do errado.

David sussurrou no ouvido dela:

— Por favor, diga que se casa comigo.

— Sem acordo pré-nupcial? — respondeu Sarah Jane com outro sussurro.

— Sem acordo pré-nupcial.

Matt Daley estava sentado no muro do porto em Positano, na Itália, comendo lentamente pequenos pedaços de pão. Estava delicioso, temperado com alecrim e sal marinho, macio e gostoso por baixo da casca dura. Matt teria ficado satisfeito em comer tudo, mas sabia que precisava fazer com que durasse.

Estava na Itália há dez dias, e seu dinheiro estava acabando em uma velocidade alarmante. O que Raquel lhe deixara depois do divórcio mal dava para comprar uma barra de chocolate. O pouco que ele tinha não servia muito em um país que cobrava 2 euros apenas pelo uso de um banheiro público e onde a gasolina parecia custar o mesmo que platina líquida. Os restaurantes eram proibitivos. Nos dois últimos dias, Matt sobrevivera comendo sanduíches de salame e bebendo água em bebedouros, mas a esta altura, qualquer tipo de carne tinha se tornado um luxo — por isso o almoço só de pão. Já havia trocado seu modesto quarto em uma hospedaria local por um albergue, que era metade do preço mas parecia uma prisão, com chuveiros compartilhados, beliches e toque de recolher à meia-noite. E depois de tudo isso, ele não estava nem perto de descobrir quem era o misterioso amante de Lisa.

Pelo menos, os pesadelos tinham parado. Se Matt tivesse acordado gritando o nome de Lisa às 2 da manhã, como vinha fazendo na casa de Claire, certamente já teria sido expulso do albergue. *É porque estou fazendo alguma coisa. Não estou sentado me acabando de chorar, estou aqui, tentando encontrar esse cretino, tentando salvá-la.* Não que Matt não pensasse nela constantemente. Mas aprendera a compartimentar seus piores medos. Cada hora que gastava se torturando pensando no que poderia ter acontecido com ela, ou o que poderia estar acontecendo *neste momento*, era uma hora perdida. *Se eu desmoronar, ela não terá ninguém.*

Munido com a impressão da foto do computador de Lisa, Matt visitara todos os hotéis da cidade, desde a barata Pensione Casa Guillermo até o suntuoso Hotel San Pietro.

— Todas as reservas são confidenciais — dissera o arrogante recepcionista do San Pietro. — Não fornecemos informações sobre nossos hóspedes, nem do passado nem do presente.

— Nunca a vi — dissera o entediado recepcionista da Casa Guillermo.

— Acho que não. Mas 50 euros poderiam ajudar a refrescar minha memória — disse o gordo gerente da Hospedaria Britannia, esfregando as mãos gananciosamente. Estava claro que o idiota imundo não reconhecera Lisa. Além disso, Matt não podia imaginar Lisa entrando em uma espelunca como a Britannia, por mais falida que estivesse.

Embrulhando cuidadosamente o que restava do pão em um saco plástico e enfiando-o na mochila, Matt seguiu para a cidade velha. Tinha um último contato para encontrar. Se não desse em nada, iria embora de Positano e talvez voltasse para Hong Kong para ver o que conseguia descobrir por lá.

Uma camareira do San Pietro lhe dera o contato. Depois de testemunhar o recepcionista dispensar Matt, ela ficou com pena dele e o seguiu até o carro.

— Se você está atrás de fofoca sobre os hóspedes, deve falar com Michele — disse ela. — Michele via tudo. Escutava todos os segredos.

Pelo que parecia, Michele trabalhara como barman no melhor hotel de Positano até ser despedido no ano anterior por furto. Desempregado desde então, ele tinha sérios problemas com bebida e um ódio mortal contra a administração do San Pietro, fatos que não faziam dele uma fonte muito confiável. Mas mendigos não podiam escolher, e, a esta altura, Matt Daley definitivamente era um mendigo, tanto figurativa quanto literalmente.

Michele morava na cidade, em um apartamento em cima de uma peixaria. Matt encontrou o lugar facilmente. Mesmo sem as explicações da camareira, teria chegado lá pelo cheiro. O fedor de cavalinha com sardinhas, misturado com suor e urina, que cercava todo o prédio era tão forte que lhe deu ânsia de vômito.

— Entre. Valeria me disse que viria.

O homem que abriu a porta era bem mais jovem do que Matt esperava, e muito mais atraente. Estava esperando um bêbado de meia-idade, mas além da barba por fazer e dos olhos vermelhos, Michele Danieli parecia em boa forma.

— Ouvi falar que está procurando alguém.

— Estou sim. — Dentro do apartamento, evidências de uma vida desregrada se espalhavam por toda parte. Caixas de comida empilhadas no chão, junto com garrafas de cerveja vazias e jornais velhos. Uma garrafa de uísque pela metade estava em cima da pia da cozinha. *Como um homem bonito como esse pode ter chegado tão baixo?* Matt percebeu que estava com pena de Michele.

Mostrou a ele a foto impressa de Lisa. A reação do barman foi instantânea.

— Sim, eu os conheço. Eles ficaram hospedados uns cinco dias.

— Quando? — perguntou Matt.

— No final do verão, dois anos atrás.

No verão antes de Lisa se casar com Miles Baring.

— Tem certeza?

— Absoluta — respondeu Michele, que pegou um cigarro em um maço que estava na mesa de centro e o acendeu, soltando a fumaça no rosto de Matt. — Nunca me esqueço de um amante.

Matt respirou fundo. Era como se alguém tivesse atingido sua cabeça com um bastão de beisebol.

— Amante? Vocês dormiram juntos?

Michele concordou com a cabeça.

— Só uma vez.

Estava claro que havia muita coisa sobre o passado de Lisa que Matt não sabia. Ele já aceitara esse fato havia muito tempo. Mas a ideia de que ela estaria de férias com um homem e cairia na cama do primeiro barman bonitão que aparecesse... Magoava. Não era a Lisa de que se lembrava.

— O cara era um idiota completo — continuou Michele. — Violento, depravado. Fiquei tão machucado naquela noite que não pude ir trabalhar no dia seguinte.

Levou alguns segundos para a ficha de Matt cair.

— Você está dizendo... O *homem* era seu amante?

Michele riu.

— Claro! Não gosto de mulheres, querido. Não dá para perceber? — Ele piscou para Matt, flertando, mas uns segundos depois, seu humor voltou ao normal. — Tenho certeza de que foi ele quem fez a queixa no hotel sobre as abotoaduras perdidas. Como se eu quisesse alguma joia nojenta depois do jeito como ele me tratou.

— Só para esclarecer. Você está me dizendo que o homem na foto é gay?

— Isso mesmo, querido.

— Mas ele estava hospedado no hotel com *esta* mulher? Como um casal?

— Isso. Casado. Não fique tão chocado. — Michele riu. — Acontece o tempo todo.

Matt afundou no sofá imundo. Depois de dez dias sem conseguir nada, estava conseguindo mais com dois minutos com Michele Danieli do que podia imaginar. Se Danieli estivesse falando a verdade, e o "amante" misterioso de Lisa fosse realmente gay, ele não podia ser o assassino Azrael. Quem quer que tivesse matado aqueles velhos também estuprou suas esposas. Ele gosta de sexo com mulheres.

— Você se lembra dos nomes deles?

— Ele me disse que se chamava Luca. Mas a esposa o chamava por um nome diferente. Franco, Francesco... Alguma coisa italiana. Não sei o sobrenome deles, mas o hotel deve ter nos registros.

Nenhum que eles vão me mostrar, companheiro! A Interpol, porém, provavelmente conseguiria descobrir com facilidade, se Matt decidisse jogar limpo e compartilhar essas informações com Danny McGuire. A equipe de Danny também tinha dinheiro para seguir novas pistas, algo que faltava bastante a Matt. Mas Danny McGuire admitira que estava cooperando com o inspetor Liu, e este queria acusar Lisa. Por razões práticas, isso o tornava perigoso. O inimigo.

— Qual é o seu interesse nesse cara? — sondou Michele. — Se não se importa que eu pergunte.

— É sobre a mulher que quero saber — disse Matt. — Tenho razões para acreditar... Que ela talvez esteja correndo perigo.

— Se ela ainda estiver com Luca, eu diria que isso é uma certeza. — Michele acendeu outro cigarro. Matt notou que a mão dele estava tremendo. — Aquele cara era estranho. Assustador, eu diria. Quando eu vi os dois no bar, fiquei com a impressão de que ela tinha medo dele, mas só quando dormi com ele, percebi o porquê. Honestamente, achei que ele ia me matar naquela noite.

— Você se lembra de mais alguma coisa sobre eles, qualquer coisa que me ajude a encontrar este homem? Ele falou alguma coisa sobre casa, amigos, emprego? E ela?

Michele negou com a cabeça.

— Desculpe, cara. Não me vem nada à cabeça.

Matt se levantou para ir embora. Quando chegou à porta, Michele chamou.

— Ah! Tem mais uma coisa. Talvez nem tenha importância.

— Diga.

— A mulher, esposa de Luca. Parecia solitária. De qualquer forma, ela ficou amiga de um outro hóspede, principalmente nos últimos dias aqui. Lembro-me de escutar o velho perguntando a ela na beira da piscina de onde a família dela era. Ela disse Marrocos.

Matt congelou.

— Marrocos?

— Isso. O que achei estranho, já que a garota era tão americana quanto torta de maçã. Se ela era do norte da África, eu sou da Nova Escócia.

— Você reconheceria o homem se eu lhe mostrasse uma foto dele? — perguntou Matt, a voz trêmula.

— Não preciso de foto — disse Michele. — Ele me deu a maior gorjeta que já recebi, por isso me lembro. Era Baring. Miles Baring.

Capítulo 22

Danny McGuire apertou mais seu casaco acolchoado e enfrentou o frio enquanto caminhava pelas ruas cheias do Queens. Ainda era início de setembro, mas Nova York já estava tomada pelo início do outono. Acima da cabeça de Danny, folhas avermelhadas cobertas pela geada balançavam com o gelado vento nordeste. Na esquina, três sem-teto estavam encolhidos em volta de um tambor com óleo queimando, aquecendo suas mãos enluvadas sobre as chamas. Parecia que ia nevar. O FBI fora generoso com o tempo deles, ajudando Danny a investigar a vida de Lisa Baring. Era como procurar a proverbial agulha no palheiro. As únicas informações que tinham eram as que Danny fornecera: uma fotografia de Lisa, tipo sanguíneo, idade presumida (de acordo com a data de nascimento no passaporte dela) e uma série de datas durante as quais ela poderia ter morado na cidade quando criança.

— Sabe alguma coisa da família dela?

Danny balançou a cabeça.

— Parece que ela tinha uma irmã, mas não temos nenhum detalhe. Acredita-se que os pais estejam mortos. Só isso.

O diretor-assistente deu de ombros.

— Não é muita coisa.

— Eu sei. Sinto muito.

— Preciso que me dê uns dois dias e vou ver o que consigo descobrir.

Enquanto o FBI procurava, Danny passou as 48 horas seguintes ricocheteando por Manhattan como uma mangueira desgovernada. Ele fez um total de 116 ligações para várias escolas, mas só conseguiu 116 "desculpe, esse nome não consta nos nossos cadastros". Ele tinha ido pessoalmente ao Departamento de Trânsito, à filial do Departamento de Seguro Social, à sede de seis bancos e à administração de oito grandes hospitais. Mandara um e-mail com a foto de Lisa para o *Times*, o *Daily News* e o *Post*, na tentativa de que alguém pudesse se lembrar de algo, e ainda fez uma exaustiva busca em notícias locais sobre irmãs órfãs e/ou quaisquer referências ao Marrocos e a crianças. Absolutamente nada.

Deprimido e derrotado, ele voltou à sede do FBI e encontrou o agente com o mesmo humor que ele próprio.

— Sinto muito. Mas como eu disse, é uma cidade grande e tem um *mooooonte* de Lisas nela. E isso supondo que o nome verdadeiro dela seja realmente Lisa. Você está falando de uma menina anônima que pode ter morado aqui uns vinte anos atrás.

Danny suspirou.

— Obrigado por tentar.

— O único outro ângulo que consigo pensar é o dos pais mortos. Se eles morreram quando ela era pequena e não havia mais nenhum familiar, ela pode ter sido colocada em algum orfanato. A assistência social não costuma separar irmãos, sempre que é possível; então, se ela tinha uma irmã, elas provavelmente ficaram juntas em algum lugar. Você quer o telefone da Assistência Social do Estado de Nova York?

Isso foi no começo da noite de ontem. Após uma longa noite de pesquisa, hoje Danny estava enfrentando pessoalmente as ruas geladas de Nova York e batendo nas portas dos orfanatos. Abaixando a cabeça para se proteger do frio, ele verificou o GPS no celular. *Quase lá.* O Beeches era a última instituição de sua lista.

Com tantas instituições fechando as portas por falta de fundos, e graças a uma mudança na política estadual na década de 1990 que estimulava que as crianças fossem para lares adotivos em vez de mantê-las em instituições, havia apenas 12 orfanatos ainda em funcionamento que já existiam no início da década de 1980. Quatro estabelecimentos só aceitavam meninos. Dos outros oito, Danny já havia visitado sete. Dois não tinham nenhum tipo de registro. Dos cinco que mantinham cadastros, nenhum deles recebera duas irmãs durante o período em questão. Um deles tinha recebido uma Lisa, cujo sobrenome era Bennington, mas atualmente ela estava cumprindo pena de trinta anos por assalto à mão armada na penitenciária da Louisiana. Outro beco sem saída.

O Beeches no Queens era o maior abrigo para adolescentes sem-teto da cidade. A maioria dos orfanatos deixava de cuidar dos jovens a partir dos 13 anos, quando eles eram jogados nas ruas, em casas de recuperação ou em lares adotivos. Um feio prédio vitoriano de tijolos vermelhos, com janelas pequenas e porta preta de aparência proibitiva, o Beeches fazia com que Danny se lembrasse de alguma coisa tirada dos livros de Dickens. Mas, uma vez dentro do prédio, a decoração era surpreendentemente alegre. Algum artista pintara as paredes da recepção com sprays de cores vivas, no estilo grafite. Através de portas duplas de vidro no final do corredor, Danny viu um grupo de rapazes reunidos em volta de uma mesa de totó, enquanto outro grupo de moças assistia a *American Idol* em uma TV comunitária, gritando bastante mas bem-humoradas diante da tela.

Já vi lugares piores para crescer, refletiu Danny, pensando nas ruas do leste de Los Angeles, onde ele costumava trabalhar quando tinha 20 e poucos anos ou mesmo nos arredores de Lyon. *Talvez esses jovens tenham sorte.*

— Sr. Danny McGuire? Sou Carole Bingham, diretora. Gostaria de vir até a minha sala?

Com 40 e poucos anos, cabelo louro curto, um rosto bonito, mas não convencional, e corpo esbelto elegantemente vestido em um terno de lã Ann Taylor, Carole Bingham parecia profissional e organizada. Claramente, fazia mais o tipo administradora do que maternal, mas talvez fosse disso que jovens dessa idade precisassem.

Danny explicou o que buscava. Ele teve o cuidado de explicar que a mulher que estava procurando não era necessariamente suspeita de assassinato nem de nenhum crime, e sim o elo entre quatro homicídios terríveis.

Carole Bingham abriu uma pesada gaveta de metal de um armário antigo no canto da sala.

— Nossos cadastros estão computadorizados a partir de 1999 — explicou ela. — Sobre os anos que você mencionou, qualquer informação que precise está aqui.

— Ninguém nunca digitalizou essas informações? — perguntou Danny, fitando desanimadamente a montanha de documentos desorganizados e amassados.

Carole Bingham abriu um leve sorriso.

— Está se oferecendo para fazer o serviço? Olha, você está certo, é claro. Deveríamos organizar nossos cadastros antigos. Mas a verdade é que não temos tempo nem dinheiro para isso. — Ela olhou para o relógio na parede. — Tenho uma reunião com alguns burocratas de Albany em dez minutos no salão principal. Você se importa de procurar sozinho?

— Claro que não — respondeu Danny, agradecido. — Se Deus quiser, logo, logo estarei longe.

Essa acabou se tornando uma esperança perdida. Era impressionante a quantidade de papéis que conseguiam ser enfiados, apertados, dobrados e amassados em uma única gaveta de metal. Certidões de nascimento, registros médicos, policiais e de assistentes sociais ficavam lado a lado, separados por letras, desenhos de crianças e até papéis de bala velhos. Nada estava etiquetado, e embora alguns documentos oficiais estivessem datados, não parecia ter havido nenhum esforço para colocar as coisas em qualquer tipo de ordem.

Após duas horas improdutivas, um garoto entrou e entregou a Danny uma muito necessária caneca de café. Ele devia ter uns 16 anos, era esguio e desajeitado e com um terço do rosto coberto por acne. Mas ele olhou nos olhos de Danny ao falar — sempre um bom sinal — e por sua estrutura óssea, era possível ver que se tornaria um jovem bonito.

— A Sra. Bingham pediu que perguntasse se precisa de alguma ajuda.

Danny levantou o olhar, que estava fixo na montanha de papéis.

— Não, está tudo bem. Se eu soubesse o que estou procurando, talvez fosse bom. Mas não tem por que nós dois perdermos tempo.

— Isso é tudo dos anos 1980, né? — perguntou o garoto.

Danny assentiu.

— Já viu esses anuários antigos? Se não servirem para nada, pelo menos vão fazer você rir. As roupas eram, tipo, a morte. — Pegando uma cadeira, o garoto subiu para alcançar a prateleira de cima do armário e puxou uma pilha de livros pretos, jogando-os no chão ao lado de Danny com um estrondo.

— Esses anuários são guardados separados?

— São, sim — disse o garoto parecendo um pouco constrangido. — Não oficialmente. Sei que não é legal, mas às vezes usamos esses anuários para jogar "gostosa ou não". Como aquele site em que você coloca a sua foto e as pessoas podem votar se você é atraente ou não. É tipo uma versão barata disso. De qualquer forma, esses são os dos anos 1980.

O garoto saiu e Danny começou a folhear esse novo tesouro. Não que realmente esperasse ver uma foto da Lisa Baring adolescente ali. As chances de isso acontecer deviam ser de uma em um milhão. Mas, pelo menos, eram fotos, com nomes, fotos de crianças de verdade.

Estavam faltando alguns anos. Os livros pulavam de 1983 para 1987, depois de 1989 para 1992. Foi só quando ele abriu o nono livro que viu.

A foto tinha data, e as roupas eram tão feias quanto o garoto tinha alertado. O rosto fitando Danny era mais jovem do que ele se lembrava, claro, e menos bem-cuidado. Os dentes não eram tão retos, e o cabelo era longo e estava solto. Mas era um rosto de que Danny McGuire nunca se esqueceria. O nariz longo e aquilino. A curva dos lábios. O brilho arrogante nos brilhantes olhos azuis. Embaixo da fotografia, uma caligrafia feminina de uma década atrás tinha escrito *GOSTOSO* seguido por vários pontos de exclamação.

Ele já era bonito, mesmo naquela época. E sabia disso.

A legenda da foto dizia: *Frances Mancini — esse vai chegar em Hollywood!* Mas Danny McGuire o conhecia por outro nome.

Lyle Renalto.

CLAIRE MICHAELS PENSOU DUAS vezes antes de pegar o telefone. Sentia-se culpada, mas precisava fazer alguma coisa. Estava desesperada de tanta preocupação com o irmão, e não fazia ideia de quem poderia procurá-lo. Discou o número.

— Alô! — Danny McGuire soou bastante otimista. Por alguma razão, ele a deixou constrangida.

— Ah, olá — gaguejou ela. — Sou eu, Claire Michaels. De Matt Daley... Nós nos conhecemos.

— Em Los Angeles, claro. Irmã do Matt — disse Danny, sendo simpático.

— Isso. Você teve alguma notícia dele?

Isso deixou Danny sobressaltado. Por que ela estava lhe fazendo essa pergunta? Matt não estava hospedado na casa dela?

Para ser honesto, a última coisa em que Danny McGuire queria pensar naquele momento era em Matt Daley. Após encontrar a foto de Lyle Renalto — melhor, de Frankie Mancini — no anuário do Beeches naquele dia, ele procurara Carole Bingham, muito animado. A diretora o apresentara a Marian Waites, uma das assistentes sociais do abrigo e única pessoa que ainda estava na folha de pagamentos desde a época de Mancini.

Danny não tinha muitas expectativas em relação à Sra. Waites, mas depois percebeu que a senhora tinha uma memória enciclopédica, e ela foi capaz de lhe mostrar outro rosto no anuário, o rosto de uma pessoa que conhecia bem Mancini.

— Esses dois eram unha e carne.

O nome dele era Victor Dublenko. Uma ligação rápida para a polícia de Nova York revelou que *eles* também conheciam bem Dublenko, como cafetão e traficante, ainda vivo, atualmente solto e morando no Queens, nem a seis quadras do Beeches, onde Danny estava naquele momento. Danny estava prestes a seguir para o apartamento de Dublenko quando Claire ligou.

Com relutância, ele concentrou sua atenção em Matt Daley.

— Não, não tenho nenhuma notícia dele desde o dia em que nos encontramos na sua casa. Ele não está aí com você?

— Se ele estivesse aqui comigo, eu não estaria ligando, não é? — respondeu Claire. — Desculpa, não quero descontar em você. Mas estou preocupada com ele. Ele me deixou um recado na secretária eletrônica ontem à noite que não faz o menor sentido.

— Ele disse onde estava?

— Disse. Ele está na Itália.

— Na *Itália*?

— Isso. Na costa de Amalfi. Ele disse que tinha uma pista sobre o sujeito que pode ter sequestrado Lisa. Para ser franca, fiquei surpresa por ele ter dinheiro para a passagem de avião. Só Deus sabe como ele está sobrevivendo lá.

O coração de Danny ficou apertado. Matt jurara que esqueceria o assunto, que não sairia perseguindo esse maníaco sozinho. Agora que a Interpol finalmente aprovara a Operação Azrael, a última coisa que Danny precisava era do mentalmente instável Matt Daley cruzando seu caminho como um elefante desgovernado, interferindo com testemunhas em potencial e, pelo que sabia, omitindo provas. Ele não fizera nenhuma menção a uma "pista" italiana quando eles se encontraram.

— Ele disse mais alguma coisa?

— Ele disse um monte de coisas, mas como eu falei, ele estava divagando. Ele disse que o amante de Lisa não era amante dela. Era gay. Disse que ela já o conhecia antes de conhecer Miles, o que, por alguma razão, ele achou importante, mas que ele "não podia ser Azrael", que você e os outros policiais estavam seguindo o caminho errado. Quem é Azrael?

— Ninguém — respondeu Danny. — É um codinome. Não se preocupe com isso.

Ele também estava preocupado com Matt, tanto pessoal quanto profissionalmente.

— Agradeço que tenha me ligado — disse Danny a Claire.

— Estou entrando em uma reunião importante agora, mas, assim que sair, tentarei entrar em contato com seu irmão de novo. Enquanto isso, se souber de mais alguma coisa, qualquer coisa...

— Eu aviso. Ele não está... Não está em perigo, está?

Danny percebeu a ansiedade na voz dela.

— Não — mentiu ele. — Acho que não. Vou avisar a polícia de Amalfi, só para prevenir. E pedir que fiquem de olho nele.

A conversa com Claire Michaels o deixara chateado. Será que Matt Daley realmente tinha conseguido uma pista útil sobre o amante de Lisa? Sem falar com ele, era impossível saber o quanto do que ele dissera para a irmã era real e quanto era resultado de sua imaginação febril e guiada pela ansiedade. Quando Danny chegou ao apartamento de Dublenko, sua linha de raciocínio já tinha se perdido.

Lyle Renalto. Frankie Mancini. Que conexão o rapaz da fotografia do anuário podia ter com a Itália e com Lisa Baring? Por que Danny sequer estava aqui?

Cinco minutos depois, Victor Dublenko parecia estar fazendo a mesma pergunta, fitando Danny da sua poltrona reclinável de vinil La-Z-Boy.

— Não tenho nada a dizer.

A sala de estar de Dublenko era nojenta, um chiqueiro fétido com almofadas manchadas, seringas, plantas de maconha mortas e pratos de comida pela metade. No corredor, os dois quartos estavam mais limpos. Clientes esperavam um certo padrão de higiene, e Victor Dublenko se certificava de oferecer isso. Os quartos eram para os negócios. Mas por ele mesmo, Victor ficava satisfeito de morar no lixo.

— Não gosto de policiais.

Danny McGuire deu de ombros, amigavelmente.

— E eu não gosto de cafetões. Mas o que podemos fazer se um está no ramo ocupacional do outro?

Victor Dublenko riu, um som gutural e pegajoso que logo se transformou em tosse. Tirando um lenço do bolso, ele cuspiu algo nojento e o enfiou de volta no bolso.

— Então não gostamos um do outro. Ainda assim, podemos tratar de negócios, certo? Você paga, eu falo.

Foi quando uma jovem usando apenas short e colete entrou na sala parecendo desorientada. Victor Dublenko gritou com ela, que saiu correndo como um besouro assustado. *Tadinha*, pensou Danny. Não devia ter mais do que 15 anos. Escória como Victor Dublenko lhe causava ânsia de vômito. Mas lembrou-se por que estava ali, quantas vidas podiam depender das informações de Dublenko, e mordeu a língua. Pegando um maço de notas de 50 do bolso de seu casaco, ele lambeu os dedos e fingiu que estava contando antes de, cuidadosamente, guardá-las de novo.

— Prefiro que você fale, depois eu pago, se estiver tudo bem para você, Sr. Dublenko.

Com os olhos grudados no bolso com o dinheiro, o cafetão simplesmente disse:

— O que você quer saber?

Danny entregou o anuário.

— Você se lembra desse cara?

— Nossa! — Victor Dublenko sorriu, revelando uma coleção de dentes de ouro. — Frankie Mancini, cara. Onde você conseguiu isso? — A tosse voltou, com força. Danny McGuire esperou Victor limpar os pulmões arruinados pelo cigarro, tentando respirar como faria um peixe encalhado na praia.

— No Beeches. Estive lá mais cedo. A Sra. Waites mencionou que você e Frankie estiveram lá entre 1986 e 1988 e que eram amigos. Correto?

Victor Dublenko apertou os olhos verdes.

— Sra. Waites. Aquela puta velha ainda está viva?

— Isso está correto, Sr. Dublenko?

Victor assentiu.

— Você sabe muito sobre o meu passado, detetive. Estou lisonjeado.

Danny não se preocupou em esconder seu desprezo.

— Francamente, não estou interessado em seu passado. Estou interessado em Frankie Mancini. Qual foi a última vez que você o viu?

Victor Dublenko balançou a cabeça.

— Faz muito tempo, cara. Anos, muitos anos. Talvez vinte?

— Onde?

— Aqui em Nova York. Ele foi transferido para outro abrigo um ano depois dessa foto e continuamos nos falando por um tempo. Mas, aí, ele conseguiu emprego em algum lugar da Costa Oeste e foi isso.

Costa Oeste. Los Angeles... Onde ele se tornou Lyle Renalto e conheceu Angela Jakes... Onde tudo começou.

— Nunca mais teve notícias dele?

— Não fazíamos o estilo de escrever cartinhas — disse Dublenko com sarcasmo. — Então, por que está atrás dele? Ele fez alguma besteira? Roubou um banco?

— Você ficaria surpreso se ele tivesse feito isso?

Victor Dublenko refletiu por um momento.

— Ficaria, sim. Sempre achei que ele se daria bem.

— Por que achava isso?

— Bem, acima de tudo, ele era inteligente. Sabia várias línguas, matemática, não tinha nada que o garoto não conseguisse aprender. E outra razão, é só olhar para ele. Com um rosto desses, a vida fica fácil.

As palavras podiam ser interpretadas como amargas, mas não havia ressentimento na voz de Dublenko. Muito pelo contrário. Ele soou admirado. Nostálgico. Carinhoso, até.

— Como assim fácil? Está querendo dizer que ele fazia sucesso com as meninas?

Um sorriso se abriu no rosto de sapo de Dublenko.

— Frankie não gostava de meninas, detetive. Ele jogava no outro time, se é que me entende.

Um arrepio tomou conta de Danny. O que Claire Michaels dissera sobre a ligação de Matt Daley da Itália ontem? *"O amante de Lisa não era amante dela. Ele era gay. Não pode ser Azrael. Estavam no caminho errado.*"

— Bem, mas isso não quer dizer que as meninas não gostassem *dele*. As piranhas ficavam em volta dele como moscas. E como eu disse, Frankie era inteligente. Ele usava esse poder para tirar vantagem.

Danny pensou em Lyle Renalto, na forma como ele adulava Angela Jakes para se aproximar dela, fazê-la confiar nele, talvez até a tenha seduzido para a morte.

— Usava como?

— Ah, você sabe. Ele fazia as meninas fazerem coisas para ele, dar presentes, acobertá-lo quando chegava depois do toque de recolher. Essas merdinhas. Mas ele não *procurava* mulheres, se é que me entende.

Danny estava ficando cansado dos eufemismos de Dublenko.

— Entendi, Dublenko. Frankie era gay.

— É, ele era gay, certo, mas era mais do que isso. Eu tinha a impressão de que ele tinha, tipo, repulsa por mulheres. Não só sexualmente, mas como pessoas. Menos a princesa, claro.

— Princesa?

O rosto de Dublenko de fechou em uma expressão azeda.

— Princesa Sofia. Era assim que ele chamava ela. Não faço ideia do nome verdadeiro dela. Frankie era obcecado pela garota.

— Você tinha ciúme dessa amizade deles?

— Sei lá. — Dublenko sacudiu a mão. — Era besteira, só isso. Lembro de Frankie me contar que ela era descendente de uma família real do Marrocos. Até parece. Como ela acabaria jogada nas ruas do Brooklyn?

Danny hesitou. Dublenko dissera alguma coisa que fizera com que se lembrasse de algo, mas não sabia exatamente o quê.

— Saí do Beeches antes de Sofia entrar, mas eu a vi uma vez, pouco antes de Frankie ir embora da cidade, e ela era uma vadiazinha linda. Ouvi dizer que antes de conhecer Frankie, no outro abrigo que ela ficou, os homens que trabalhavam lá faziam a festa com ela. Digno do traseiro real dela. — Victor Dublenko riu lascivamente com a lembrança. — Ela era só mais uma piranha, mas Frankie não queria saber disso. Chamava ela de "minha princesa". Ela deve ter jogado algum feitiço nele.

Depois de estar convencido de que Dublenko lhe contara tudo que sabia, Danny deu dinheiro a ele e pegou um táxi para seu hotel. Estava escuro e muito frio do lado de fora. Recolhendo-se no casulo quente que era seu quarto, ele trancou a porta, jogou suas anotações, gravador e pasta em cima da cama e checou seus recados. Nada interessante. Após uma rápida ligação para Céline — pela terceira noite seguida, Danny dizia à secretária eletrônica o quanto a amava e que sentia saudades — e mais uma tentativa frustrada de falar com Matt Daley, ele discou o número do telefone de Claire Michaels.

— Esse cara gay que Matt mencionou, o amante de Lisa. Matt disse o nome dele?

— Acho que não — disse Claire. — Ah, espere. Acho que ele disse alguma coisa, sim. Franco? Francesco? Pode ser?

Ao desligar, Danny tirou as roupas molhadas e entrou no banho. A pressão da água quente sempre o ajudara a pensar melhor. Sentia como se hoje tivesse mexido em várias peças do quebra-cabeça. Se conseguisse descobrir como elas se encaixavam, provavelmente teria a resposta para esse enigma. O problema era que essas não eram as peças que ele estava procurando.

Viera para Nova York em busca de informações sobre o passado de Lisa Baring. Em vez disso, descobrira sobre o passado de Lyle Renalto. Sendo que não existia nenhum Lyle Renalto, existia apenas esse Frankie Mancini. Frankie Mancini... Que era gay... que não podia ser o estuprador assassino Azrael, podia?... Mas que, aparentemente, estava ligado a Lisa Baring. Mas não como amante dela. Assim como Frankie não tinha sido amante da

"Princesa Sofia", quem quer que ela fosse. Assim como Lyle Renalto não era amante de Angela Jakes. Tudo estava ligado, mas os elos davam voltas em vez de se ligarem ao seguinte.

Lisa... Lyle... Frankie.

Lisa... Angela... Sofia.

O que eu não estou conseguindo ver?

Não eram só as pessoas que davam voltas, mas os lugares também. Nova York, Los Angeles, Hong Kong, Itália, Nova York. *E Marrocos. É isso. Victor Dublenko dissera que a Princesa Sofia de Frankie dizia vir de Marrocos. Era para lá que Matt Daley e Lisa iam fugir, antes de ela desaparecer.*

Será que Marrocos era importante, ou apenas uma coincidência? A cabeça de Danny latejava.

Enxugando-se, ele se sentou na cama e olhou mais uma vez para a fotografia de Frankie Mancini no anuário do Beeches. Lyle sorria, zombando dele. Frankie era mais jovem do que Lyle, o rosto mais carnudo e gordo. Mas, apesar das diferenças, eles eram claramente a mesma pessoa.

Por instinto, sem nem pensar por quê, Danny ligou seu computador e abriu a foto que o inspetor Liu lhe mandara de Lisa Baring, a mesma que dera para a polícia de Nova York e várias agências e organizações na cidade, sem nenhum sucesso. Fitou a foto de Lisa por um longo tempo, quase como se esperasse que ela falasse, revelasse seus segredos. Finalmente, ele deu um zoom nos olhos dela, os olhos que enfeitiçaram Matt Daley — e, provavelmente, Miles Baring, antes deles — reduzindo-o a uma sombra do que costumava ser. Eles fizeram com que Danny se lembrasse de outros olhos que já vira. Olhos que vira em algum outro lugar. Olhos que vira muito tempo atrás.

De repente, ali estava. Bem diante de seu rosto.

Com o coração acelerado, Danny McGuire pegou o telefone.

Como posso ter sido tão cego?

Capítulo 23

O INSPETOR LIU OLHOU PARA o gerente do hotel com nojo. O homem era careca, aparentemente mal-educado e morbidamente obeso. Sua gordura de baleia espremida em um terno de poliéster cinzento dois tamanhos menores do que o ele e tão brilhoso que parecia prateado. Ainda assim, ele administrava um dos hotéis mais bem-sucedidos de Sydney, um cinco estrelas localizado no porto cujos clientes eram astros do rock e políticos. Não havia justiça neste mundo.

— Você tem certeza de que era ela?

— Olha, camarada — disse o gerente, devolvendo a fotografia de Lisa Baring. — Posso não ser o Stephen Hawkins, tudo bem, mas sei reconhecer um rosto. Ainda mais um rosto tão lindo. Faz parte do meu trabalho. — Ele levantou os braços, indiferente. — Foi uns dois meses atrás. Stacey, que está lá em cima, pode ver as datas exatas. Ela se hospedou junto com um sujeito boa pinta, mas ela pagou a conta. Tenho quase certeza que eles usaram o nome "Smith".

— Você não verifica o passaporte dos seus hóspedes?

O gerente bufou.

— Nós não somos a porra do FBI, Liu.

— *Inspetor* Liu — disse Liu friamente.

— E, sem ofensa, mas também não somos a polícia chinesa — continuou o australiano gordo, ignorando-o. — Se eu ficasse investigando cada Sr. e Sra. Smith que aparecem aqui, eu já teria falido, pra falar a verdade.

— Quem pagou a conta?

— Ela, a mulher. Em dinheiro.

— Mas eles não deixaram nenhum endereço para onde iam, cartão de crédito?

— Como eu já disse, acho que não, mas fale com Stacey. Ela é os olhos e os ouvidos daqui, se é que me entende.

Stacey era uma mulher pequena com uns 60 e poucos anos que confirmou tudo que seu patrão havia dito ao inspetor. A Sra. Smith pagou em dinheiro. Não, ela não mencionou nada sobre planos futuros, pelo menos não na recepção. O Sr. Smith era "quieto" e "atraente". Stacey não arriscou um palpite sobre a idade dele.

— Eu gostaria de ver o quarto em que eles ficaram.

A suíte era suntuosa, até pelos padrões grandiosos do hotel. A "Sra. Smith" deve ter precisado de um carrinho de mão de dinheiro para pagar a estada de uma semana aqui. Mas Lisa Baring podia se dar a esse luxo, com o dinheiro do marido queimando em seu bolso de ladra. O inspetor Liu e seus homens fizeram uma varredura no quarto em busca de digitais, cabelo e outras provas forenses, mas dois meses e só Deus sabe quantos hóspedes depois, sem mencionar a limpeza duas vezes por dia, eles não tinham muitas esperanças.

Todas as camareiras foram interrogadas, além dos recepcionistas, funcionários do bar e do restaurante, e uma mulher chamada Liana, que trabalhava no spa em que a Sra. Smith recebeu uma massagem com pedras quentes que era a marca registrada do hotel.

— Ela parecia um pouco emotiva, para ser honesta — lembrou Liana, piscando seus pesados cílios postiços na direção do inspetor Liu e quase o asfixiando de tanto perfume CK One. — Durante o tratamento ela ficou chorosa, lembro-me disso. Mas isso é comum. *Muita* gente fica bastante relaxadas quando atingimos aqueles meridianos, entende?

— Ela disse alguma coisa sobre o que poderia estar deixando-a chateada? Qualquer informação pode nos ajudar.

Liana pensou a respeito.

— Não. Mas eu diria que era problema com homens. Eu a vi com o homem dela no saguão umas duas vezes e ele estava sempre segurando a mão dela e fazendo carinho, mas ela parecia não gostar. Ficava sempre afastando-o.

No final do dia, o inspetor Liu estava frustrado. Viera a Sydney pessoalmente porque essa pista na Austrália era a primeira prova sólida que conseguia desde a segunda tentativa de fuga da Sra. Baring, de que ela estava (a) viva e (b) livre, e não trancada na masmorra de algum estuprador, como algumas facções de coração mole pareciam acreditar. Mas a viagem havia sido um fracasso. Não descobrira nada que não conseguiria com um telefonema de dez minutos de Hong Kong.

Deixando três homens para trás, coletando evidências, Liu foi embora.

— Um dos nossos motoristas pode levá-lo ao aeroporto — disse o gerente gordo de forma magnânima. — Se vai deixar Sydney, que seja em grandes estilo.

Sentado no banco de trás estofado de uma limusine com ar-condicionado, Liu ficou refletindo sobre o fato de Lisa Baring e seu amante parecerem sempre estar um passo à frente dele. Podia apostar que *eles sim* tinham deixado Sydney em grande estilo. De repente, lhe ocorreu um pensamento. Bateu no vidro que separava o passageiro do motorista, que abaixou a divisória na mesma hora.

— Tem um botão de chamada se quiser, camarada. Está no console à sua esquerda.

Mas o inspetor Liu não estava interessado em botões e consoles.

— Quantos motoristas o hotel tem?

— Somos seis.

— E existe algum cadastro de suas viagens? Que hóspede vai para onde?

— Temos um livro, sim. Fica no escritório.

— Dê a volta.

— Mas e o seu voo? Achei que tivesse dito que o último voo para Hong Kong era...

— Dê a volta!

Stacey, que estava no escritório, ficou consternada ao ver o mal-humorado policial chinês de volta tão rápido.

— Inspetor, achei que tivesse dito que...

— Preciso do livro de registro das viagens dos motoristas — disse Liu e passou as datas para ela. — Preciso saber quem foi o chofer dos Smith para o aeroporto.

— Nem todos os nossos hóspedes usam os carros — avisou a mulher. — A maioria vai embora sozinha.

Mas Liu não estava escutando. Lá estava. *Smith, 10h20, Marco.*

— Preciso falar com Marco. Agora.

— Infelizmente, não será possível — disse Stacey, nervosa. — Marco está de licença, pois a mãe dele faleceu na semana passada.

O inspetor Liu não dava a mínima para a mãe de Marco.

— Quero o endereço dele.

MARCO BRUNELLI AINDA ESTAVA de cueca e com um pijama manchado quando o policial chinês bateu em sua porta. Na verdade, mais pareciam marteladas.

— Posso ajudá-lo, cavalheiro? — Marco engoliu em seco, nervoso, pensando no pacote de erva que estava à vista em sua mesa de cabeceira, no imposto de renda do ano anterior que não tinha conseguido pagar e em um incidente com uma dançarina de *pole dance* do Blushes que acontecera um mês antes. Não que esse último fosse culpa sua.

— Você trabalha no Hotel Huxley, como motorista?

— Isso mesmo. Estou de licença. Foi a minha mãe...

— No sábado, dia 16, de manhã, você levou um casal chamado Smith para o aeroporto. Lembra?

— Smith. — Marco franziu o cenho. — Smith, Smith. Smith. — O policial entregou uma fotografia de uma mulher muito atraente de cabelo preto. — Ah, *ela*. Lembro dela sim. E do marido. Isso mesmo, eu os levei ao aeroporto. Por quê?

— Você sabe para onde eles iam viajar?

— Engraçado — disse Marco, mais relaxado agora que sabia que era desses clientes que a polícia estava atrás, não dele. — Normalmente, os clientes conversam bastante no banco de trás do carro, principalmente os americanos. Querem contar sobre a viagem maravilhosa que tiveram. Para onde vão depois, essas coisas todas. Mas esses dois ficaram em silêncio, parecia um enterro. Não disseram uma palavra.

O inspetor Liu sentiu suas esperanças morrerem.

— Mas depois que eu os deixei, quando estava voltando para a cidade, percebi que o sujeito tinha esquecido a pasta no banco de trás. Então, claro, voltei para lá e fui procurá-los no terminal. O cara ficou tão feliz em me ver que me deu um abraço e uma gorjeta de 200 dólares. Estava em cima da hora do voo deles. É por isso que me lembro para onde eles iam.

Marco abriu um sorriso enorme. O inspetor Liu mal conseguia aguentar o suspense.

— Mumbai, Índia — anunciou o motorista, orgulhoso. — Era só isso que queria saber?

CLAUDE DEMARTIN ESTAVA TENDO uma rara tarde prazerosa no trabalho. A equipe Azrael, escondida dentro da sede da Interpol, tinha começado sua vida com um cubículo sem janelas. Mas, graças a Danny McGuire, crescera e agora parecia a alegre sala de um solteirão, com sofás macios, alvo de dardos e um frigobar cheio de todas as porcarias americanas baratas e calóricas que Claude nunca pudera comer em casa.

Ainda melhor, hoje Claude estava comandando o forte sozinho. Richard Sturi estava fora, fazendo suas projeções estatísticas em algum outro lugar, o chefe ainda estava nos Estados Unidos, e os três detetives juniores estavam em Londres, tentando o que Danny McGuire descrevera como uma "ofensiva sedutora" com a Scotland Yard para conseguir que eles compartilhassem mais informações dos arquivos do caso Piers Henley.

Até agora, após uma pequena atualização dos bancos de dados e uma ligação para o banco onde Didier Anjou tinha conta em Paris, acertando uns últimos detalhes, Claude se superara três vezes nos dardos, jogara uma rodada de World of Warcraft e comera dois sacos tamanho família de Cheetos, o que, em algumas partes da França, era oficialmente um crime. Então, o telefone tocou e ele atendeu de bom humor.

— Interpol, mesa Azrael. Como posso lhe ajudar?

— Me coloque em contato com Danny McGuire.

Claude Demartin reconheceu a voz do inspetor Liu. Sombrio como sempre, havia uma impaciência em seu tom de voz hoje — parte animação, parte raiva — que Claude nunca escutara antes.

— É urgente.

— Infelizmente, o diretor-assistente Danny McGuire não está no escritório esta semana. Está viajando. Posso ajudá-lo? Aqui é o oficial Claude Demartin.

— Não.

— Bem, talvez eu possa dar o recado. É o inspetor Liu, não é? De Hong Kong?

Liu ficou em silêncio. Não queria trocar cumprimentos com este idiota francês. Queria falar com o chefe. Por outro lado, tinha informações vitais para transmitir.

— O senhor fez algum progresso na Austrália? — pressionou Demartin. — Posso lhe garantir que assim que McGuire entrar em contato, insistirei para que procure o senhor. Mas existe alguma informação de que a equipe deva tomar conhecimento? Podemos lhe ajudar de alguma forma?

— Diga a McGuire que eles estão na Índia — disse Liu, sucintamente. — Diga que se ele quiser mais informações, que é para ele atender ao maldito telefone.

A linha ficou muda.

Índia. Demartin só conseguia pensar em como essa notícia se encaixava perfeitamente nas teorias de Sturi de onde Azrael iria atacar de novo. O alemão já era pretensioso o suficiente. Ele ficaria insuportável depois disso. Antes que conseguisse pegar o telefone para ligar para Danny McGuire, o aparelho tocou de novo.

— Azrael — disse Demartin, soando mais profissional desta vez.

— Oi, Claude, sou eu.

— Chefe. Ótima hora para ligar. Escute, Liu acabou de telefonar.

— Esqueça — disse Danny McGuire, cortando. — Preciso que você me mande por e-mail as melhores fotos que tivermos das viúvas. Só de rosto.

— Claro, farei isso. Mas, falando de Liu. Ele quer que você ligue para ele com urgência. Ele...

— Agora, Claude. Estarei esperando no meu laptop. — Danny McGuire desligou.

— Qual era o problema com esses detetives de alto escalão? Ninguém mais tinha tempo para escutar uma frase até o final?

Na cama de seu hotel em Nova York, Danny olhava para sua caixa de entrada.

Um minuto. Cinco minutos. Dez. Que inferno! Quanto tempo precisava para fazer um download e mandar algumas porcarias de uns JPEGs?

Quando, finalmente, escutou o *pin* indicando que tinha mensagem nova em sua pasta codificada Azrael, o coração de Danny acelerou, depois parou quando viu que não continha nenhum arquivo anexado.

"As fotos vão em seguida", Claude Demartin escreveu. "E, a propósito, o recado de Liu era: 'Eles estão na Índia.' Você precisa ligar para ele agora mesmo."

Índia! Essa realmente era uma boa notícia. Assim como o uso da palavra *eles*. Significava que Lisa Baring ainda estava viva e que ainda estava com... Quem? Frankie Mancini? Danny já ia ligar para Liu para saber toda a história. Assim que Claude lhe enviasse as malditas fotos.

Finalmente, depois do que pareceu uma eternidade, mas que, na realidade, foi um minuto e meio, um arquivo grande entrou na caixa de Danny. O assunto do e-mail era *VIÚVAS*.

Danny clicou para abrir com a mão trêmula.

Ali estavam elas, sorrindo para ele no decorrer dos anos, os rostos passando pela tela da esquerda para a direita em ordem cronológica.

Angela Jakes... Lady Tracey Henley... Irina Anjou... Lisa Baring.

À primeira vista, não era óbvio. Havia as diferenças superficiais: cor e cumprimento do cabelo, diferenças sutis na maquiagem e algumas das fotografias, como a de Irina, estavam tremidas e borradas. O tempo tinha jogado sua visual magia negra, colocando finas linhas por toda a pele que um dia foi lisa. O peso aumentara e diminuíra, fazendo alguns rostos parecerem esqueléticos enquanto outros pareciam cheios e resplandecentes. Então, havia os detalhes mais fundamentais. O rosto de Angela Jakes era o mais bonito dos quatro, jovem e inocente, imaculado pela passagem do tempo. Por outro lado, Tracey Henley, a ruiva, parecia mais dura e artificial. Mesmo sendo inegavelmente bonita, Danny agora viu que seu nariz era muito fino na ponta, como se ela tivesse passado por uma cirurgia plástica. Lisa Baring tinha o mesmo nariz pequeno, mas com aparência mais natural. Sua sobrancelha era mais alta e regular.

O que saltava da tela, porém, eram os olhos das quatro mulheres. Rugas e pés de galinha podiam ir e vir, maçãs do rosto, bocas e narizes podiam ser modificados por cirurgia plástica. Mas os olhos permaneciam os mesmos. Castanhos intensos, como chocolate derretido. Tristes. Oprimidos. Hipnotizantes.

A primeira vez que Danny McGuire os vira foi quando estava desamarrando Angela Jakes do cadáver do marido. Alternando entre consciência e inconsciência, Angela abrira aqueles olhos e o encarara. A vida de Danny mudou para sempre.

Anos depois, aqueles mesmos olhos seduziram Sir Piers Henley e o levaram à morte.

Hipnotizaram Didier Anjou.

Encantaram Miles Baring.

Enfeitiçaram Matt Daley.

Zombaram do inspetor Liu.

O rosto de cada uma das mulheres era diferente. Mas os olhos revelavam a verdade.

Azrael não é "ele". É "ela".

São todas a mesma mulher.

Capítulo 24

O HOMEM ACELEROU O PASSO. O beco era escuro e cheirava a temperos e fezes humanas. *Açafrão, cominho e excremento: a essência da Índia.* O homem riu de sua própria piada, mas era uma risada nervosa, a um ou dois passos da histeria.

Estava sendo seguido de novo.

Abrindo caminho entre os riquixás e as apressadas pessoas de pele marrom, ele se abaixou atrás de uma barraca de pão. Uma passagem estreita se abria através de um arco de tijolos, levando a um pátio onde fornos aqueciam os pães *naan* e *paratha*. Crianças curiosas e seminuas o cercavam, intrigadas pelo rosto estrangeiro e branco do homem. Ele as enxotou, o coração acelerado. A única forma de sair do pátio era pelo mesmo lugar por onde entrara. Se seu perseguidor o vira se escondendo atrás da barraca de pão, certamente viria pegá-lo. Pegá-lo e matá-lo. O homem não esperava misericórdia.

No início, achou que seus perseguidores fossem policiais, mas agora não pensava mais isso. As sombras se espreitando atrás dele eram muito mais sinistras. Aonde quer que ele fosse na cidade, podia sentir a presença fria e ameaçadora deles, como um fantasma maligno. Seus nervos estavam à flor da pele. Estava ficando cada vez mais difícil tomar decisões.

Desta vez, porém, parecia ter se desencontrado deles. Ninguém o seguira até o quintal do padeiro. Devia ter conseguido despistá-los. Cuidadosamente, fez o caminho de volta para o beco. Alguns quarteirões depois, saiu na estrada principal onde os riquixás ubíquos davam lugar a táxis amarelos mais modernos. *Quase como Nova York.*

Estendeu o braço.

— Taj Mahal Palace Hotel, por favor. *Jaldi karna!*

O HOMEM JÁ ESTIVERA nos bares dos hotéis mais luxuosos do mundo. O Chateau Marmont em Los Angeles, o San Pietro em Positano, o Peninsula em Hong Kong. Mas nenhum luxo, nada conseguia superar o Taj Mahal Palace Hotel em Mumbai. Uma mistura suntuosa de design mourisco, oriental e florentino, era tão luxuosa quanto uma casa longe de casa que qualquer marajá poderia desejar. O bar principal era acessado pelo saguão, um amplo espaço de piso de mármore e teto de alabastro. Um arco intricadamente esculpido segurando duas colunas de ônix levava a um bar escuro, iluminado por velas. O clima ali era mais intimista, mas tão luxuoso quanto, com sofás de veludo cor de vinho tão macios que era como se sentar em nuvens, e havia também antigos tapetes persas de todas as cores imagináveis. Por todo lado, casais bem-vestidos riam, com seus copos de cristal brilhando nas mãos enquanto bebericavam caipirinhas e Long Island Iced Teas. Realeza por um dia.

Sentou-se em seu lugar de costume no lugar mais escuro e recluso e pediu uma Coca diet e um tira-gosto de frango temperado com cominho. Não estava com fome, mas precisava comer. Tinha uma longa noite de espera e observação pela frente.

* * *

Sarah Jane Hughes não percebeu o americano se sentando à mesa do canto. Estava agitada demais para pensar em qualquer coisa que não fosse David. Ele não costumava se atrasar.

Será que ele mudou de ideia depois de todas aquelas besteiras que eu fiz?

Não sabia se a ideia de ele desistir do casamento deles a deixava assustada ou aliviada. Às vezes a pressão era insuportável.

"Meus negócios valem 1 bilhão de dólares, Sarah Jane, Ok? Você gostando ou não, essa quantidade de dinheiro traz complicações."

Complicações. Como se ela não soubesse.

Pegando um pequeno espelho preto da bolsa, Sarah Jane retocou a maquiagem e endireitou o cabelo da forma que sabia que David gostava. Alisando sua saia que ia até a altura dos joelhos, abriu o primeiro botão de sua blusa apenas para sugerir a gloriosa imagem do que havia por baixo. Como a maioria dos homens, David Ishag gostava da aparência recatada. Fazia com que ele se sentisse mais seguro. Que os prazeres do corpo de Sarah Jane fossem apenas para seus olhos. O que, claro, eram.

Até que a morte nos separe.

E lá estava ele, indo em sua direção, iluminando o salão de uma forma que só ele conseguia, uma bola de fogo humana de carisma. Tão bonito. Tão charmoso.

Não posso continuar com isso.

Ela se forçou a respirar fundo várias vezes para se acalmar.

— Querida, desculpe o atraso.

— Você está muito atrasado. — Ela deu-lhe um beijo na boca, passando a mão pelo brilhoso cabelo negro, com apenas alguns fios de cabelo branco nas têmporas. — Estava começando a me preocupar.

Olhos femininos invejosos salpicavam sobre ela. Sarah Jane as deixava cegas com seu brilhante anel de noivado de safira e diamante.

David Ishag retribuiu o beijo.

— Bobinha. Não precisa se preocupar. Nem agora, nem nunca. Agora estou aqui para cuidar de você.

O HOMEM NO CANTO tremia. Não suportava vê-los juntos, Sarah Jane e David. Era doloroso demais. Mas também não conseguia afastar o olhar.

Uma garçonete se aproximou dele.

— O senhor está bem? Deseja alguma coisa?

Minha sanidade, por favor. Se você não tiver, quero um Prozac com gelo e um pingo de cloropromazina.

— Um bourbon. Puro.

Do OUTRO LADO DO bar, outro homem também observava.

Esse homem notava tudo: a palidez da pele do estrangeiro, o tremor cruel de sua mão enquanto tomava seu drinque. Estava seguindo o homem branco havia dias e já passara a vê-lo como um velho amigo.

Coitado. O coração dele não consegue aceitar a verdade que seus olhos veem. Existe alguma loucura no mundo maior do que a loucura do amor?

O coração do homem se encheu de compaixão, com pena da alma perdida do sujeito.

Era uma pena ter de matá-lo.

Capítulo 25

— NÃO PODEMOS ESPERAR PARA depois do casamento. Isso está fora de cogitação. Precisamos agir agora.

Rajit Kapiri, um oficial sênior da agência de inteligência da Índia, cruzou os braços sobre o peito, como se para mostrar que o assunto estava encerrado. Estava sentado no escritório da Interpol de Mumbai, em frente a Danny McGuire, cuja linguagem corporal era igualmente teimosa e inflexível.

— Não podemos — repetiu Danny. — Precisamos pegar Azrael em flagrante. É a única forma de garantirmos uma condenação.

— Mas a que preço? — perguntou Kapiri. — A vida do Sr. Ishag. Desculpe, McGuire. Não vou ficar parado enquanto você brinca de roleta-russa com a vida de um dos homens mais ricos e um dos cidadãos mais proeminentes de Mumbai.

Danny McGuire engoliu sua frustração. Não podia se dar ao luxo de contrariar um oficial da inteligência. Se Kapiri fizesse alguma reclamação para os chefes de Danny na Interpol de que a equipe Azrael estava assumindo o caso sozinha e passando por cima de decisões locais, Henri Frémeaux acabaria com a força-tarefa em um estalar de dedos. Mas Danny precisava da cooperação de Rajit Kapiri por outras razões também. A agência de inteligência tinha mão de obra, sem mencionar o inestimável conhecimento local quando se tratava de reunir informações. Foram eles que forneceram à equipe Azrael uma pequena lista de alvos locais — homens muito ricos, mais velhos, solteiros que moravam em Mumbai sem vínculos familiares conhecidos. Ironicamente, David Ishag estava fora do padrão, sendo bem mais jovem do que as vítimas anteriores. Mas quando se espalhou a notícia de que o magnata dos eletrônicos estava fazendo planos para um casamento inesperado e repentino e que a noiva morava havia pouco tempo na cidade, a equipe de vigilância de McGuire ficou alerta. Não demorou muito para eles rastrearem a noiva de Ishag, uma mulher chamada Sarah Jane Hughes. Apesar do cabelo mais comprido e claro, das roupas deselegantes e da nova identidade como professora irlandesa, as fotos mostravam que Sarah Jane tinha uma inegável semelhança com Lisa Baring.

— E se ela matá-lo durante a lua de mel? — perguntou Kapiri.

— Nenhum dos ataques ocorreu durante a lua de mel. Todos aconteceram nas casas das vítimas. Território conhecido. Além disso, não vamos nos esquecer de que ela não está fazendo isso sozinha. Ela precisa do cúmplice, que não vai junto para a lua de mel.

Rajit Kapiri ainda parecia pouco à vontade. Casamento e lua de mel significavam deixar a suspeita longe do olhar e da jurisdição deles, fora de seu controle. Quatro forças policiais já tinham cometido esse erro.

Danny McGuire disse:

— Entendo sua ansiedade. Pode acreditar que também me sinto assim. Acha que não estou tentado a prendê-la agora mesmo?

— Então, por que não faz isso?

— Já lhe disse por quê. Essa é a nossa melhor chance, nossa única chance de pegá-la em flagrante, e o cúmplice também. Se agirmos agora, pegaremos a mulher, mas ele vai fugir.

O que mais perturbava Danny na operação de vigilância sobre Sarah Jane Hughes era que até agora ainda não tinham localizado um terceiro homem. Se Frankie Mancini/Lyle Renalto estava em Mumbai, estava sendo muito discreto.

— Vamos segui-los na lua de mel, cada passo. Lembre-se que temos uma rede global de agentes. É o nosso trabalho.

— Hum. — Rajit Kapiri não parecia tranquilo.

— Assim que eles voltarem para a Índia, iremos juntos procurar o Sr. Ishag e colocá-lo a par. Nada será feito sem o consentimento dele. Se ele se negar a nos ajudar, aí você pode prender Sarah Jane. Claro — acrescentou Danny —, ela ainda não teria cometido nenhum crime em solo indiano a esta altura. Pelo menos nada que você possa provar. Você teria de extraditá-la, provavelmente para Hong Kong, para que as autoridades chinesas ficassem com toda a glória. Mas seria sua escolha.

Rajit Kapiri apertou os olhos. Ele sabia que estava sendo manipulado, e não gostava disso. Por outro lado, se qualquer coisa desse errado durante a lua de mel do Sr. Ishag, tinha um relatório formal da reunião de hoje e poderia jogar a culpa diretamente na Interpol.

— Ok — disse ele. — Mas quero ser informado sobre os movimentos deles durante todo o tempo em que estiverem longe.

— E será. Tem a minha palavra. — Danny estendeu a mão por cima da mesa. De má vontade, o indiano a apertou. — Tenho mais um pedido. Nosso garoto pode sair da espreita enquanto o casal estiver viajando. Não tenho homens suficientes para vigiar a casa e o escritório de Ishag, além do apartamento e da escola de Sarah Jane 24 horas, sete dias por semana. Pode nos ajudar com isso?

O americano era muito cara de pau. Mas até Rajit Kapiri tinha de admirar a autoconfiança do homem.

— Verei o que posso fazer, diretor-assistente Danny McGuire. Concentre-se em proteger David Ishag.

A MENOS DE 8 quilômetros do prédio onde a equipe Azrael estava reunida, uma mulher observava seu corpo nu no espelho. Passou os longos dedos pelos seus membros, acariciando as cicatrizes e feridas. Elas eram a única parte de si que lhe pareciam familiares, que pareciam reais. Em seu rosto, passou o dedo pelos leves sinais da meia-idade que tinham começado a aparecer nos últimos meses: as finas linhas em volta dos olhos e lábios, as sombras roxas embaixo dos olhos, os sulcos mais pronunciados nas laterais do nariz. Tinha vontade de chorar. Não porque estava envelhecendo, mas porque aquele era o rosto de uma estranha.

Queria chorar, mas não podia, não deveria. Precisava ficar forte por sua irmã. Sua irmã precisava dela. A mulher se agarrava a essa necessidade desesperadamente, como um macaco recém-nascido agarrado à mãe. Era tudo que a mantinha viva, literalmente.

— Por que tão triste?

O homem se aproximou dela por trás, beijando seu pescoço e seus ombros. O gesto deveria ser delicado, mas não era. Era possessivo. Amedrontador. Ela estremeceu.

— Estou bem. Só um pouco cansada.

— Tente dormir, meu anjo.

Ela havia mudado tanto desde que eles se conheceram, mas ele mal havia passado por qualquer alteração, por dentro e por fora. Atrás dela no espelho, ele ainda era deslumbrante, sua beleza tão constante quanto o sol, tão inescapável como a morte. Alguns meses atrás, ela sonhara em fugir. Agora, sabia como fora tola. Agora, só se preocupava com sua irmã.

Um dia, em breve, ele prometera que sua irmã ficaria livre.

Capítulo 26

— Bom dia, Sr. Ishag. Bem-vindo de volta!

David Ishag sorriu para sua secretária.

— Obrigado, Sasha. É bom estar de volta.

Estranhamente, *era* bom estar de volta. Por mais perfeita que sua vida estivesse agora, David Ishag estava pronto para voltar para alguma espécie de normalidade.

Sua lua de mel com Sarah Jane fora totalmente mágica. Após uma cerimônia de casamento muito íntima na capela católica em Vidyanagara — apenas o padrinho de David, Kavi, e a colega de Sarah Jane, Rachel, tinham ido —, o feliz casal viajara para a Inglaterra para dar a notícia para a mãe de David, que já era velhinha, e depois saíram em um grande tour pela Europa.

— Você acha que algum dia ela vai superar isso?

Sarah Jane virou-se para David enquanto visitavam a catedral de San Marco em Veneza.

— Quem? Superar o quê? Você tem que parar de ser tão enigmática, meu amor. Às vezes, parece que me casei com as palavras cruzadas do *Times*.

— Sua mãe. Você acha que ela vai superar o fato de você ter se casado com uma mulher católica? E que está tão abaixo de você?

David parou, pegando o perfeito rosto de anjo de Sarah Jane em suas mãos.

— Abaixo de mim? Você está tão acima de mim que tenho vertigem só de olhar para você. — Ele a beijou, depois deu um passo cambaleante para trás, colocando as mãos na cabeça. — Viu? Já estou até tonto.

Sarah Jane riu.

— Bobo.

David Ishag nunca fora do tipo de fazer brincadeirinhas com as mulheres, de se fazer de bobo. Mas era bobo para sua nova esposa e queria que o mundo todo soubesse disso. Levou Sarah Jane para os melhores hotéis nas cidades mais românticas — o Georges V em Paris, o Hassler em Roma, o Dorchester em Londres, o Danieli em Veneza. Fez amor com ela em suítes em coberturas, no seu recém-reformado Learjet e no deque de seu iate, *Clotilde*, enquanto atravessavam o Mediterrâneo juntos. Mas por mais feliz que a viagem tenha sido, voltar para casa em Mumbai era igualmente especial, porque marcava o começo da verdadeira vida juntos.

David esperou que começassem a tentar engravidar logo. Sarah Jane já tinha mais de 40 anos, então não tinham tempo a perder, mas surpreendentemente, ela estava hesitante, insistindo em voltar logo ao trabalho na escola e para suas tarefas do "dia a dia". Ao mesmo tempo que David adorava o espírito independente dela e o fato de que tanta riqueza claramente não tinha virado a cabeça dela, parte dele desejava que pudesse trancá-la em seu castelo só para ele.

— Você precisa voltar para seu outro amor: o trabalho — dissera Sarah Jane. Como de costume, ela estava certa. Ao entrar no escritório da Ishag Electronics nesta manhã, David sentiu um fervor renovado e um senso de determinação. Estava com a energia de um adolescente outra vez, o que só podia significar sorte nos negócios dali para a frente.

Eu devia ter me casado anos atrás.

— Então — perguntou ele para a secretária —, o que temos na minha agenda?

Como sempre, seu dia seria cheio. Após uma hora para responder a maioria dos e-mails urgentes das mil novas mensagens que lhe esperavam em sua caixa de entrada, David teve uma reunião com a diretoria às 9 horas, uma apresentação sobre o desenvolvimento de um negócio às 10h15, almoço à 1 da tarde com o CEO da Zenon Technology, um dos clientes da Ishag; depois, de tarde, a revisão dos números de venda de um novo produto com o chefe do departamento de componentes, Johnathan Wray. Uma reunião com a diretoria no final do dia significava que teria sorte se conseguisse voltar para casa e para Sarah Jane antes das 8 da noite.

Sentando-se à sua mesa, ele ligou o computador e, na mesma hora, interfonou para Sasha de novo.

— Reserve uma mesa para dois no Jamavar às 8 e meia, hoje à noite. Algo íntimo, perto da lareira, se eles puderem.

— Sim, Sr. Ishag. A propósito, tem um cavalheiro aqui que deseja vê-lo.

— Quem?

— Ele não quis me dizer o nome e não tem hora marcada. — O tom desaprovador na voz de Sasha era gritante. — Pedi que ele fosse embora, mas se recusa. Diz que precisa falar com o senhor pessoalmente. Devo chamar a segurança?

David hesitou. *Um mistério!* Teve a sensação de que hoje seria um dia interessante. Desde que se casara com Sarah Jane — na verdade, desde que a conhecera —, sua vida tinha se tornado uma longa série de acontecimentos inesperados. Ele não tinha percebido como sua vida era chata antes.

— Não, tudo bem. Os e-mails podem esperar alguns minutos. Mande-o entrar.

Alguns minutos depois, a porta do escritório de David Ishag se abriu. Ele se levantou, com um sorriso enorme.

— Olá. Eu sou David. E você seria?

O sorriso desapareceu de seus lábios quando viu a arma.

Capítulo 27

— Quem é você? O que você quer?

O medo tomou conta do corpo de David Ishag. Um ano atrás, a ideia da morte não teria feito com que ficasse tão perturbado. Se fosse a sua hora, era a sua hora. Mas agora que tinha Sarah Jane, tudo era diferente. Só a ideia de ser afastado dela tão pouco tempo depois de terem se encontrado o enchia de terror.

Era possível ver o formato da pistola em uma protuberância no bolso interno do paletó. O homem a tocou. David fechou os olhos, preparando-se para o tiro. Em vez disso, escutou uma voz americana educada lhe perguntando:

— Está tudo bem, Sr. Ishag? Você não me parece muito bem.

David abriu os olhos. O homem estava segurando um distintivo da Interpol e uma carteira de identidade. Deviam estar no mesmo bolso da pistola.

O alívio foi tão grande que David se sentiu nauseado. Segurou-se na mesa.

— Minha Nossa! Quase tive um infarto. Por que não disse logo que era policial?

Danny McGuire ficou perplexo.

— Nem tive a oportunidade.

David afundou em sua cadeira. Pegou o copo d'água com as mãos trêmulas.

— Achei que você fosse me dar um tiro.

— As pessoas que vêm lhe visitar aqui em seu escritório costumam atirar no senhor?

— Não. Mas elas também não costumam estar armadas. Aí, no bolso do seu paletó.

— *Ahhhhh.* — Tirando a sua Glock 22 automática do coldre, Danny McGuire a colocou sobre a mesa. — Me desculpe. É um procedimento padrão. Durante a metade do tempo, eu me esqueço que estou com ela. Danny McGuire, Interpol.

Os dois apertaram as mãos.

Agora que seus batimentos cardíacos tinham voltado a algo perto do normal, David Ishag perguntou:

— Então, como posso ajudá-lo?

Danny McGuire franziu o cenho. Esta seria uma conversa difícil. Mas tinha aprendido no decorrer dos anos que quando tinha notícias ruins para dar, era melhor não ficar enrolando.

— Infelizmente, diz respeito à sua esposa.

Essas seis palavras atingiram David Ishag com mais força do que uma bala teria feito.

— Sarah Jane? — questionou ele na defensiva. — O que tem ela?

Danny McGuire respirou fundo.

— Indo direto ao assunto, Sr. Ishag, temos motivos para acreditar que ela está planejando matar o senhor.

Mesmo com sua forma mais direta e sem floreios, Danny McGuire levou mais de uma hora para colocar David Ishag a par de toda a longa e complicada história dos assassinatos Azrael. Uma hora durante a qual David escutou com atenção, buscando falhas no raciocínio de McGuire, buscando razões para *não* acreditar que essa história maluca tinha alguma coisa a ver com Sarah Jane, sua esposa, a mulher com quem acreditara que poderia realmente ser feliz.

Quando McGuire terminou, David ficou em silêncio por um longo tempo. Não podia simplesmente acreditar que seu casamento, que todo o seu relacionamento com Sarah tinha sido uma farsa, só porque um policial desconhecido disse que era. Acabou dizendo:

— Gostaria de ver as fotografias das outras mulheres.

— Claro, o senhor pode vir comigo até nossa sede para vê-las, ou posso mandá-las por e-mail.

— Digamos que esteja certo. Digamos que Sarah Jane *tenha* mentido sobre seu nome e passado.

— Isso é um fato.

— Ok. Mas isso não faz dela uma assassina, certo?

McGuire ficou com pena do sujeito. Ele não queria acreditar que a esposa era uma assassina, assim como Matt Daley não aceitava no fato de Lisa Baring ter conspirado para matar Miles; como ele próprio, Danny, não queria culpar Angela Jakes pela morte do marido tantos anos atrás. Mesmo agora, sabendo o que sabia, Danny McGuire considerava essa a parte mais difícil de aceitar. Que a Angela Jakes de que ele se lembrava, o anjo doce, generoso e inocente, nunca tinha existido. Ela era uma personagem, uma encenação, uma casca. Uma identidade assumida com um propósito — um propósito mortal —, assim como Tracey Henley também era uma encenação, e Irina Anjou e Lisa Baring, e agora Sarah Jane Ishag.

As palavras de Angela Jakes na noite do primeiro assassinato voltaram à sua cabeça:

"Eu não tenho vida."

Se, pelo menos, na época, ele tivesse percebido que ela falava sério. Angela não tinha vida. Ela não existia, nunca existira. Tanto quanto Sarah Jane.

— Isso a torna cúmplice em vários homicídios — disse Danny, diretamente. — E também faz dela uma mentirosa.

A vontade de David era de se levantar e defender a honra de Sarah Jane, mas o que poderia dizer? No mínimo, ela mentira para ele. Agarrava-se à esperança de que as fotografias que Danny McGuire lhe mandaria das outras viúvas Azrael de alguma forma a exonerassem, mas, bem no fundo, ele sabia que isso não aconteceria. A Interpol não mandaria um diretor sênior procurá-lo se tivesse apenas especulações.

Mesmo assim, tudo parecia tão absurdo, tão impossível de acreditar.

McGuire continuou:

— É claro que ela não está agindo sozinha. Como eu disse, todos os assassinatos Azrael têm um elemento sexual, com todas as "viúvas" sendo aparentemente estupradas e espancadas na cena do crime. Temos provas forenses claras de que havia um homem presente em cada homicídio. Não sabemos se os estupros foram uma distração, para nos tirar do trilho certo, ou se o sexo violento faz parte do motivo. Essa mulher, quem quer que ela seja realmente, pode fazer parte desse elemento sadomasoquista.

David gemeu. *A minha Sarah não. Ela me ama.* A dor era tão intensa que ele a sentia fisicamente, como se alguém estivesse injetando ácido em suas veias.

— Obviamente, o dinheiro não parece ser o principal motivo. Apesar de todas as quatro vítimas anteriores serem ricas, e de seus testamentos terem sido alterados em favor de suas esposas, a maior parte das heranças acabou indo para instituições de caridade que ajudam crianças. O senhor se incomodaria de me responder se Sarah Jane assinou algum tipo de acordo pré-nupcial?

David olhava pela janela, sem ver nada realmente.

— Não — disse ele, cansado. — Nenhum acordo pré-nupcial.

A voz de Sarah Jane ecoava em sua cabeça:

"Era a mesma coisa se tivesse escrito uma carta para mim dizendo 'não confio em você'."

— E o seu testamento?

David apoiou a cabeça nas mãos.

Tudo tinha começado como uma brincadeira entre eles. Uma noite em Paris, na cama da suíte real do Georges V, Sarah Jane implicara com o marido porque ele não queria fazer amor.

— Foi nisso que me menti, em um casamento com um velho? Longas noites de celibato?

— Foi o vinho que tomamos no jantar! — protestou David.

— E depois aquele Château d'Yquem de sobremesa. Estou acabado.

Sarah Jane balançou a cabeça fingindo decepção.

— Eu sabia que deveria ter me casado com um homem mais novo. Da próxima vez, vou procurar um rapaz.

— Próxima vez?

— Quando estiver vivendo como uma viúva feliz.

David riu e montou em cima dela.

— Colocarei uma cláusula no meu testamento. Qualquer sombra de um rapaz e você fica sem nenhum centavo.

Sarah Jane riu. No final, ele acabou fazendo amor com ela naquela noite com ainda mais paixão. Na manhã seguinte, pensando na brincadeira da noite anterior, ele se sentiu culpado. *Merda. Ela nem está no meu testamento. É melhor eu fazer isso antes que ela tenha outra crise dizendo que não confio nela quando se trata de dinheiro.*

No dia seguinte, ele mandou um fax para seu advogado pedindo as alterações.

Danny McGuire perguntou gentilmente.

— Ela é a única beneficiária?

David Ishag fez que sim com a cabeça. Ele parecia tão arrasado que por um terrível momento Danny McGuire achou que ele fosse se desfazer em lágrimas.

— Compreendo como isso é difícil, Sr. Ishag. Eu realmente sinto muito. — *Difícil*, era até ridículo dizer isso. David quase riu. — Mas precisamos da sua colaboração se quisermos pegar essa mulher e o homem que a ajuda. Conseguimos localizar o senhor a tempo. Mas se Sarah Jane perceber que sabemos onde ela está e fugir, a próxima vítima talvez não tenha a mesma sorte.

David Ishag fechou os olhos. Em um tom de voz monótono, sem vida, ele perguntou:

— O que você quer que eu faça?

Na rua, no calor insuportável de Mumbai, Danny pegou seu BlackBerry e mandou um e-mail particular e criptografado. Era para Rajit Kapiri, da inteligência indiana e para os seis membros da equipe Azrael, e com cópia para Henri Frémeaux em Lyon.

A mensagem era simples: "Ishag topou. Operação Azrael em ação."

Capítulo 28

— Você vai chegar tarde hoje, meu amor?

Sarah Jane Ishag debruçou-se sobre a mesa de café da manhã para beijar seu marido. David andava muito distraído ultimamente. Não faziam amor havia semanas.

Sem tirar os olhos do *Wall Street Journal*, David disse:

— O quê? Tarde? Acho que não.

Sarah Jane analisou o bonito rosto dele, emoldurado pelo grosso cabelo preto e pela pele da cor de cappuccino, como seu robe de seda La Perla. Observou os dedos dele seguindo as palavras do jornal enquanto lia o artigo. Tudo nele era tão pulsante, tão vivo. Por um momento, ela foi tomada por um pânico, mas logo se dissipou.

— Que bom. Pensei em jantarmos mais cedo. Vou preparar aquela sopa de frango que você gosta, aquela com bolinhos.

David levantou o olhar. Era desconcertante a forma como ele a encarava, como se fosse a primeira vez que a visse.

— Kneidl — disse ele simplesmente.

— Desculpe. Kneidl. — Ela corou. — Não estou indo muito bem como esposa judia, não é?

Algumas semanas antes, durante a lua de mel, David teria rido disso. Teria feito alguma piada sobre garotas católicas serem péssimas na cozinha, mas virtuosas na cama. Agora, não disse nada. Ficou ali sentado, a fitando. *Algo mudou.*

Por dentro, ela estava preocupada, mas não deixou transparecer isso em sua voz.

— Então, posso preparar o jantar para as 8? Você estará em casa?

— Claro.

David Ishag deu um beijo no rosto da esposa e foi trabalhar.

Dez minutos depois, atrás do volante de seu Range Rover Evoque, David ligou seu MP3 e escutou de novo a gravação que Danny McGuire lhe dera no dia anterior.

A voz de Sarah Jane.

"Não podemos, ainda não. Não estou pronta."

A voz de um homem, eletronicamente distorcida:

"Vamos lá, anjo. Já passamos por isso antes. Passamos por isso todas as vezes. Os deuses exigem seus sacrifícios. A hora é agora."

Sarah Jane de novo. Agora furiosa.

"É muito fácil para você falar, mas não são os deuses que têm que fazer isso, são? Sou eu que tenho que sofrer. Sempre sou eu que sofro."

"Serei gentil desta vez."

Um som sufocado, meio abafado. Uma risada? Então, a voz de Sarah Jane de novo.

"Ele é diferente dos outros. Não sei se vou conseguir."

"Diferente? Como?"

"Ele é mais jovem." Havia uma nota de desespero na voz dela, de pena até. Ao escutá-la, o coração de David se apertou. *"Ele tem muito o que viver."*

A voz distorcida pegou mais pesado.

"Sua irmã também tem muito o que viver, não tem?"

A linha ficou ruim neste ponto e o áudio se perdeu. David já escutara a gravação umas cinquenta, cem vezes, procurando desesperadamente uma interpretação diferente da óbvia: que sua esposa e um amante desconhecido estavam planejando seu assassinato. Toda vez que chegava a esse ponto, desejava que a fala seguinte fosse diferente. Rezava para ouvir a voz de Sarah Jane dizendo: *"Não, não posso fazer isso. David é meu marido e eu o amo. Me deixe em paz."* Mas, todas as vezes, o pesadelo voltava exatamente como antes.

"Tudo bem. Sexta-feira à noite."

"Eu te amo, anjo."

"Eu também."

Com a ajuda de David, Danny McGuire e sua equipe finalmente conseguiram grampear o telefone celular de Sarah Jane, assim como os dois orelhões que os homens dele tinham visto que ela usava. Ainda não tinham conseguido rastrear a identidade do homem. Obviamente, era um profissional, distorcendo a voz e usando um sofisticado software de bloqueio para que ninguém conseguisse rastrear seu número. Mas a mansão dos Ishag estava sob vigilância 24 horas. Qualquer homem não identificado que se aproximasse era fotografado e, se necessário, abordado, e uma busca era feita.

— Você está totalmente a salvo — disse Danny McGuire para David. — Se ela tentar alguma coisa, estaremos lá em um instante.

Mas David Ishag não se sentia seguro. Não apenas porque o "em um instante" da Interpol podia não ser suficiente. Poderia levar menos do que um instante para uma bala penetrar seu crânio ou uma faca de cozinha perfurar sua aorta. Mas por causa da verdadeira tragédia de tudo isso, a coisa que ele mais temia já tinha acontecido. Perdera Sarah Jane. Pior do que isso, acima de tudo, ele nunca a tivera. Sarah Jane, *sua* Sarah Jane, sequer existia.

Mesmo agora, enfrentando a maldita e esmagadora prova da culpa dela — mesmo sem as gravações, David Ishag vira as fotografias das outras viúvas que Danny McGuire lhe fornecera, e a semelhança era grande demais para ser ignorada — ele não conseguia acreditar totalmente. Sarah Jane estava tão sexy em seu robe esta manhã. Ela soara tão vulnerável quando ele não conseguiu se forçar a rir das piadas dela, nem mesmo fitá-la apropriadamente enquanto ela falava. Parte dele, uma grande parte, ainda tinha vontade de dizer para Danny McGuire e para a Interpol e para o resto do mundo para irem à merda. Levar Sarah Jane para a cama, fazer amor com ela como de costume e depois simplesmente perguntar a ela sobre o homem na gravação e sobre as mentiras que ela contara. Desafiá-la cara a cara a se explicar e dar a ele um motivo razoável.

E ela se explicaria e pediria desculpas, e David a perdoaria, e outra pessoa teria cometido esses assassinatos terríveis, não Sarah Jane, e eles viveriam felizes para sempre.

O telefone de seu carro tocou, destruindo sua fantasia.

— Então, tudo certo para hoje às 8 horas. — Danny McGuire parecia quase animado, como se estivessem falando de um jogo de futebol, e não de uma tentativa de homicídio contra a vida de David. — Nenhuma mudança de última hora. Isso é bom.

— Você escutou tudo, então? No café da manhã?

— Claramente.

David pensou: *Pelo menos as escutas estão funcionando bem.* A única coisa mais assustadora do que colocar o plano desta noite em prática era executá-lo com todos os detalhes técnicos.

Danny McGuire disse:

— Tente relaxar. Sei que não é fácil, mas você estará totalmente seguro lá. Nós lhe daremos cobertura.

— Tentarei me lembrar disso hoje à noite quando o namorado da minha esposa encostar uma faca afiada na minha jugular. — David deu uma risada vazia.

— Você está fazendo a coisa certa. Amanhã de manhã tudo isso vai ter acabado.

David Ishag desligou o telefone e engoliu em seco. Sabia que, caso se permitisse chorar, as lágrimas não parariam mais.

"Tudo isso vai ter acabado."

Não, não vai.

Para David Ishag, a dor da traição de Sarah Jane nunca acabaria. Sem ela, era como se estivesse morto.

Às 6 HORAS DA tarde, Danny McGuire sentou-se na traseira de uma van, dividindo sua atenção entre a tela à sua frente e as palavras cruzadas do *Times de Londres* de hoje em seu iPad. Foi Richard Sturi, o estatístico, que o fizera gostar de palavras cruzadas, e agora Danny estava viciado. Ajudavam a aliviar o estresse e a solidão de dirigir a Operação Azrael, ajudavam a esquecer como sentia saudades de casa e de Céline, ajudavam a bloquear o medo de como estaria seu casamento quando a operação finalmente chegasse ao fim.

As palavras cruzadas do *Times de Londres* eram as mais desafiadoras, muito superiores às do *New York Times* ou do *Le Figaro*, mas parecia que quem costumava prepará-las estava de folga hoje.

Na horizontal: *o tempo das nuvens cinzentas.*

Os anagramas continuavam facílimos. Enquanto Danny digitava a resposta, c-h-u-v-o-s-o, sua mente começou a vagar. Qual foi a última vez que pegou chuva? Mês passado? Há mais tempo? Chovia muito em Lyon. Aqui em Mumbai o sol era impiedoso, castigando a cidade úmida do amanhecer até o anoitecer.

— Senhor. — Ajay Jassal, um vigilante cedido pela da polícia indiana, bateu no ombro dele. — A van do bufê. Não é o mesmo motorista de costume.

Danny ficou alerta em um instante.

— Dê um zoom.

Jassal tinha olhos de águia. Mesmo de mais perto, era difícil distinguir os traços do motorista na tela verde. E não ajudava o fato de ele estar usando boné e estar com uma das mãos cobrindo a parte de baixo do rosto enquanto esperava o portão de serviço se abrir.

— Tem certeza de que é outro motorista?

O jovem indiano fitou Danny McGuire de forma curiosa, como se ele fosse cego.

— Sim, senhor. Olhe os braços dele. É um homem branco.

O pulso de Danny acelerou. Ajay Jassal estava certo. O braço caído pela janela do motorista era muito mais claro do que o tom de pele do porteiro acenando para ele entrar.

Era ele? O assassino?

O rosto por baixo do boné era o de Lyle Renalto, ou melhor, Frankie Mancini?

Conseguimos pegá-lo finalmente?

O portão levantou. O motorista colocou as mãos no volante, virando levemente o rosto ao fazer isso. Pela primeira vez, Danny McGuire conseguiu dar uma boa olhada no rosto dele.

— Não acredito — sussurrou ele.

— Senhor?

— Eu *não* acredito nisso.

— Você conhece aquele homem, senhor? Já o viu antes?

— Ah, sim. — Danny fez que sim. — Conheço sim.

Não era Lyle Renalto.

Capítulo 29

Dⁱᵉᴠⁱᴰ Iꜱʜᴀɢ ᴇꜱᴛᴀᴄⁱᴏɴᴏᵁ ᴇᴍ sua garagem subterrânea. O relógio no painel marcava 7h30 da noite.

Em cinco minutos, verei Sarah Jane.

Em meia hora, jantaremos juntos.

Por volta da meia-noite, ela já terá tentado me matar.

Nada disso parecia real, exceto seu nervosismo. O nó apertado em seu estômago, o suor escorrendo pelas costas. Repassou o plano mentalmente. Entraria e agiria o mais naturalmente possível enquanto Sarah Jane estivesse por perto. Jantariam. Por volta das 9 horas, já seria seguro para David ir para a cama. Em algum momento, Sarah Jane se juntaria a ele e, logo depois, presumia-se que o cúmplice misterioso dela invadiria o quarto. A tarefa de David nesse momento seria fingir um infarto, momentaneamente confundindo seus assassinos e ganhando tempo para que Danny McGuire e seus homens aparecessem e os prendessem.

Raj, manobrista de David, o cumprimentou com a calma de sempre.

— Boa noite, senhor. Como foi o dia?

Nenhum empregado sabia o que estava acontecendo, para a própria segurança deles. David confiava em Raj, mas Danny McGuire insistira no segredo total.

— Foi bom. Obrigado, Raj. A Sra. Ishag está em casa?

Por favor, diga que não. Ela saiu. Mudou de ideia. Não conseguiu levar o plano adiante.

— Ela está na sala, esperando pelo senhor.

Quando David entrou, Sarah Jane estava olhando pela janela, de costas para ele. Usava um vestido longo de jérsei vermelho com um decote nas costas, que David comprara para ela em Paris, durante a lua de mel. O cabelo estava preso no alto da cabeça, com cachos caindo. Ela estava deslumbrante.

— Você se arrumou toda.

Ela se virou e sorriu para ele timidamente.

— Pensei em fazer um esforcinho ao menos uma vez. Gostou?

A garganta de David estava seca.

— Você está linda.

Aproximando-se dele, Sarah Jane passou os braços em volta de seu pescoço.

— Obrigada. — Ela beijou-o suavemente nos lábios e David sentiu toda sua certeza enfraquecer. Tentou pensar nas fotografias das outras viúvas Azrael, nos alter egos de Sarah Jane; na voz dela na gravação da polícia, planejando a morte dele. Mas essas duas coisas pareciam um sonho, totalmente desconectadas da Sarah Jane *real*, a Sarah Jane cujos lábios macios agora pressionavam os seus.

É possível amar uma pessoa que você sabe que vai tentar matá-lo?

— Podemos comer?

NA VAN DE VIGILÂNCIA, a mente de Danny McGuire estava a mil.

O "novo" motorista de entrega não era Lyle Renalto, como ele meio esperava, meio torcia para que fosse.

O novo motorista era Matt Daley.

Os pensamentos de Danny mudavam freneticamente do passado para o presente, questionando tudo. *Será que Daley realmente podia estar envolvido? Será que ele era o cúmplice Azrael?*

Todos os seus instintos diziam que isso não era possível. Matt Daley não conhecia a mulher que agora dizia se chamar Sarah Jane Ishag até sua última encarnação como Lisa Baring. E o encontro só aconteceu *depois* da morte de Miles Baring, um crime que Matt não poderia ter cometido, pois estava em Los Angeles na época.

Mas, ainda assim...

O que Danny McGuire realmente sabia sobre Matt Daley? Apenas o que Matt decidira lhe contar. Que era um escritor de Los Angeles, que tinha uma irmã chamada Claire e uma ex-esposa chamada Raquel e que era filho biológico de Andrew Jakes. A irmã era bem verdadeira. Danny a conhecera. Quanto ao resto da história, Danny assumira como verdade. Mas e se fosse tudo mentira?

Repetindo para si mesmo que precisava se acalmar, Danny tentou analisar as coisas racionalmente.

Digamos que o que ele me contou seja verdade. Digamos que ele realmente seja filho de Andrew.

Segundo Daley, Jakes abandonara a mãe dele, ele e a irmã, aparentemente deixando-os sem um centavo. Isso seria motivo o bastante para um assassinato? *Claro.* Matt devia ter 20 e poucos anos quando Jakes foi assassinado, idade mais do que suficiente para planejar e cometer um homicídio. *E se ele não conheceu Azrael como Lisa Baring? E se ele já a conhecesse como Angela Jakes, segunda esposa de seu pai? E depois como Tracey Henley e Irina Anjou, e agora como Sarah Jane Ishag?*

Mas se esse fosse o caso, onde Lyle/Frankie se encaixava nessa história toda? E por que, ainda mais importante, Matt Daley fora até Lyon encontrar Danny McGuire? E mostrar os elos entre os vários assassinatos Azrael e convencê-lo a reabrir o caso? Certamente, se Matt estivesse envolvido nos crimes, isso não fazia o menor sentido.

A não ser que ele quisesse ser pego.

Essa não era a clássica mentalidade de um psicopata? Que não tinha por que cometer o crime perfeito se o mundo nunca soubesse como ele era brilhante? Danny pensou em Matt Daley, primeiro em Los Angeles, depois em Londres e no sul da França, esperando pelas sirenes da polícia, pelo reconhecimento, pela batida na porta que nunca veio. Talvez o anonimato tenha sido pesado demais para ele?

— Câmera três, senhor! — A voz de Ajay Jassal despertou Danny para a realidade. — Daley está saindo.

— *Saindo?*

Agora Danny estava ainda mais confuso. O ataque a Ishag não deveria ser esta noite? Se fosse, por que diabos Matt Daley estava saindo, e em alta velocidade? A van devia estar a quase 100 quilômetros por hora.

Olhou para o relógio. Cinco para as oito. O jantar levaria pelo menos uma hora. David não devia ir para a cama antes das 9.

— Onde Ishag está agora?

— Ainda está na sala de estar, senhor. O áudio está captando a voz dele perfeitamente. Ele está bem.

Danny McGuire tomou uma decisão em uma fração de segundo.

— Ok. Siga Daley. Siga a van.

Ajay Jassal hesitou.

— Tem certeza, senhor? E se alguma coisa inesperada acontecer na casa e nós não voltarmos a tempo?

— Voltaremos a tempo. Quero saber para onde aquele cretino está indo com tanta pressa. — Danny pegou o walkie-talkie para falar com os homens que estavam no segundo veículo de vigilância, parados em frente ao portão principal da mansão. — Eu e Jassal estamos indo atrás de um possível suspeito. Mantenham contato, nos avisem se precisarem entrar antes, ou se qualquer coisa acontecer.

— Sim, senhor.

Danny virou-se para Ajay Jassal.

— O que você está esperando, cara? — gritou ele. — Dirija.

ENCOLHIDO COMO UMA CASCAVEL no closet da suíte principal de David Ishag, o homem pressionou o cano de sua pistola no próprio rosto, fechando os olhos como se estivesse abraçando uma amante. Aos seus pés, a lâmina da faca de caça de 15 centímetros brilhava no escuro.

Era desconfortável ficar agachado em seu esconderijo, mas a dor em suas coxas era um preço baixo a pagar por sua vingança.

Em apenas uma horinha, tudo estaria acabado.

— QUE TAL A sopa?

— Muito boa. Obrigada.

— Eu mesma preparei.

É sério isso? Estamos batendo papo? David raspou o que sobrava de seu Kneidl do fundo do prato. Passara o dia preocupado, achando que estaria nervoso demais para comer. Danny McGuire enfatizara a importância de agir naturalmente quando Sarah Jane estivesse por perto, mas e se David não conseguisse? E se passasse mal, ou desmaiasse ou, sem querer soltasse *Por que você está tentando me matar?* durante a sobremesa. Mas, para sua surpresa, estava faminto para a última refeição de um condenado. E a sopa *estava* boa.

— O que é tão engraçado? — perguntou Sarah Jane. David percebeu, tarde demais, que estava rindo como um idiota, perdido nos próprios pensamentos.

— Nada. — Tentou deixar sua expressão neutra. — O que temos para sobremesa? — *Morte ao chocolate?*

— Sorvete. Tem certeza de que está bem, David?

Isso não era bom. Agora, estava visivelmente gargalhando, incapaz de impedir que as lágrimas escorressem pelo rosto. Não se sentia assim desde sua breve fase como maconheiro em Oxford. *Devo estar ficando histérico.*

— Quer subir e se deitar um pouco?

Subir. A palavra o deixou sóbrio no mesmo instante, como um copo d'água gelada na cara.

Então, ela já quer fazer agora, não é? Acabar com tudo logo? Por que não?

O plano original era esperar até depois do jantar e só então subir, por volta das 9h15. Mas se Sarah Jane estava pronta agora, então ele também estava. Pensou na equipe da SWAT cercando a propriedade e se lembrou das palavras de Danny McGuire esta manhã. *"Você estará totalmente seguro. Se ela tentar qualquer coisa, estaremos lá em um instante."*

Ele virou-se para Sarah Jane.

— Acho que vou subir sim, se você não se importar. De repente, não estou me sentindo muito bem.

A VAN DO BUFÊ serpenteava pelas avenidas de Marathi, tão rápida e ligeira quanto um rato. Ajay Jassal seguia, esforçando-se para manter o controle do grande veículo enquanto o usualmente moderado Danny McGuire gritava:

— Acelere! Não o perca de vista!

Jassal conhecia bem as ruas. Mas vans de vigilância não tinham sido feitas para perseguições em alta velocidade. Eram feitas para ficar estacionadas durante longas e cansativas horas e se misturar com o ambiente. Para Jassal, era uma façanha não ter perdido de vista o veículo menor, pulando sobre os paralelepípedos e mal conseguindo virar as esquinas, geralmente em ruas sem iluminação. Só Deus sabia o que essa viagem estava fazendo com o caro equipamento audiovisual.

A van do bufê estava forçando-a a fazer um tour pela parte sul de Mumbai, em sua maior parte formada por vizinhanças residenciais da alta sociedade: Walkeshwar Road, Peddar Road, Breach Candy, todas famosas por sua arquitetura britânica. O motorista estava evitando as ruas comerciais, tais como Cuffe Parade ou Carmichael Road, preferindo mergulhar nas ruas mais calmas. Ele certamente percebeu que estava sendo seguido.

Após vinte minutos, a maior parte deles gastos andando em círculos, a van seguiu para o norte na direção do estádio de críquete Wankhede. Conforme foram se aproximando, as ruas foram se enchendo de multidões de jovens. As fortes luzes do estádio podiam ser vistas a quilômetros de distância.

— Deve ter algum jogo esta noite — disse Ajay Jassal. — Acho difícil que a gente consiga chegar mais perto de carro.

Danny McGuire mal conseguia ver a van através da massa de corpos. Matt Daley estava tentando fugir? Danny olhou para o relógio. *Oito e quarenta e cinco.* Logo o jantar de David Ishag acabaria. Precisavam voltar para a casa.

Sem pensar, Danny McGuire abriu a porta e começou a abrir caminho pela multidão, gritando *Polícia* e agarrando camisas e casacos de forma indiscriminada enquanto literalmente empurrava pessoas de seu caminho.

Em poucos segundos, chegou à van de Matt. Também estava vazia, abandonada a alguns metros dos portões do estádio.

Desesperado, McGuire olhou à sua volta, procurando entre os jovens o cabelo louro de Matt, que se destacaria na multidão. *Nada.*

Então, de repente, o viu, bem na entrada do estádio, a uns 20 metros dele. Quando Danny chegasse lá, Matt já teria entrado no estádio e sumido no meio da multidão. Teria desaparecido. Indistintamente, os dedos de Danny envolveram sua arma, mas ele sabia que não podia usá-la. Se desse um tiro aqui, daria início a uma confusão. Quando o desespero estava começando a tomar conta de Danny, ele viu Ajay Jassal passar correndo por ele, abrindo caminho pela multidão como Moisés no Mar Vermelho, suas longas pernas tocando o chão como as de um leopardo. Houve um grito e um tumulto. Danny forçou seu caminho à frente, exibindo seu distintivo da Interpol como se mostrando alho para um vampiro.

Jassal pegara Daley, jogando-o no chão e prendendo-o.

— Peguei o suspeito, senhor — disse ele, sem fôlego.

Danny McGuire apareceu atrás dele.

— Bom trabalho, Jassal. Matt Daley, você está preso por suspeita de tentativa de... — Ele parou no meio da frase.

O homem no chão virou-se para encará-lo. O rosto estava bem machucado, e os olhos castanhos estavam arregalados mostrando confusão e pânico.

Ele era tão indiano quanto o Taj Mahal.

DAVID ISHAG OLHOU-SE NO espelho do banheiro, segurando-se no balcão de mármore.

É isso. A qualquer momento ela vai deixá-lo entrar.

Meu assassino.

Jogou água gelada no rosto, na esperança de refrear a tontura. *Lembre-se do que Danny McGuire disse. Ele está lá fora. Só preciso me jogar no chão fingindo dores no peito no momento em que o cara entrar. Fácil.*

— David? Querido? — Sarah Jane estava na porta, agitada. — Você está bem? Quer que eu chame um médico?

Agitada? Que estranho. Por que ela está agitada?

Manchas começaram a aparecer na visão de David.

— Eu... Eu não estou me sentindo bem. — Agora tudo estava balançando, como um barco em águas turbulentas. De repente, ele se sentiu muito mal. Não precisava fingir um desmaio. A esta altura, estava a ponto de desmaiar de verdade.

De repente, percebeu.

"Gostou da sopa? Eu mesma preparei."

Ela me envenenou! A vadia colocou alguma coisa na minha sopa!

Ele tentou olhar para Sarah Jane, mas havia pelo menos seis versões idênticas dela se debruçando sobre ele enquanto David caía no chão, apertando o estômago com as mãos.

— Por quê...? — perguntou ele, sem conseguir respirar. — Por que está fazendo isso?

Os olhos dela se encheram de lágrimas.

— Está tudo bem. Não entre em pânico. Vou chamar uma ambulância.

A preocupação na voz dela parecia tão *real*. Mas não podia deixar-se enganar por isso, não podia cair nessa. Precisava ficar acordado, se manter concentrado. Havia microfones espalhados por todo o quarto. Precisava ir para lá para que a equipe da SWAT lá fora soubesse o que estava acontecendo. Com toda a força que ainda lhe restava, ele gritou:

— Cama!

Podia sentir os músculos de sua garganta inchando, sua respiração ficando cada vez mais difícil. Logo não conseguiria nem mais falar.

— Preciso deitar. Por favor.

— Claro, querido, claro. — Sarah Jane o ajudou a ir até o quarto, com uma expressão de profunda preocupação no rosto. *Por que ela continua fingindo?*, pensou David. *Não faz sentido.* Caindo na cama, ele agarrou sua gravata. Precisava afrouxá-la! Não estava conseguindo respirar! Acenou freneticamente para Sarah Jane ajudá-lo, mas ela estava de costas, indo na direção do telefone.

— Vou ligar para a emergência. Calma, David. A ambulância está a caminho.

De volta à van de vigilância, Danny McGuire apertou o cinto de segurança e se segurou. Jassal estava dirigindo na estrada agora vazia, a sirene soando. Deviam estar, no mínimo, a uns 150 por hora.

Danny olhou para o relógio: nove horas. Sentia-se um total idiota.

É claro que Matt Daley ainda estava na casa de David Ishag. Ele sabia o tempo todo que Danny estava lá e o atraiu para longe, usando a isca clássica.

Será que já tinham feito? Será que ele e Sarah Jane — Azrael — já tinham matado David Ishag?

No banco ao lado de Danny, um engenheiro de som se esforçava para fazer o complexo equipamento de rádio funcionar. Precisavam entrar em contato com os outros membros da equipe, entrar na casa antes que fosse tarde demais.

Danny gritou com ele, tentando falar mais alto do que as sirenes.

— Algum sinal?

O homem balançou a cabeça negativamente.

— Estamos na área de cobertura, mas não consigo sinal.

As luzes de Marathi piscavam à distância. Logo, conseguiriam ver a mansão de Ishag.

— Continue tentando.

Sarah Jane desligou o telefone.

— Eles estão a caminho.

David perdia e retomava a consciência. *O que eu deveria fazer? Simular dores no peito?* Era tão difícil diferenciar o que era real do que não era. Sarah estava mesmo segurando a mão dele? Acariciando a sua testa? Ou isso era um sonho? Ela parecia tão carinhosa... Mas não estava planejando matá-lo?

Fechou os olhos de novo.

Quando os abriu novamente, havia um homem parado ao lado da cama. Estava usando máscara e vestia preto dos pés à cabeça, como o ceifador sinistro. Na mão dele, brilhando prateada em contraste com o tecido preto das calças, havia uma faca.

David pensou em gritar, mas sua laringe parecia ter se fechado, mas, de qualquer forma, não estava com tanto medo quanto achou que ficaria. Estava apenas muito, muito cansado. *Provavelmente estou sonhando. Ele vai desaparecer a qualquer momento.*

Fechou os olhos e apagou.

— Consegui pegá-los, senhor! Vozes. Na suíte principal.

Danny McGuire deu um soco no ar, aliviado.

— E os outros?

— Sim, senhor, temos contato.

— Demartin, Kapiri, estão escutando?

A voz furiosa do policial indiano foi a primeira a ser escutada.

— McGuire? Onde você se enfiou?

— Não importa. Entrem na casa, agora! Eles estão na suíte principal. Tirem Ishag de lá. — Desligando, Danny virou-se para o engenheiro de som. — Está escutando Ishag? Ele está vivo?

O engenheiro de som apertou os fones no ouvido, fechando os olhos para se concentrar.

— Não tenho certeza. Só estou escutando a mulher. Ela...

De repente, o homem arrancou os fones do ouvido. Danny McGuire não precisou perguntar por quê.

Todo mundo na van escutou o grito de Sarah Jane Ishag.

No quarto de David Ishag, o homem de preto tirou a máscara e sorriu.

— Qual é o problema, anjo? Estava esperando outra pessoa?

Capítulo 30

De seu esconderijo, ele conseguia vê-los perfeitamente. O homem de preto e a mulher que agora se chamava Sarah Jane Ishag.

Ela podia dizer o nome que quisesse. *Ele* sabia quem ela era. E *de quem* ela era. Era dele. Seu amor. Sua mulher.

A vontade de pular naquele exato momento e agarrá-la era quase irresistível. Mas esperara tempo demais para isso, investira tempo e esforços demais. Tinha de ver como a cena iria se desenrolar.

O homem de preto apontava para David Ishag.

— Ele está morto?

David estava deitado de costas na cama, imóvel como pedra. Sarah Jane se debruçou sobre ele.

— Não, ele ainda está respirando.

— Não esperava que fôssemos derrubá-lo tão rápido. Você deve ter colocado muito.

— Não me culpe! — Ela estava furiosa. — Segui as suas instruções ao pé da letra. Eu disse que não deveríamos drogá-lo primeiro. E se ele tivesse um infarto? E se a polícia encontrar a droga no corpo dele?

— Cala a boca. — O homem de preto deu um soco no rosto dela.

De seu esconderijo no closet, ele escutou o som repugnante da maçã do rosto de Sarah Jane se quebrando enquanto ela caía no chão, chorando. Observou o homem de preto puxá-la pelo cabelo.

— Quem é *você* para *me* dizer o que devemos ou não fazer? Você não é ninguém. Diga isso. DIGA!

— Eu não sou ninguém! — disse Sarah Jane, soluçando.

— Você não tem vida.

Agora, a voz dela mal era um sussurro.

— Eu não tenho vida.

Escutá-la repetir as palavras pareceu acalmar um pouco o homem. Ele soltou o cabelo dela.

— Nós tínhamos que drogá-lo, ou ele revidaria. Os outros eram todos velhos demais para se defender. — Ele levantou a faca até a luz e apontando com desprezo para David, disse: — Depois acabamos com você. Primeiro, é a sua vez.

Sarah Jane recuou, engatinhando pelo chão do quarto como um caranguejo assustado.

— Não! Por favor. Você não precisa fazer isso!

— Claro que preciso! Todas as outras foram castigadas, não foram? Angela, Tracey, Irina, Lisa. Por que a pequena cúmplice Sarah Jane deveria sair livre?

— Por favor — implorou Sarah Jane. O terror em sua voz era inconfundível. — Fiz tudo que você pediu... Você disse que não me machucaria.

Mas o homem de preto parecia não se sensibilizar pelas palavras e lágrimas dela. Ele não era um homem. Era um animal. Soltando um som feroz, ele se jogou em cima de Sarah Jane, prendendo-a no chão. Uma das mãos rasgava a pele da mulher, enquanto a outra pressionava a faca na garganta dela. Instintivamente, ela lutava, balançando as pernas no ar em vão, sob o peso dele. Ele estava levantando o vestido dela, forçando suas pernas a abrirem com o joelho.

O homem no closet não podia mais esperar. Num rompante, ele entrou no quarto e se jogou em cima do homem de preto, dando repetidas coronhadas com sua arma na cabeça do atacante. Sangue jorrou para todos os lados, quente, pegajoso e vital. Em segundos, a mão do animal que machucava as pernas de Sarah Jane caiu, flácida.

Sarah Jane fechou os olhos com força, não ousava nem respirar. *Tinha realmente acabado? Ele estava mesmo morto?* Depois, só sentiu o peso morto sendo arrastado de cima dela. Alguém, seu salvador, rolou o corpo do homem de preto, deixando-o cair no chão com um estrondo surdo, como um saco de areia.

Seria David, pobre David, que acordara do efeito do narcótico, num último gesto leal e protetor?

Ou será que a polícia finalmente tinha descoberto e vindo prendê-los para colocar um fim a esses anos de loucura? Salvá-la. E salvar sua irmã. Fazer aquilo parar.

Ela se virou e encontrou um rosto familiar e apaixonado.

— Está tudo bem, Lisa — sussurrou Matt Daley. — Está tudo bem, meu amor. Você está a salvo agora.

MATT TOCOU O ROSTO dela, contornando-o com o dedo, amando cada detalhe. A bochecha direita dela estava inchada como uma ameixa muito madura onde o cretino a machucara. Ele nunca mais a machucaria.

— Lisa... — Matt Daley começou a chorar. — Minha pobre Lisa.

Ela abriu a boca para falar alguma coisa, mas o tiro foi tão alto que abafou a resposta dela. Por um segundo, o rosto de Matt Daley registrou alguma coisa. Não era dor. Parecia mais surpresa.

Então, o mundo dele ficou preto.

Capítulo 31

Rajit Kapiri estava na casa. Segundos depois, Claude Demartin e sua equipe de três homens se juntaram a ele, seguidos por um Danny McGuire sem fôlego.

— Onde estão os empregados? — perguntou Danny.

— Na cozinha — respondeu Kapiri. — Tem seis homens meus armados com eles. Já bloquearam as portas.

— Ótimo. Você e Demartin vão pela escadaria principal. Eu subirei pelas escadas de serviço.

— Dois dos meus homens podem subir com você para lhe dar cobertura — sugeriu Kapiri. Era uma afirmação, não uma pergunta, mas Danny não fez objeção. Não tinham tempo para um embate de autoridades, não agora.

Um tiro ecoou.

Os três homens se olharam, depois correram para as escadas.

— Como você pôde?

— Como *eu* pude? — O homem de preto colocou a mão no ferimento em sua cabeça. Ainda estava tonto, como se fosse desmaiar a qualquer momento. — Ele achou que eu tivesse morrido, Sofia, caso você não tenha percebido.

Os olhos de Sofia Basta se encheram de lágrimas.

— Ele estava me protegendo! Meu Deus, Frankie! Você não precisava matá-lo!

Frankie Mancini franziu a testa. Tinha sido uma pena precisar atirar em Matt Daley. Afinal, o sujeito era filho de Andrew Jakes. Tecnicamente, isso o tornava uma das crianças. Uma das vítimas que Frankie dedicara sua vida para vingar. Era uma pena maior ainda o fato de o silenciador de sua arma não ter funcionado. Algum empregado podia entrar a qualquer momento. A polícia podia já estar a caminho. Não tinham muito tempo.

— Tranque a porta — mandou ele. Mas Sofia ficou ali parada, vendo o sangue de Matt escorrer pelo tapete. — Pelo amor de Deus, Sofia — exclamou Frankie, na defensiva. — Tentei de tudo para ele ir embora de Mumbai. Fiz o que pude. Ele não devia estar aqui.

— Ele veio atrás de mim. Porque me amava — disse Sofia, soluçando. — Ele me amava e eu o amava.

— Amava você? — Frankie Mancini zombou cruelmente. — Minha menina, ele nem sabia quem você era. Ele amava Lisa Baring. E quem é ela? Ninguém, uma personagem que *eu* inventei, um pedaço da minha imaginação. Se Matt Daley amava alguém, era a mim, e não você. Agora, tranque a maldita porta.

Sofia Basta fez o que ele mandou. Viu a loucura nos olhos de Frankie. *Coitado do Matt! Por que ele veio atrás de mim? Por que não fugiu, se libertou quando teve a chance?*

— Ele não merecia morrer, Frankie.

— Fica quieta! — gritou Mancini, sacudindo a pistola de forma ameaçadora. — *Eu* decido quem vive e quem morre! *Eu* tenho o poder! Você é minha esposa. Você fará o que eu mandar ou, juro pela minha vida, Sofia, sua irmã será a próxima. Entendeu?

Sofia fez que sim. Ela entendia. Medo e obediência eram tudo que ela entendia. Tudo que ela já tinha conhecido. Por alguns poucos e felizes meses de sua vida, como Lisa Baring, em Bali com Matt Daley, tivera uma amostra de outro caminho, de outra vida. Mas não era para ser.

— POLÍCIA! — A voz de Danny McGuire soou como uma sirene. Passos podiam ser ouvidos atrás dele nas escadas. Uma segunda salvação.

Macini arregalou os olhos em pânico. Entregou a faca a Sofia.

— Faça!

— Fazer o quê? Ah, não. Frankie, não.

Os olhos dela seguiram os dele até a cama. Com todo o drama com Matt, ela se esquecera por um momento que David Ishag estava no quarto, mas agora podia vê-lo se mexer, os efeitos da droga que dera a ele mais cedo começando a passar.

— É o fim, meu anjo. Nosso último assassinato. O sacrifício que valerá a vida da sua irmã.

— POLÍCIA! — Punhos batiam na porta.

— É certo que o sacrifício seja seu. Faça.

— Frankie, eu não posso.

— Faça! — Mancini estava gritando, uivando como um cachorro louco. — Corte a garganta dele ou atiro em vocês dois. FAÇA!

Imagens passaram pela mente de Sofia, como um filme, uma a uma.

Lendo "O Livro" com Frankie no orfanato. Como ele era lindo naquela época, como era gentil. *Você é uma princesa, Sofia. As outras morrem de inveja.*

Andrew Jakes, o primeiro assassinato, com sangue jorrando do pescoço dele como água grossa e vermelha jorrando de uma fonte.

Piers Henley, o engraçado e racional Piers, que lutara até levar um tiro na cabeça, espalhando seu brilhante cérebro pelas paredes do quarto.

Didier Anjou implorando pela vida enquanto a lâmina penetrava em sua pele repetidas vezes.

Miles Baring. Caindo no mesmo instante em que a faca atingiu seu coração.

Matt Daley, o único verdadeiro inocente entre eles. Matt que a amara, que lhe dera esperança. Matt que estava deitado aos seus pés, morto e gelado.

Pensou na vida. Sua irmã, sangue de seu sangue, em algum lugar. David Ishag tentando recobrar os sentidos na cama.

— CORTE A GARGANTA DELE! — A voz de Frankie, excitada como sempre ficava com sangue, morte e vingança.

— POLÍCIA! — Golpes de marreta atingiram a porta, abrindo sulcos na madeira.

— Não posso — disse Sofia, calmamente, bloqueando os pensamentos para o tumulto e para os barulhos à sua volta enquanto deixava a faca cair aos seus pés. — Atire se você quiser, Frankie. Mas eu não posso fazer isso. De novo não.

Finalmente, a porta cedeu. Homens armados invadiram o quarto.

— Polícia! Mãos ao alto!

David Ishag abriu os olhos a tempo de ver Danny McGuire, arma em punho, arfando na porta.

— Vocês demoraram muito — murmurou ele, fraco.

Então, alguém disparou um tiro.

E tudo estava acabado.

PARTE IV

Capítulo 32

UM ANO DEPOIS...

ERA COMUM ENCONTRAR o juiz da Suprema Corte do Condado de Los Angeles, Federico Muñoz, em casos de homicídios famosos. Dois anos antes, nesta mesma sala de tribunal, 306, terceiro andar do Tribunal de Beverly Hills, um júri considerara culpada uma aclamada atriz por matar seu marido violento após anos de abuso. O juiz Muñoz mandara a atriz para o corredor da morte, para o desespero dos fãs, da família e de muitos jornalistas pelo país. Pouco depois, o juiz recebeu a primeira das muitas ameaças de morte que continuariam a ser feitas de tempos em tempos até o final de sua vida.

Ele achou ótimo.

Ameaças de morte eram o que permitiam que o juiz Federico Muñoz requeresse permanente segurança para escoltá-lo do trabalho para casa e vice-versa. Chegar todos os dias ao imponente tribunal com colunas brancas em Burton Way, 9355, cercado por uma falange de guardas armados, fazia com que o juiz Muñoz se sentisse extraordinariamente importante, assim como o contínuo interesse da imprensa em sua vida. Publicamente, claro, ele denunciava esse interesse como lascivo e cruel, tendo um ressentimento particular pelo *L.A. Times,* que o chamava de "Juiz do Terror". Em particular, porém, ele amava cada minuto disso. O juiz Federico Muñoz já era famoso em Los Angeles. Agora, graças ao julgamento Azrael, ele estava se tornando famoso no mundo todo.

O julgamento, que já estava acontecendo havia duas semanas — a promotoria levou esse tempo para apresentar o caso, tão grande era a montanha de provas à sua disposição —, não podia ser mais sensacional. Quatro homens ricos brutalmente assassinados em circunstâncias ensaiadas e planejadas em vários lugares do mundo. Os acusados, um casal com 40 e poucos anos, ambos abençoados com a beleza de estrelas de cinema, foram pegos na tentativa de cometer o quinto assassinato. Todas as vítimas eram homens velhos, atraídos para o casamento pela ré, conhecida pela mídia como "Anjo da Morte". E essa mulher também se submeteu a ataques sexuais violentos e sádicos durante cada assassinato, cometidos pelo réu. Por livre e espontânea vontade, segundo acreditava a promotoria.

Nenhuma das partes negou os assassinatos, mas ambas alegavam coação, identificando o outro como o cabeça dos crimes. Acrescente ao perfeito enredo de novela o fator que motivava Robin Hood — os milhões de todas as vítimas foram doados para instituições de caridades que ajudam crianças —, e os tabloides não podiam querer mais nada.

Mas tinha mais. Havia a ré, que tivera sucesso em assumir uma nova identidade toda vez que queria atrair uma próxima vítima para os laços do matrimônio e que, aparentemente, passara por várias cirurgias plásticas na última década, continuando linda mesmo assim. Sentada, assistindo passivamente enquanto a promotoria apresentava todas as provas, chorando apenas quando eram mostradas as fotos dos corpos torturados de seus maridos ou de seus próprios ferimentos para os jurados, a mulher sentada no extremo de uma mesa na sala do tribunal 306 parecia tão pura e imaculada quanto um bebê recém-nascido, e tão radiante quanto um anjo. A imprensa não se cansava dela.

Do outro lado da mesa, estava sentado o outro réu, Frances Mancini. O casal se conhecera quando ambos, órfãos, moravam em uma instituição para adolescentes na cidade de Nova York. Mancini não tinha o brilho da esposa, a aura de serenidade e bondade que parecia emanar da pessoa dela como luz, apesar dos terríveis crimes que ela confessara ter cometido. Entretanto, ele era um homem atraente, com o cabelo escuro, maxilar forte e régio, e traços arrogantes. Mancini levara um tiro ao resistir à prisão na Índia e ainda tinha dificuldades em se levantar e sentar, fazendo careta toda vez que se mexia. Quando estava sentado, porém, os lábios de Mancini apresentavam um permanente sorriso jocoso, como se todo o espetáculo do sistema de justiça americano tivesse sido inventado para diverti-lo. Nem ele nem a esposa fizeram objeção ao serem extraditados para os Estados Unidos, apesar do fato de que na Inglaterra e na França, onde também poderiam ser julgados, não houvesse pena de morte. Aqui na Califórnia, ambos os réus lutavam por suas vidas, em frente a um júri hostil e o mais duro juiz do sistema judiciário de Los Angeles. Ainda assim, Frankie Mancini parecia ver os procedimentos legais como uma peça de teatro ou um melodrama no qual o destino generosamente o colocara para assistir da primeira fila.

Talvez isso tivesse alguma coisa a ver com o promotor. William Boyce. Um homem alto, forte, com 50 e poucos anos, cabelo grisalho e bem cortado e com um fraco por ternos cinza e baratos. Boyce, conhecido por suas apresentações equilibradas e calculadas, era a antítese do advogado esquentado que se podia esperar em um caso como esse. Com ele, podia-se dizer que o caso estava em boas mãos: competente, profissional e dolorosamente comum, a tal ponto que as pessoas costumavam dizer que a característica mais marcante em William Boyce era não ter características marcantes. Por que o Estado havia escolhido Boyce como promotor de um caso desses era um mistério quase tão poderoso quanto os próprios homicídios. Talvez os poderes que tomaram tal decisão, frente a provas tão fortes, acreditavam que até um macaco conseguiria condenar ambos os assassinos Azrael à pena de morte... E, William Boyce era o mais perto que podia se encontrar de um macaco.

De qualquer forma, era um feito e tanto conseguir deixar os jurados entediados em um caso tão sensacional como esse, mas, nas duas últimas semanas, foi exatamente o que William Boyce conseguiu fazer, recitando os fatos dos quatro assassinatos em um tom de voz tão monótono que praticamente embotava todo o impacto emocional. Ele passara um dia inteiro relatando o complexo acordo internacional em que as autoridades da Inglaterra, da França e de Hong Kong consentiam que as provas fossem apresentadas conjuntamente em um julgamento na Califórnia. Suas testemunhas deram um pouco de vida ao julgamento. A empregada espanhola de Andrew Jakes, em particular, soluçou durante todo o seu terrível testemunho, aparecendo na primeira página de todos os tabloides no dia seguinte. Levando tudo isso em consideração, o juiz Muñoz conseguia entender como a promotoria tinha conquistado o desprezo de Frankie Mancini. Assim como todo mundo no tribunal 306, e todos aqueles que acompanhavam o julgamento ao redor do mundo, ele estava ansioso para escutar o caso da defesa. E hoje, finalmente, esse dia tinha chegado.

Como cada um dos réus alegava ter sido coagido pelo outro, eles escolheram ser representados por advogados diferentes. O advogado de Frankie, Alvin Dubray, era um homem baixo e gordo que usava uma camisa permanentemente amarrotada e tinha cabelo de cientista maluco. Dubray chegava ao tribunal deixando cair papéis de uma pilha embaixo de seu braço, parecendo para o mundo inteiro um vovô que se perdeu a caminho da biblioteca. Na realidade, o juiz Muñoz sabia bem que o homem tinha uma mente perspicaz e uma memória privilegiada, a ponto de não precisar fazer qualquer tipo de anotação. Mas a interpretação do velho palhaço tinha sido proveitosa para ele em júris nos últimos vinte anos, e ele não a abandonaria agora. Com um cliente tão frio e antipático como Frankie Mancini, Alvin Dubray teria de se esforçar muito para conseguir alguma coisa.

Nesse aspecto, a advogado do "Anjo da Morte" tinha uma tarefa mais fácil. Ellen Watts era jovem e tinha pouca experiência. Este era o segundo julgamento de assassinato em que atuava. Mas já havia feito seu nome no circuito da Suprema Corte como uma profissional talentosa e perspicaz, manipulando provas com a maestria e facilidade de um oleiro moldando argila. Com o cabelo louro cacheado e traços de elfa, Ellen Watts era normalmente considerada uma beldade. Ao lado de sua cliente, porém, ela se apagava como o flash de uma câmera ao ser apontado para o sol.

— Todos de pé.

Pelas duas últimas semanas, o juiz Muñoz tinha banido a imprensa do tribunal. (Não seria bom parecer fominha de câmera, e William Boyce era tão chato que qualquer um desligaria a TV.) Hoje, porém, ele tinha cedido, permitido que um seleto grupo de repórteres ocupasse alguns lugares da galeria. As câmeras, como os olhos de todos os outros na sala, iam dos réus para os três homens, sentados lado a lado, na primeira fila. A esta altura, eles já eram nomes conhecidos nos Estados Unidos.

Danny McGuire, o detetive da polícia de Los Angeles que se tornara herói da Interpol e que passara dois terços de sua carreira perseguindo os assassinos do caso Azrael, tendo ajudado a orquestrar a emboscada indiana que finalmente conseguiu pegá-los.

David Ishag, o milionário indiano que fora escolhido como a última vítima Azrael até que McGuire e seus homens o arrancaram das garras da morte certa.

E no final da fileira, em uma cadeira de rodas, a trágica figura de Mathew Daley.

Daley era escritor, filho da primeira vítima Azrael, Andrew Jakes, e em algum ponto da investigação, fora um informante-chave da Interpol. Ele também estava presente na noite em que os réus foram presos e teve sorte de sobreviver a uma bala da arma de Mancini, que se alojara na base de sua medula. Apesar disso, Matt Daley se recusara a testemunhar contra a ré, a quem ainda se referia como "Lisa". O boato que corria era que ele tinha sido levado a um estado de quase loucura pelo amor que sentia por ela. Olhando para ele agora, com olhos fundos, uma versão acabada do sujeito cheio de vida que um dia havia sido, era fácil acreditar.

— Srta. Watts. — O juiz Muñoz fez uma pausa apenas para se certificar de que todos os olhos, e câmeras, estavam grudados nele. — Acredito que vá iniciar a sua defesa.

— Está correto, Meritíssimo.

Ellen Watts e Alvin Dubray tinham combinado entre eles que Ellen começaria. O plano era tirar do caminho a característica assassina de seus clientes logo no início para que pudessem se concentrar em outras áreas comuns: fraquezas e inconsistências no caso da promotoria, e o abuso sofrido por ambos os réus quando eram crianças. Se conseguissem semear dúvida razoável na cabeça dos jurados sobre quem corrompeu quem, e apresentar ambos os réus como mentalmente perturbados, eles tinham uma chance de afastá-los da morte por injeção letal. Na realidade, era o melhor que poderiam esperar.

Ellen Watts se aproximou do júri, olhando nos olhos de cada um dos 12 membros.

— Nas duas últimas semanas — começou ela —, a promotoria apresentou algumas provas terríveis. O Sr. Boyce, com muita eloquência, familiarizou os senhores com os fatos que cercam os quatro brutais assassinatos. E eu uso essa palavra, *fatos,* deliberadamente porque *existem* fatos nesse caso, fatos terríveis, fatos que nem eu nem minha cliente pretendemos negar. Andrew Jakes, Sir

Piers Henley, Didier Anjou e Miles Baring perderam suas vidas em circunstâncias terríveis, sangrentas e violentas. Alguns desses homens têm familiares e amigos aqui presentes, neste tribunal. Eles também tiveram que assistir ao Sr. Boyce apresentar as provas, e eu sei que os corações de todos aqui se compadecem por eles.

Ellen Watts, para criar um efeito, virou-se e demonstrou seu gesto mais solidário possível para as duas ex-esposas de Didier que tinham vindo para o julgamento, assim como para o meio-irmão de 80 anos de Sir Piers Henley, uma figura curvada, mas ainda digna chamado Maximilian. Atrás dele, duas mulheres de quase 60 anos, antigas namoradas de Miles Baring que continuaram em contato com ele depois do casamento, fitaram Ellen Watts com ódio, mas a expressão solidária da advogada não vacilou.

— Não estou aqui para debater fatos, senhoras e senhores. Fazer isso seria uma tolice, além de um desrespeito com as vítimas e suas famílias.

— Isso aí! — gritou umas das namoradas de Miles Baring da galeria, ganhando um olhar de reprovação do juiz Muñoz e um murmúrio de aprovação de todos os outros.

— É meu dever me *ater* aos fatos. Colocar um fim à especulação e aos boatos que envolvem a minha cliente e apresentar a verdade. A verdade do que ela fez e do que ela não fez. A verdade sobre o relacionamento dela com o outro réu, Frankie Mancini. E a verdade sobre quem ela realmente é. — Ellen Watts aproximou-se da mesa dos réus, convidando os jurados a seguirem-na com o olhar, a olharem para a mulher cuja vida estava em suas mãos. — Ela tem sido chamada de "Anjo da Morte". Uma princesa. Uma bruxa. Um monstro. Nenhum desses apelidos é verdadeiro. Seu nome é Sofia Basta. Ela é um ser humano, uma mulher de carne e osso, cuja vida tem sido uma longa série de abusos e sofrimento. — Ellen Watts respirou fundo. — Pretendo mostrar que a Sra. Basta foi uma vítima desses crimes tanto quanto os homens que perderam suas vidas.

A maior parte dos jurados franziu o cenho, mostrando reprovação. Gritos de "vergonha" foram escutados por todo o tribunal, fazendo com que o juiz Muñoz exigisse silêncio.

Ellen Watts continuou:

— A verdade pode não ser digerível, senhoras e senhores. Pode não ser prazerosa e pode não ser o que queremos ouvir. Mas é meu dever revelar a verdade neste tribunal, e, nos próximos dias, eu a mostrarei para os senhores em toda a sua feiura. — Com animação e apaixonadamente, ela se virou e apontou para Frankie Mancini. — Foi *este* homem, não a minha cliente, quem orquestrou, planejou e executou esses assassinatos. Sabendo que Sofia era vulnerável, que era mentalmente instável, que era solitária, Frankie Mancini cinicamente a manipulou, transformando-a em uma arma que ele poderia usar para seus próprios fins odiosos. Condenar Sofia Basta por esses assassinatos faz o mesmo sentido que condenar a faca ou a arma ou a corda.

"É só o que lhes peço hoje: para escutar a verdade. Absorver a verdade. Nada trará Andrew Jakes, Piers Henley, Didier Anjou e Miles Baring de volta. Mas a verdade permitirá que, finalmente, eles descansem em paz."

Ellen Watts deixou-se cair em um silêncio tão pesado que quase podia ser ouvido. Alguns dos jurados claramente reprovavam o que ela havia dito. Outros pareciam confusos. Mas, diferente de William Boyce, ela se sentou sabendo que tinha conseguido captar a atenção deles.

O juiz Federico Muñoz virou-se para o outro advogado de defesa.

— Sr. Dubray. Gostaria de se dirigir à corte...

Alvin Dubray levantou-se, indo com seu balanço estranho até o local em frente ao júri que Ellen Watts acabara de desocupar. Ele parecia mais desarrumado do que de costume esta manhã, com o cabelo grisalho todo levantado em um lado da cabeça e seus óculos de leitura meia-lua comicamente tortos. Após murmurar um "muito bem, Meritíssimo", ele virou-se para o júri.

— Senhoras e senhores, serei breve. Admiro a Sra. Watts pela verdade. De fato, eu endosso o que ela disse. Infelizmente, porém, para a Sra. Watts, a verdade não poderá exonerar sua cliente. Era Sofia Basta a manipuladora cínica. Ela, não o Sr. Mancini, montou uma armadilha para esses quatro homens inocentes e levou-os à morte. E não nos esqueçamos de que esses eram homens bem-sucedidos e muito inteligentes de vários lugares do mundo. Se a Sra. Basta foi capaz de enganar *esses* homens, além de oficiais de polícia superiores de vários lugares do globo e até um dos *filhos* de uma das vítimas — ele olhou para a figura desoladora de Matt Daley, prostrado em cima de uma cadeira de rodas na primeira fila —, imaginem como deve ter sido fácil para ela controlar o meu cliente, um homem clinicamente diagnosticado como esquizofrênico com um longo histórico de problemas emocionais e psicológicos. A verdade, senhoras e senhores, é que a Sra. Basta é uma assassina fria e calculista, não o Sr. Frankie Mancini. Obrigado.

Alvin Dubray voltou para seu lugar. Danny McGuire observou-o. Danny percebeu que em nenhum momento durante suas considerações, Alvin Dubray olhou para seu cliente nem convidou o júri a fazer isso. *Provavelmente porque o cara parece mal como o capeta, e ela ainda parece uma cordeirinha perdida na floresta.* Danny se lembrou de Sofia e Frankie em suas primeiras encarnações como Angela Jakes e Lyle Renalto. Hoje, ao observá-los na corte, suas impressões dos dois eram praticamente as mesmas que tivera tantos anos atrás. Ela ainda parecia inocente e gentil. Ele ainda projetava arrogância e maldade. Alvin Dubray estava certo em um aspecto. Ela o havia enganado. Na verdade, a palavra "enganar" nem chegava perto do que ela tinha feito. Como Angela Jakes, ela enfeitiçara o ex-detetive. E, em certos aspectos, ela ainda o enfeitiçava.

O juiz Muñoz pediu um recesso de vinte minutos antes que as defesas começassem a chamar suas testemunhas. No corredor, Danny McGuire se aproximou de Matt Daley.

— Você está bem?

Danny ainda se sentia mal por, naquela noite em Mumbai, ter desconfiado que Matt era o assassino Azrael. Ao olhar para ele agora, tão fraco e arrasado, não apenas física mais também emocionalmente, a ideia de que ele podia ter matado aqueles homens parecia ridícula. Matt Daley não faria mal nem a uma mosca. O único consolo de Danny era que Matt nunca soubera dessas desconfianças. Desde a prisão dos suspeitos Azrael, os dois homens se tornaram amigos de novo. Danny e Céline até ficaram hospedados na casa de Claire, irmã de Matt, e do marido dela, Doug, quando passaram férias em Los Angeles, e as famílias McGuire e Daley se aproximaram.

— Estou bem, mas preocupado com ela.

— Com quem?

— Lisa, claro. — Mesmo agora, um ano depois do ocorrido na Índia, Matt Daley ainda se referia a Sofia Basta como "Lisa" e ainda falava dela com amor e afeto. Quanto ao julgamento, Matt Daley estava totalmente do lado de Ellen Watts. Mancini era o cara mau, "Lisa" era a vítima confusa e desorientada. — Dubray é um cretino. Ele a prejudicará mais do que aquele chato do Boyce na promotoria. Como ele pode ficar lá falando aquelas coisas?

— É o trabalho dele — disse Danny, de forma conciliatória. — Nenhum de nós sabe da verdade ainda. Só saberemos depois de ouvir as testemunhas.

Matt o fitou, sem entender.

— *Eu* sei a verdade — disse ele simplesmente. Depois se virou e saiu em sua cadeira de rodas.

Capítulo 33

DAVID ISHAG OLHOU IMPACIENTE para seu relógio Richard Mille de meio milhão de dólares. O julgamento até agora tinha sido uma tortura. Sentado a poucos metros de distância da mulher que um dia chegou a acreditar que ficaria ao seu lado para sempre, não teve apenas de escutar as provas avassaladoras contra ela, mas ele próprio contribuíra para tais evidências, contando para a corte como essa mulher o seduzira a fatalmente se casar com ela e a mudar seu testamento.

Em nenhum momento durante todo esse tempo, Sarah Jane, como David Ishag ainda pensava nela, fizera contato visual com ele. Em nenhum momento, ela tentou, com um olhar ou um gesto, se explicar. Mas agora, finalmente, David Ishag a escutaria falar. Tinha vergonha de admitir, mas havia uma parte dele que ainda desejava que ela abrisse a boca e provasse sua inocência. Que pegasse o que ele sabia que era verdade e provasse que era mentira. Que desse um fim a esse pesadelo e voltasse para casa, para o seu lado. É claro que racionalmente ele sabia que isso era loucura. Apenas uma tênue linha o separava do pobre Matt Daley, e era uma linha que David Ishag não tinha a menor intenção de cruzar. Ainda assim, a perspectiva de Ellen Watts chamar Sofia Basta como sua primeira testemunha, o que todos esperavam que fosse acontecer, fez com que sentisse uma ansiedade quase insuportável.

— A defesa chama Rose Darcy.

O horror de David Ishag ecoou em um murmúrio geral de decepção pela sala 306. Os espectadores tinham esperado semanas para escutar a linda mulher sentada no banco dos réus falar sobre seus terríveis crimes. Em vez disso, uma senhora frágil e curvada subiu ao banco das testemunhas, com a ajuda de um oficial da corte. Rose Darcy caminhava com uma bengala de madeira quase da sua altura, mas, apesar de sua idade e da aparência decrépita, ela emanava um ar de determinação. O cabelo grisalho estava preso em um coque firme, e os olhos azuis ainda brilhavam em seu rosto enrugado e arruinado.

A corte não deveria, porém, ficar totalmente decepcionada. Pela primeira vez desde que o julgamento começara, Sofia Basta pareceu ficar emocionada. Soltando um soluço, ela se segurou à mesa dos réus.

— Sra. Darcy, a senhora pode confirmar seu nome para a corte?

— Rose Frances Darcy. — A voz dela era forte e clara. — E é senhorita, pois nunca me casei.

— Desculpe-me. Srta. Darcy, poderia nos dizer se conhece algum dos réus deste caso?

— Conheço. A jovem.

A velha mulher olhou para a acusada, seus olhos se enchendo de lágrimas de afeto.

— Entendo — disse Ellen Watts. — E quando a senhorita conheceu Sofia Basta?

— Eu não conheci Sofia Basta.

Os membros do júri trocaram olhares confusos. Por um momento, Ellen Watts pareceu igualmente perplexa. Seria muito azar descobrir que sua primeira testemunha tinha perdido o juízo.

— Srta. Darcy, a senhorita acabou de dizer à corte que conhece a ré. Mas agora está dizendo que não a conhece?

— Não — respondeu a velha, com firmeza —, eu não disse isso. Eu *a* conheço — ela apontou para a mesa dos réus — desde o dia em que ela nasceu. O que eu disse é que não conheço Sofia Basta.

— Mas Srta. Darcy...

— Aquela não é Sofia Basta. — Rose Darcy finalmente perdeu a paciência. — Sofia Basta não existe.

Levou um momento para o juiz Muñoz conseguir colocar ordem na corte. Quando os murmúrios cessaram, a velha senhora continuou.

— O verdadeiro nome dela é Sophie. Sophie Smith. Eu não sei de onde vem esse "Basta", mas esse não é o nome de batismo dela.

Ellen Watts disse:

— A senhorita disse que conhece Sofia... Sophie... desde que ela nasceu. Conheceu a mãe dela?

— Não, senhora. Sou assistente social. A mãe dela a abandonou em uma maternidade no Harlem quando ela nasceu. Por acaso, eu estava trabalhando na clínica naquela noite, então eu a vi logo depois que nasceu. Ela era muito pequena, mas já era uma lutadora. Passou as três primeiras semanas de vida se desintoxicando de heroína. A mãe deve ter usado durante toda a gravidez. Ela teve sorte de sobreviver. Foram as assistentes da clínica que lhe deram o nome de Sophie. — Ela se virou e olhou para a ré abatida. — Ela sempre será Sophie para mim.

— Que tipo de contato a senhorita teve com Sophie depois daquela noite?

Rose Darcy abriu um sorriso triste.

— Não tanto quanto eu gostaria. Embora eu provavelmente tenha sido a pessoa que mais teve contato com ela durante a infância. Ela era uma menininha meiga, muito carinhosa, muito sensível. Mas apresentou problemas desde o começo.

— Problemas psicológicos?

William Boyce ficou de pé.

— Protesto! Está conduzindo a testemunha.

— Deferido. Vá com cuidado, Srta. Watts.

— Sim, Meritíssimo. Srta. Darcy, poderia dizer em que aspecto a ré tinha problemas?

— Os psiquiatras dela poderiam dar uma opinião clínica. Mas pelo que pude observar, ela era arredia, não se socializava bem entre os pares do grupo e tinha a tendência à fantasia e à autoilusão. O Serviço do Bem-estar da Criança tinha ciência do problema dela. Ela mudou de orfanatos repetidas vezes.

— Por que isso?

A Srta. Darcy virou-se e fitou carinhosamente sua ex-pupila, dizendo:

— Porque ninguém conseguia lidar com ela. Ninguém a compreendia.

— Mas a senhorita a compreendia?

— Eu não diria isso, não. Quando ela completou 13 anos, ela disse aos outros assistentes sociais que não queria mais me ver e nós perdemos contato. Eu nunca soube por quê.

Sofia Basta agora estava chorando abertamente, com todas as câmeras de TV registrando seu lindo rosto manchado de lágrimas.

— Deve ter sido difícil para a senhorita.

— Foi sim — disse Rose Darcy simplesmente. — Eu a amava.

A testemunha seguinte de Ellen Watts, Janet Hooper, trabalhara no Beeches, o orfanato em que Sophie viveu os últimos anos de sua adolescência. Uma mulher grande, com ombros caídos e bolsas debaixo dos olhos, que davam a impressão de que ela apresentava uma depressão crônica. Janet Hooper, logo ficou claro, não sentia pela ré o mesmo carinho que a Srta. Darcy.

— Ela era difícil. Grosseira. Arredia. Arrogante comigo e com meus colegas.

— Parece uma adolescente típica.

— Não. — Janet Hooper balançou a cabeça. — Era mais do que isso. Ela usava sua beleza de uma forma fria, cínica até. Os registros do orfanato anterior diziam a mesma coisa. Quando ela chegou à puberdade, os meninos começaram a andar atrás dela, como você pode imaginar. Mas ela não os desencorajava. Ela se aproveitava disso.

Ellen Watts franziu o cenho.

— Ela se tornou promíscua?

— Muito.

Alvin Dubray piscou os olhos remelentos na direção de Ellen, como se perguntasse *Que diabos você pensa que está fazendo?* Chamar testemunhas que pintavam sua cliente como uma vadia calculista não era a forma mais óbvia de conquistar a simpatia do júri. Acima de tudo, fazer de "Sophie" a vilã era o papel dele.

Mas Ellen Watts continuou mesmo assim.

— Entendo. E por quanto tempo esse comportamento continuou?

— Até ela ter uns 16 anos, acho. Até ela se aproximar de Frankie. — Janet Hooper se virou para Frankie Mancini, que a fitou com seu costumeiro desdém.

— Frankie Mancini fez Sophie Smith mudar para melhor?

Alvin Dubray não podia acreditar no que estava ouvindo. Ellen Watts estava defendendo o cliente dele.

— Frankie Mancini mudou Sophie Smith completamente. Ela passou a ser uma pessoa diferente depois que o conheceu. Totalmente sob o controle dele.

Os primeiros sinais de perigo começaram a acender na mente de Dubray.

— Sob o controle... *dele?*

Janet Hooper assentiu.

— Isso. Como o monstro de Frankenstein.

Ah, Deus!

— Ela beijava o chão que Frankie pisava. Fazia tudo que ele mandava.

Ellen Watts sorriu presunçosamente para Alvin Dubray.

— Poderia nos dar alguns exemplos, Sra. Hooper?

— Bem, mudar o nome, para começar. Foi Frankie quem começou toda essa história de "Sofia Basta". Ele a convenceu de que ela era uma princesa marroquina, ou alguma coisa do tipo. Que Sophie tinha uma irmã gêmea que fora separada dela ao nascer. Ele criou um passado para ela, uma identidade totalmente nova. Acho que ele tirou a história de um livro. De qualquer forma, Sophie começou a agir como se a coisa toda fosse real. Ela ficou fora de si.

— Protesto — disse William Boyce. — A testemunha não é especialista nem qualificada para comentar a saúde mental da acusada.

— Deferido. — O juiz Muñoz posou para as câmeras, supervalorizando seu papel, e colocou para trás o cabelo recém-pintado de preto. — Aonde quer chegar, Srta. Watts?

— Meritíssimo, o relacionamento entre o Sr. Mancini e a minha cliente é fundamental para o caso. Pretendo mostrar que o aliciamento do Sr. Mancini em relação à minha cliente era proposital, calculado e começou desde muito cedo. Que ela foi tão vítima dele quanto os homens que ele matou. Não podemos nos esquecer que durante todos esses brutais assassinatos, a minha cliente era estuprada pelo Sr. Mancini.

— Protesto! — Alvin Dubray praticamente uivou. — Ela ficava excitada com os crimes! O sexo era consensual.

— Com todos aqueles ferimentos? — revidou Ellen Watts. — Todos os registros policiais dizem "estupro".

— A polícia não sabia que ela participava dos crimes.

Isso era como ouro para a televisão, ver o pessoal na "equipe" de defesa cortando a garganta um do outro. Após duas semanas ouvindo a monótona fala de William Boyce para a promotoria, o juiz Federico Muñoz finalmente estava tendo o julgamento espetacular que achava que merecia, completo com uma galeria cheia de equipes de televisão e repórteres de jornais sedentos por escândalos. Amanhã seu nome estaria na boca do povo.

— Vou permitir — disse ele com benevolência —, mas espero que traga algum especialista para testemunhar, Srta. Watts. O júri não está interessado na opinião de amadores.

Ellen Watts assentiu, dispensando Janet Hooper e chamando sua próxima testemunha.

— A defesa chama o Dr. George Petridis.

Um homem bonito de uns 50 e poucos anos, usando um terno de três peças com um relógio de prata de bolso vintage, o Dr. Petridis era chefe de psiquiatria do Mass General Hospital em Boston. Ele emanava autoridade e tanto Alvin Dubray como William Boyce perceberam, alarmados, a forma como os jurados se endireitaram para prestar atenção quando ele falava. Até Frankie Mancini parecia interessado no que o notável médico tinha a dizer. Durante o testemunho dele, era possível escutar um grampo caindo.

— Dr. Petridis, qual é o seu relacionamento com os réus deste caso? — perguntou Ellen Watts.

— Cuidei dos dois no final da década de 1980, quando eles eram adolescentes. Eu trabalhava como psicólogo do Serviço do Bem-estar da Criança do Estado de Nova York na época, tratando quase exclusivamente de adolescentes.

— Antes de esses homicídios serem trazidos à tona, o senhor se lembrava desses pacientes? Vinte anos são um longo tempo. O senhor já deve ter cuidado de centenas de crianças desde então.

O médico sorriu.

— Milhares. Mas eu me lembro desses dois. E eu também guardo anotações meticulosas, então pude comparar o que eu me lembrava com os meus registros da época.

— E *o que* o senhor se lembra sobre os réus?

— Lembro-me de um relacionamento simbiótico, de intensa codependência. Ela era uma moça meiga com muitos problemas. Claramente psicótica. Prescrevi Risperdal desde nossa primeira sessão, mas ela resistia à ideia de remédios. O rapaz não aprovava.

— De que forma a psicose dela tomava forma?

— Bem, ela criava fantasias. Na melhor das hipóteses, a menina tinha um senso muito fluido de si mesma. Na pior, ela não tinha nenhum senso de identidade, pelo menos nenhum que se aproximasse da realidade. O fato de a mãe ter usado drogas durante a gestação dela, para mim, pode ter sido um fator fundamental. Efetivamente, a menina era como uma concha vazia esperando para ser preenchida pela consciência de outra pessoa. Em um aspecto bem real, podemos dizer que o rapaz a "criou".

Na primeira fila da sala do tribunal 306, Danny McGuire estremeceu. *"Eu não tenho vida."*

— Mudar o nome dela provavelmente foi a manifestação externa mais clara de sua condição. Sofia era o nome de seu exótico alter ego marroquino. Era uma simulação psicótica, desencadeada a partir de um livro que uma enfermeira lhe dera quando ainda criança. Frankie reconheceu a conexão que ela tinha com essa história e sua necessidade de um passado, de uma identidade. Ele praticamente pegou as duas coisas e as misturou.

Ellen bancou o advogado do diabo.

— Um rapaz de 17 anos é realmente capaz de um tipo de manipulação tão sofisticada?

— Geralmente não. Mas no caso desse rapaz, sem a menor sombra de dúvida. Ele era altamente inteligente, altamente manipulador, um indivíduo singularmente adaptável e capaz. Ele era impressionante. — O Dr. Petridis olhou para Frankie Mancini como um zoólogo olharia para um bonito espécime de alguma espécie rara.

— Na sua opinião, Frankie Mancini era psicótico?

— Não, ele não era.

— O senhor prescreveu alguma medicação psiquiátrica para Mancini em algum ponto do tratamento?

O médico negou com a cabeça.

— Não existe remédio que pudesse ter curado os problemas de Frankie. Tentamos terapia, mas ele era muito resistente. Ele sabia o que estava fazendo com Sophie e com tudo o mais. Ele não tinha o menor interesse em mudar.

— Corrija-me se eu estiver errada, Dr. Petridis. Mas o senhor está dizendo que Frankie Mancini era "mau" e não "louco"? Que ele fazia o que fazia de forma consciente e deliberada, sabendo que era errado, sabendo que era maldade?

O Dr. Petridis franziu o cenho.

— Os termos *mau* e *maldade* são conceitos morais. Sou psiquiatra, não juiz. Mas posso lhe dizer que Frankie certamente não era "louco", no sentido de insano. Como a maioria de nós, como Sophie, ele era um produto de sua infância.

— Ele conversou com o senhor sobre isso?

— Sim — respondeu o Dr. Petridis solenemente. — Conversou.

Nos 15 minutos seguintes, o Dr. Petridis descreveu a história de horror que foi a infância de Frankie Mancini. Enquanto falava, pelo menos duas juradas irromperam em lágrimas. Na primeira fila, o trio composto por David Ishag, Danny McGuire e Matt Daley ouvia com atenção cada palavra do médico. Para Danny McGuire, em particular, era como finalmente ter as respostas das palavras cruzadas que o desafiavam havia anos. Com cada palavra, os assassinatos Azrael começavam a ter um sentido distorcido e doentio.

— Frances Lyle Mancini sempre foi um menino bonito — explicou o Dr. Petridis. — Ainda criança, ele já tinha o mesmo cabelo preto, olhos azuis, pele morena e porte atlético que vemos neste tribunal hoje; o mesmo rosto, o mesmo corpo que o tornariam um adulto tão fatalmente atraente. Mas a beleza de Frankie era sua maldição.

— Como assim?

O médico fez uma pausa antes de responder. Explicou como os primeiros oito anos de vida de Frankie tinham sido felizes. Então, um dia, poucas semanas antes de seu nono aniversário, o pai de Frankie, um oficial da Marinha egoísta e mulherengo — de quem Frankie claramente herdara a beleza e o gosto pelo risco — abandonou a mãe, Lucia, e seus três filhos, indo morar nas Filipinas com uma mulher muito mais jovem. A traição destruiu a adorada mãe de Frankie, que nunca mais recuperou sua autoestima nem riu de novo. Nas sessões com o Dr. Petridis, Frankie descrevia como era ser forçado a testemunhar essa desintegração.

— Lucia Mancini acabou se casando com um homem muito mais velho — continuou o Dr. Petridis. — O nome dele era Tony Renalto. Segundo Frankie, ela acreditava que Renalto poderia dar à sua família segurança financeira e estabilidade.

— E isso aconteceu?

— Aconteceu, mas a um preço muito alto — disse o Dr. Petridis de forma austera, e contou à corte como o velho padrasto abusava da mãe de Frankie e a depreciava, e como abusava física e sexualmente do enteado. Quando Frankie reclamava com a mãe, ela não acreditava. O abuso só parou quando, aos 14 anos, Frankie golpeou o padrasto até a morte com um abajur.

— Ele me contou em nossas sessões como fugiu da cena do crime e nunca mais foi visto pela família, morando na rua por um ano até a polícia o pegar e levar para o Beeches. Foi onde ele conheceu Sophie.

Ellen Watts perguntou:

— O senhor denunciou esse crime, o assassinato do padrasto, às autoridades?

— Claro que sim.

— E o que aconteceu?

— Nada. A polícia o interrogou. Frankie negou tudo. O caso tinha sido encerrado dois anos antes, com os registros informando que Renalto tinha sido vítima de um assalto.

Como Andrew Jakes, pensou Danny.

— Ninguém queria reabrir o caso. Ao que tudo indicava, ninguém sentia falta de Renalto, e, além do testemunho de Frankie, não havia outras provas.

Na mesa dos réus, Frankie Mancini recostou-se e sorriu, como um homem que acabou de saber que seus investimentos dobraram no mercado.

— Presume-se que Frankie deixou de confiar no senhor como psicólogo a esta altura? — perguntou Ellen Watts. — Já que ele sabia que o senhor o tinha denunciado à polícia?

— Na verdade, não. Ele continuou com as nossas sessões semanais. Mas nunca mais deixou que nada fosse gravado.

Todos na corte estavam impressionados. Era fácil demais ficar impressionado com Mancini, se deixar levar por sua beleza e pelo seu charme. De alguma forma, sorrindo e cheio de pose na mesa dos réus, ele parecia não estar associado aos crimes terríveis que o trouxeram a este tribunal, assim como trouxeram Sofia Basta.

— Frankie gostava de falar — continuou o Dr. Petridis. — Era uma das coisas que o ligava a Sophie e a mim. Nós éramos um público cativo. É claro que, a esta altura, ele já tinha 17 anos e estava gravemente perturbado. Ele era homossexual, mas tinha pouco ou nenhum interesse sexual.

O médico jogou essa bomba de forma tão casual como se estivesse descrevendo o gosto de Frankie por camisas ou como se falasse de seu time de beisebol favorito. A boca do presidente do júri literalmente caiu, como se fosse um personagem de quadrinhos. Ellen Watts, porém, estava preparada para a afirmação do psiquiatra.

— Isso é muito importante, Dr. Petridis — disse ela, seriamente. — Como o senhor sabe, existem provas forenses claras de que houve atividade sexual na cena de todos os quatro crimes. As chances de o sêmen recolhido nas cenas desses homicídios *não* pertencer a Frankie Mancini são de uma em 2 milhões.

O Dr. Petridis assentiu.

— Isso é consistente com o que vi. Durante sua vida, a libido de Frankie foi debilitada. Ele não fica excitado por homens nem mulheres. O que o excita é estar no controle, de qualquer um dos sexos, porque ele cresceu sem ter o menor controle de nada. Frankie tem um ódio arraigado por homens que abandonam suas esposas e famílias, como seu pai biológico fez... E de homens velhos e ricos, como seu padrasto, a quem ele vê como agressores. Imagino que esses sejam os fatores que motivaram a violência e o sexo em todos esses crimes.

— Obrigado. — Ellen Watts sorriu para Alvin Dubray. — Sem mais perguntas.

Para surpresa de todos, até do juiz Federico Muñoz, William Boyce se levantou. Até agora, ele não quisera interrogar nenhuma das testemunhas de defesa, considerando seu caso tão bem embasado que não precisava de mais ênfase. Mas o testemunho do Dr. Petridis fora tão convincente que ele claramente sentiu que precisava intervir.

— Dr. Petridis, o senhor disse que em suas sessões o Sr. Mancini demonstrava um profundo ódio por homens mais velhos.

— Isso mesmo.

— Ainda assim, o senhor não o descreveria como um caso patológico? Não seria um "ódio patológico"?

— Em linguagem comum, poderia se chamar assim. Mas clinicamente falando, não.

— Entendo. O senhor também descreveu Sofia Basta como "uma concha vazia", um recipiente no qual Mancini podia despejar sua própria consciência e suas opiniões.

— Isso mesmo.

— Nesse caso, quando Sofia Basta reagiu a todo esse ódio, quando os assumiu como seus, o senhor diz que é *patológico*.

— Sim, mas é diferente.

— Como, doutor?

— Bem, no caso dela, houve transferência. Ela estava agindo como *se fosse* outra pessoa, *no lugar* de outra pessoa.

— Mas ele não estava fazendo a mesma coisa? Ele não estava, segundo o seu testemunho, agindo motivado pelas fantasias de um menino perturbado que sofreu abuso? Ele não estava transferindo o ódio dele por Tony Renalto e pelo próprio pai para as vítimas que ele matou com tanta crueldade?

— Sim — concordou o Dr. Petridis pouco à vontade. — Estava. Mas, clinicamente, isso não seria suficiente para exonerá-lo de suas faculdades mentais. Ele sabia o que estava fazendo.

— Concordo. Ele sabia que os homens que estava matando não eram seu pai nem seu padrasto.

— Claro.

— Sofia Basta também.

— Bem, sim. Ela teria entendido isso. Mas...

— Sem mais perguntas.

∗ ∗ ∗

DAVID ISHAG NÃO DORMIU nada naquela noite, virando de um lado para o outro na sua suíte do Beverly Wilshire. Nem Matt Daley no cômodo livre no térreo da casa de sua irmã, que Claire transformara em quarto para facilitar suas idas e vindas com a cadeira de rodas. Nem Danny McGuire, em um solitário quarto de motel a poucos quilômetros do tribunal.

Ellen Watts tinha feito um bom trabalho até agora ao pintar sua cliente, pelo menos parcialmente, como vítima. Apesar das tentativas da promotoria de minar o testemunho complacente do Dr. Petridis, ela ainda saía da história como a garotinha perturbada, atraída para uma teia de ódio, fantasia e violência pelo corrupto Mancini. Mas seriam as provas de amanhã que decidiriam o destino da mulher que cada homem ainda chamava por um nome diferente e a quem, apesar de tudo, cada um deles queria poupar da execução. Bem no fundo, todos eles ainda queriam salvá-la.

Amanhã, essa mulher finalmente falaria. Ela responderia à pergunta que, para David Ishag, Matt Daley e Danny McGuire, era a mais importante de todas:

Quem é você?

Capítulo 34

As equipes de televisão estavam enfileiradas pela Burton Way no caminho do tribunal, como se estivessem fazendo a cobertura de um casamento real. Hoje era o dia em que o Anjo da Morte testemunharia no julgamento dos assassinatos Azrael, e a animação e ansiedade no ar eram quase palpáveis. Parecia que as pessoas estavam no clima de Carnaval, sorrindo e brincando umas com as outras, saudando o Cadillac blindado do juiz Muñoz e assobiando quando as vans das prisões levando Sofia Basta e Frankie Mancini passavam pela barreira de segurança e desciam até o seguro estacionamento no subsolo.

— Para eles, isso é apenas uma brincadeira, não é? — Matt olhou pelo vidro do carro da polícia de Los Angeles, desesperado. Ele e Danny McGuire chegavam juntos todas as manhãs. O carro da polícia era uma cortesia de um velho amigo de Danny da época que trabalhava na Divisão de Homicídios. — Será que eles não percebem que vidas estão em jogo? Eles não se importam?

Danny queria responder que talvez eles se importassem mais com as quatro vidas que já tinham sido tiradas do que com o destino de dois assassinos confessos. Mas mordeu a língua. Hoje seria um dia difícil para todos eles, mas seria ainda mais duro para Matt. Se Sofia — Lisa — se incriminasse, o corredor da morte era uma certeza. Ninguém, nem mesmo Matt Daley, poderia salvá-la.

Dentro da sala do tribunal 306, eles tomaram seus lugares de costume, indiferentes aos olhares embasbacados que eram lançados na direção deles pelos espectadores da galeria. David Ishag já estava em seu lugar. Era difícil um indiano parecer pálido, mas ele conseguira isso esta manhã. Sentado bem ereto em sua cadeira, imaculadamente vestido, como sempre, em um terno Ozwald Boateng com uma gravata de seda Gucci, o coitado parecia estar prestes a enfrentar um pelotão de fuzilamento.

— Você está bem? — perguntou Danny McGuire.

David Ishag apenas assentiu. Não houve mais tempo para nenhum outro cumprimento. Vaidoso como um pavão hispânico, o juiz Federico Muñoz entrou na corte, aproveitando seu breve momento sob os holofotes e o prazer que sempre sentia quando um tribunal cheio se levantava para reconhecer a importância de sua chegada. Na verdade, porém, ninguém deu muita importância para o Juiz do Terror esta manhã, assim como não deu às considerações iniciais de Ellen Watts. Houve uma rápida onda de interesse quando Alvin Dubray anunciou com naturalidade que seu cliente, Frankie Mancini, optara por não testemunhar, um sinal claro de que o advogado estava tentando uma defesa baseada na incapacidade mental. Mas mesmo as manobras da equipe de defesa de Mancini não interessavam muito àqueles que estavam presentes na corte. Apenas quando o nome Sofia Basta foi chamado, e a mulher esbelta na mesa dos réus foi escoltada para fazer seu juramento, a sala ganhou vida.

— Por favor, diga seu nome legal completo para esta corte.

— Sofia Miriam Basta Mancini.

A voz dela não era forte nem hesitante, mas intensa e branda, projetando uma aura de paz e calma. David Ishag, Danny McGuire e Matt Daley se lembravam daquela voz, e o coração de cada um deles acelerou ao escutá-la.

Ellen Watts começou gentilmente:

— Srta. Basta, poderia começar nos dizendo, com suas próprias palavras, como conheceu Frankie Mancini e caracterizar seu relacionamento com ele.

— Eu tinha 14 anos. Morava em um orfanato em Nova York, no Queens, e Frankie veio transferido de um outro.

— E vocês dois se tornaram amigos?

— Sim. Mais do que amigos. Eu o amava.

Quase ao mesmo tempo, toda a corte se virou para ver se Mancini demonstrara alguma reação a essa afirmação, mas o rosto dele permaneceu impassível como sempre.

Sofia continuou:

— No começo, ele era diferente. Quero dizer, ele já era bonito, inteligente e carismático. Mas ele também me tratava de uma forma diferente.

— Como assim?

— Ele conversava comigo. Ele me escutava. E me respeitava. Ele nunca tentou me tocar.

— Sexualmente, a senhorita quer dizer?

Sofia assentiu.

— Os outros garotos do orfanato, e até os homens de lá, os empregados... Todos forçavam a barra comigo. — Matt Daley mordeu o lábio inferior com tanta força que o fez sangrar. — Mas Frankie não. Ele era diferente e se mantinha longe de mim.

Ellen Watts fez uma pausa para permitir que o testemunho de Sofia fosse absorvido, principalmente pelas juradas.

— A senhorita está dizendo que sofreu abuso sexual enquanto estava nesse orfanato?

Sofia assentiu, balançando a cabeça.

— Na época, eu não sabia o que era isso. Achava que era apenas... O que acontecia. Mas Frankie fez com que eu visse as coisas de uma forma diferente. Ele me disse que eu era linda, que era especial. Eu tinha um livro, sobre uma princesa marroquina. Nós costumávamos ler juntos. Ele me disse que a princesa era minha avó, que ele tinha descoberto isso, não sei como. Ele sabia coisas sobre o meu passado, como o que tinha acontecido com a minha mãe e com a minha irmã. Eu tinha uma irmã gêmea. Fomos separadas.

Ao voltar ao passado, algo estranho começou a acontecer ao rosto de Sofia. Os olhos dela ficaram distantes, com uma expressão vidrada, quase como se ela estivesse hipnotizada.

— Os outros não acreditavam que eu vinha de uma família importante. Tinham inveja. Mas Frankie entendia. Ele sabia. Ele me amava.

Muito gentilmente, Ellen Watts disse:

— Sofia. Agora, você entende que essa história não é verdadeira, não é? A história sobre a princesa não é realmente a sua história. Era apenas a história de um livro. E a carta do advogado, sobre você e sua "irmã gêmea", Ella, foi apenas uma invenção sua e de Frankie, certo?

Por um momento, uma expressão de puro pânico passou pelo rosto de Sofia. Então, como se acordasse de um transe, ela disse baixinho:

— Sim. Eu sei disso. Não era real.

— Mas, na época, você acreditava que era. Foi quando você mudou seu nome legalmente para Sofia Basta, não foi? Basta era o nome da família marroquina da história.

— Foi o que me disseram depois. Eu acho.

Ela parecia tão confusa e desamparada que Matt Daley não conseguia suportar aquilo. Até Danny McGuire achava difícil acreditar que tal nível de confusão mental pudesse ser uma atuação.

— Então, depois que você se tornou Sofia Basta, como as coisas se desenvolveram entre você e Frankie? Quando o relacionamento de vocês se tornou físico?

— Só quando nos casamos. E mesmo assim, era raro... Ele nunca queria.

— Ele não queria ter relações sexuais?

— Não.

— A senhorita desconfiou que ele pudesse ser homossexual?

— Não, nunca. Ele me amava, era apaixonado em outros aspectos. Você precisa entender, eu... Eu não tinha vida e Frankie me deu uma. Ele me salvou. Eu não questionava isso. Eu abracei essa vida.

— Então, você dois se casaram e se mudaram para a Califórnia?

— Isso. Frankie era brilhante, podia ter ido para onde quisesse, feito o que quisesse. Mas uma empresa de advocacia de Los Angeles ofereceu um emprego para ele, então foi para lá que nós fomos. Era uma vida nova para nós, então ele nos deu novos nomes. Ele se tornou Lyle. E eu Angela. Nós éramos muito felizes... No começo.

— Foi como Angela que você conheceu Andrew Jakes?

Sofia torcia as mãos uma na outra, como se estivessem sovando uma massa invisível.

— Isso. Angela conheceu Andrew. Lyle armou tudo. — Ela mudou para a terceira pessoa com tanta naturalidade que inicialmente as pessoas nem perceberam. Mas conforme as profundezas da sua esquizofrenia vieram à tona, interjeições podiam ser escutadas na corte, quando os espectadores, aos poucos, foram entendendo. — Coitada da Angela. Ela não queria se casar com ele. Não queria nem chegar perto dele... Ele era tão *velho*. — Sofia estremeceu. — Ela sentia nojo toda vez que ele a tocava.

— Ela? — Ellen Watts fez a pergunta que estava na boca de todo mundo. — Não quer dizer *você*, Sofia Basta?

— Não! Foi Angela. Estou falando sobre Angela, lembra? Por favor, não me confunda. É tão difícil lembrar. — Ela pressionou as mãos nas têmporas. — Angela não queria se casar com Andrew Jakes. Ela era uma garota adorável, a Angela. Mas Frankie a obrigou. Ele disse que Andrew precisava ser castigado pelo que tinha feito, e que Angela tinha sido criada para puni-lo. Não tinha saída.

— E o que Andrew Jakes tinha feito? — perguntou Ellen Watts. — Por que ele precisava ser castigado? Ele era um homem mau?

— Andrew... Mau...? Para Angela, não. Na verdade, ele era muito amável. Atencioso... No final, ela tinha carinho por ele. Mas ele tinha feito a mesma coisa que todos os outros, entende? Ele tinha abandonado a família. Os filhos... Era por isso que ele tinha que morrer.

Danny McGuire viu sua vida passar como um filme na sua frente. *Poderia ser tão simples assim, o elo entre as vítimas Azrael? Que todos abandonaram seus filhos, da mesma forma que o pai de Frankie Mancini o abandonou?*

— Foi por isso que *todos* eles tiveram que morrer. Andrew, Piers, Didier, Miles. Por causa dos filhos. Precisávamos vingar os filhos deles.

Era possível escutar um grampo caindo quando Ellen Watts fez a pergunta seguinte.

— Quem matou Andrew Jakes, Sofia? Foi Angela ou Frankie? Ou os dois juntos?

Sofia respondeu sem hesitação.

— Foi Frankie. — Ela começou a soluçar.

— Isso é mentira! — Mancini ficou de pé em um pulo. — Isso é ridículo, uma encenação. *Ela* escolheu Jakes como a primeira vítima. *Ela* o escolheu, não eu!

O juiz Muñoz pediu ordem com veemência, e os oficiais da corte rapidamente seguraram Frankie e o colocaram de volta em sua cadeira.

Sofia ainda estava falando, em transe, aparentemente incapaz de parar.

— Ele cortou a garganta de Andrew. Foi horrível. Havia sangue para todos os lados... Eu nunca tinha visto tanto sangue. Então, ele estuprou a pobre Angela... Ela implorava para ele parar, mas ele não parava, continuava e continuava, machucando a coitada. Então, ele os amarrou juntos e foi embora.

— E onde você estava enquanto isso tudo acontecia, Sofia? — perguntou Ellen Watts. — Você se lembra?

— Claro. — Sofia pareceu surpresa pela pergunta. — Eu estava onde eu sempre ficava... Assistindo.

Ellen Watts continuou interrogando sua cliente por mais uma hora até que o juiz Muñoz solicitou duas horas de recesso. Oficialmente, isso permitia que os outros advogados preparassem seus interrogatórios. Na verdade, esse longo período daria à mídia tempo para criar uma orgia de comentários e especulação sobre a espetacular performance de Sofia Basta durante o interrogatório até agora, dando ao julgamento Azrael exposição máxima e garantindo um lugar nas manchetes dos noticiários da hora do almoço da Costa Leste.

A segunda hora do interrogatório continuou com a mesma veia dramática da primeira. Sofia tinha interlúdios de perfeita lucidez, quando parecia ter plena consciência de quem era, de onde estava e por que estava respondendo às perguntas. Durante esses períodos, ela parecia calma, inteligente, articulada e cheia de remorso sobre seu papel nos assassinatos. Mas quando a advogada pedia que voltasse às noites dos crimes, ela inevitavelmente começava a discursar na terceira pessoa, falando sobre cada um de seus alter egos — Angela, Tracey, Irina, Lisa e Sarah Jane — como se todas fossem mulheres reais que ela conhecera e de quem fora amiga, desassociando totalmente suas experiências dela própria. Em sua mente distorcida, o amor de Tracey por Piers e de Lisa por Miles Baring não foram encenação. O amor e o remorso das esposas eram emoções reais. Para cada assassinato, a mensagem era a mesma: Frankie tinha planejado, orquestrado e realizado cada assassinato, motivado pelo seu próprio desejo de "retribuição". Ele "criara" as várias esposas para ajudá-lo. E, depois, as machucara — enquanto a pobre Sofia assistia.

A pergunta agora era: a insanidade aparente dela era apenas uma representação como Frankie Mancini vociferava insistentemente, uma charada planejada para mandá-lo para o corredor da morte enquanto ela viveria o resto dos seus dias em alguma instituição psiquiátrica? Ou era verdadeira?

Despertado de seu torpor usual pelo efeito que o testemunho de Sofia Basta tinha causado no júri, principalmente nas juradas, William Boyce abriu a sessão que começou depois do recesso de forma agressiva, atacando diretamente a jugular dela.

— Srta. Basta, quando assumia diferentes identidades com o propósito expresso de se casar e matar os idosos indefesos...

— Protesto! — gritou Ellen Watts.

— Com que fundamento, Meritíssimo? Ela admitiu isso sob juramento.

— Vou permitir. Pode terminar sua pergunta, Sr. Boyce.

— Quando assumia aquelas identidades, presume-se que precisava de muita preparação.

— Não entendi.

— Eu acho que entendeu sim. Antes de cada crime, você precisava mudar sua aparência, inventar e aprender todo um novo passado para sua nova "personagem". Você precisava treinar sotaques, arrumar empregos, fazer amigos. Estabelecer uma base sobre a qual pudesse planejar uma forma de conhecer o alvo pretendido, e começar a seduzi-lo.

Ellen Watts ficou de pé de novo.

— O senhor está fazendo uma pergunta?

— Estou. Quanto tempo levou? Para se *tornar* Angela ou Tracey e qualquer uma das outras?

Sofia parecia pouco à vontade.

— Variava. Às vezes meses. Às vezes anos.

— Então, a senhorita passava meses, ou mesmo *anos*, se preparando para o assassinato seguinte?

— Não era bem assim.

— Ah. E como era?

— Frankie me levava para passar um tempo em algum lugar depois... — A voz dela desapareceu.

— Depois dos assassinatos?

Ela assentiu.

— Ele sempre dizia que iríamos visitar a minha irmã. Que íamos encontrá-la juntos. Mas aí, acabávamos nos mudando de novo. Os novos nomes deveriam ser recomeços. Não faziam parte de nenhum plano.

— É claro que faziam parte de um plano, Srta. Basta! A senhorita sabia ou não sabia, quando conheceu Sir Piers Henley, que pretendia se casar com ele?

— Tracey se casou com ele.

— Você *era* Tracey, Srta. Basta. 'Tracey' sabia que seu verdadeiro marido, Frankie Mancini, pretendia matar Sir Piers?

— Eu... eu não sei. — Sofia olhou à sua volta em pânico, como uma raposa cercada por cães de caça famintos.

Matt Daley não suportava assistir. *Deixem-na em paz. Parem de fazer isso com ela.*

— *Sabe sim*, Srta. Basta. Sabe muito bem. Tracey ajudou Mancini a entrar na casa em Chester Square. Ela desligou o alarme, não foi?

— Foi. — A voz de Sofia era pouco mais do que um sussurro. — Mas você não entende. Ela não tinha escolha. Ela tinha que fazer. Frankie...

— Sim, nós sabemos. Frankie a "obrigava" a fazer isso. Srta. Basta, não é verdade que a senhorita participou ativamente e de espontânea vontade em todos esses assassinatos?

— Não.

— Que a senhorita e Mancini o planejavam juntos, meses ou até anos antes?

— Eu já disse, não era assim.

— O que mais a excitava sexualmente, Srta. Basta? A fantasia do estupro? Ou assistir aos homens inocentes que você seduziu serem assassinados sem dó nem piedade?

— Protesto!

— Indeferido. — O juiz Muñoz estava começando a se divertir. Esperara um tempão para a promotoria fazer essa vadia sofrer e não estava disposto a deixá-la escapar agora. — Responda à pergunta, Srta. Basta.

Pela primeira vez, e de forma um tanto inesperada, Sofia mostrou raiva.

— Eu não ficava *excitada*, Sr. Boyce — gritou ela. — Eu era estuprada e espancada. Forçada. Ele me dizia que se eu não fizesse o que ele estava mandando, ele faria o mesmo com a minha irmã. Que ele iria estuprá-la e torturá-la e matá-la. Se o senhor acha que eu sentia algum *prazer*, o senhor é o doente, não eu.

Ellen Watts apoiou a cabeça nas mãos.

William Boyce permitiu-se um pequeno sorriso.

— Sinto-me obrigado a lembrá-la, Srta. Basta, que você não *tem* uma irmã. Mas agradeço por ter usado a palavra *eu*. Sem mais perguntas.

* * *

Todos concordavam que o interrogatório de William Boyce tinha sido devastador para a defesa de Sofia Basta. O *L.A. Times* resumiu assim: "Nunca na história da justiça criminal uma única palavra teve um impacto tão profundo em um caso." Em uma explosão de raiva, Sofia transformara toda a dúvida e afeição que sua advogada cultivara com tanto cuidado nos últimos dias em uma dura certeza: a "confusão de identidade" do Anjo da Morte não passava de uma encenação. E se era fingimento, quanto mais de insanidade a sua defesa poderia alegar?

Ellen Watts fez o melhor possível para conter os danos, chamando a psiquiatra da prisão, que atualmente cuidava de Sofia e havia sido nomeada pelo Estado para fazer uma avaliação do estado mental dela. A Dra. Lucy Pennino era uma testemunha forte e sua declaração era inequívoca: Basta "sem a menor dúvida" estava sofrendo de esquizofrenia paranoica. Como a maioria dos esquizofrênicos, a condição dela era cíclica — ia e vinha — e seu estado mental agora, durante o julgamento, certamente era mais lúcido do que durante os assassinatos, quando ela não estava tomando nenhum medicamento para estabilizar o humor, como fazia agora.

— Uma pessoa nas condições dela seria altamente suscetível a ser influenciada por terceiros, tanto para o bem quanto para o mal. Matt Daley, por exemplo, parece ter sido uma influência profundamente positiva em Sofia Basta, quando ela o conheceu como Lisa Baring. Durante as minhas sessões com a Srta. Basta, ela descreveu o relacionamento deles como de amor verdadeiro. Se ela tivesse conhecido o Sr. Daley antes do primeiro assassinato, e não apenas depois do quarto, na minha opinião profissional os crimes Azrael não teriam acontecido.

Ainda melhor, para tornar a cena mais pungente, Matt Daley chorou aberta e copiosamente em sua cadeira de rodas na primeira fila. Mas só de olhar para as expressões de pedra dos jurados, qualquer um podia perceber que o testemunho de Pennino não era suficiente e viera tarde demais.

Inevitavelmente, a conclusão do juiz Muñoz foi tão categórica e sem compaixão quanto legalmente possível.

— A questão à frente dos senhores hoje — disse ele aos jurados — não é se Sofia Basta ou Frankie Mancini tiveram infâncias infelizes. E vocês também não precisam se perguntar se algum dos réus tem, ou teve, problemas psicológicos. Não precisam entender seus motivos, seu relacionamento, nem nada sobre o funcionamento de suas mentes tortuosas. Apenas precisam responder: eles mataram aqueles quatro homens deliberadamente? Se acreditam nisso, devem condená-los.

"Já sabemos que, juntos, Frankie Mancini e Sofia Basta cometeram crimes horríveis e que foram presos quando estavam prestes a cometer outro. Se *não* tivessem sido pegos, o Sr. Ishag não estaria vivo hoje. E apesar de seus pedidos apaixonados de clemência para a Srta. Basta, a verdade é que Matt Daley teve sorte de escapar das garras dela com vida. Se eles *não* tivessem sido pegos, graças à determinação ferrenha do diretor-assistente Danny McGuire, o rastro de morte deles teria continuado, quem sabe, por mais dez anos. Mais homens inocentes teriam perdido suas vidas nas circunstâncias mais inimagináveis e aterrorizantes, traídos e abatidos pela mulher que amavam e que acreditavam que os amava também. Esta corte não escutou nenhuma palavra de remorso de nenhum dos réus.

"Muito se falou da capacidade mental dos réus, principalmente de Sofia Basta. À luz disso, sou obrigado a lembrar-lhes que, de acordo com a lei, não faz diferença se ela acreditava ser outra pessoa no momento em que cometeu esses crimes. Só o que importa é se ela tinha intenção de matar. O mesmo se aplica ao Sr. Mancini. Se os senhores acreditam que houve intenção, devem condená-los.

"Podem se retirar agora para analisarem o veredito. Todos de pé."

Uma vez que os acusados foram levados, os espectadores começaram a se dispersar. Danny McGuire virou-se para Matt Daley e David Ishag.

— Posso convidá-los para almoçar?

Ishag parecia cansado, mas Matt parecia gravemente doente, pálido como uma folha de papel, e tremendo.

— É melhor sairmos de Beverly Hills antes que esses repórteres nos cerquem.

— Obrigado, mas não posso — disse David, juntando suas anotações e colocando-as em uma pasta. — Vou pegar um voo para a Índia hoje à noite.

Matt pareceu surpreso.

— Antes de anunciarem o veredito?

— Preciso voltar. O júri passará dias deliberando, e eu tenho meus negócios.

— Você realmente acha que eles vão levar dias? — perguntou Matt, esperançoso. — Acha mesmo que eles estão tão indecisos assim?

— Acho que eles têm certeza absoluta — disse David. — Mas eles precisam pesar todas as provas, só isso. Vão precisar de uma semana só para ler as notas de rodapé de Boyce. — Ele apertou a mão de Danny McGuire, esforçando-se para controlar suas emoções. — Obrigado. O que o juiz Muñoz disse é a mais pura verdade. Eu estaria morto se não fosse por você.

— De nada. Tem certeza de que não quer ficar, pelo menos para o almoço?

— Absoluta. Adeus, Matt. Boa sorte. — E com isso, David Ishag saiu do tribunal e entrou em uma limusine preta que o esperava, afastando-se dos repórteres que gritavam perguntas como um gigante espantando mosquitos.

Matt Daley observou-o ir embora, com um olhar estupefato no rosto. Danny McGuire conhecia bem esse olhar dos anos em que trabalhara na polícia, lidando com vítimas de crimes violentos. Matt estava em choque. O julgamento, sempre uma provação, finalmente tinha sido algo demais para ele.

Danny empurrou a cadeira de rodas de Matt para a saída exclusiva para policiais.

— Vamos sair daqui, cara.

ELES ALMOÇARAM EM UM pequeno restaurante judaico em Silverlake, a poucos quilômetros do tribunal, mas a um mundo de distância da novela Azrael. Danny pediu um sanduíche de carne e insistiu para que Matt tomasse uma sopa de frango, além de mandar trazer uma xícara de café quente e doce para os dois.

— Eles vão executá-la, não vão?

Danny abaixou o sanduíche.

— Provavelmente. Sinto muito, Matt.

— É minha culpa. — Lágrimas começaram a escorrer pelo rosto de Matt, caindo na sopa. — Se eu não tivesse começado esse documentário estúpido, se não tivesse envolvido você nisso, eles nunca a teriam encontrado.

Danny estava chocado.

— Você não pode estar falando sério. Se você não tivesse feito o que fez, pessoas teriam morrido, Matt. Pessoas inocentes. Alguém precisava fazer aquela mulher parar.

— Eu poderia tê-la feito parar. Você escutou a psiquiatra. Se Lisa e eu tivéssemos fugido como planejamos. Se tivéssemos ido para o Marrocos e sumido. Frankie não poderia continuar matando sem ela... E ela nunca teria matado uma mosca se não fosse por ele.

— Talvez sim — disse Danny. — Talvez não. Lembre-se de que, nessa época, você não fazia ideia do envolvimento de Lisa nos assassinatos. Como você acha que teria reagido se soubesse?

Matt nem hesitou.

— Eu teria perdoado. Eu teria compreendido.

— Ela matou seu pai, Matt. Foi *por esse motivo* que você se envolveu nisso tudo. Porque Andrew Jakes não merecia morrer daquela forma. Lembra? Ninguém merece morrer daquela forma.

— Não — disse Matt, sendo teimoso. — Mancini matou meu pai. Lisa estava confusa. Ela achava que estava protegendo a irmã. Ela nunca quis que aquilo acontecesse.

Obviamente, não tinha por que continuar conversando com ele. Danny não conseguiria mudar a cabeça de Matt, e o assunto deixava seu amigo muito agitado, exatamente o tipo de coisa que Danny queria ter evitado quando o convidou para almoçar. Mudou de assunto.

— Como está Claire?

— Está bem. Cansada de ter o irmão morando com ela, acho. Não é fácil ter um aleijado além de dois filhos e um marido para cuidar.

— Ela faria qualquer coisa por você — disse Danny. — Até eu percebi isso. Você tem sorte.

Tenho, pensou Matt. *Sorte. Esse é meu nome.*

— Ela acha que eu deveria procurar um psiquiatra.

— O que você acha?

Matt deu de ombros.

— Não vai fazer diferença. Se Lisa... Se eles... — Ele engasgou, não conseguindo continuar, mas Danny podia adivinhar o resto. *Se eles executarem Sofia, ele acha que não terá mais motivo para viver.* Os jurados podiam não saber, mas estavam deliberando sobre a vida de três pessoas, não duas.

— Talvez você devesse voltar a trabalhar, Matt. Fazer esse seu maldito documentário. Você tem material mais do que suficiente, e ninguém sabe mais sobre esse caso do que você. As pessoas não vão se cansar dessa história. Você poderia ganhar uma fortuna.

— Não quero fortuna — disse Matt, sendo sincero. — Não se eu não puder comprar a liberdade de Lisa.

— Mas você quer contar a verdade, não quer?

— Como assim?

— Você quer que as pessoas saibam o que realmente aconteceu. Bem, que forma melhor de fazer isso do que com um filme? Levar a mensagem de uma maneira que milhões de pessoas entendam. É uma forma de ajudá-la.

Pela primeira vez, algo parecido com esperança cruzou o rosto de Matt Daley. Era verdade. Ele devia isso a Lisa, contar a verdade. Devia isso a todos eles. Com intenção ou não, Danny McGuire acabara de lhe lançar um salva-vidas.

Foi quando o celular de Danny tocou. Era Lou Angelastro, um velho companheiro da polícia de Los Angeles.

— O que houve, Lou? Estou almoçando com um amigo, dando um tempo. Posso ligar de volta daqui a dez minutos?

Matt Daley viu quando a expressão no rosto de Danny mudou de surpresa... Para descrença... Para pânico.

— Nunca chegaremos a tempo... Silverlake... pode mandar um carro? Vou lhe passar o endereço. — Depois de dar o nome e o endereço do restaurante onde ele e Matt estavam comendo, Danny desligou.

— Está tudo bem? — perguntou Matt.

— Mais ou menos... Não... — Tirando duas notas de 20, Danny as jogou em cima da mesa, rapidamente ficando de pé. — O júri já voltou. Chegaram a um veredito.

* * *

NA SALA DO TRIBUNAL 306, o caos reinava. Enquanto pessoas se empurravam em busca dos melhores lugares, as equipes de televisão lutavam para conseguir acesso à galeria reservada à imprensa, usando suas pesadas câmeras como armas. Algumas importantes equipes de televisão já tinham deixado o tribunal. Ninguém esperava um veredito tão rápido. Mas quando se espalhou a notícia de que o júri estava pronto para voltar e que se esperava que o juiz Federico Muñoz retomasse a sessão em poucos minutos, todos correram de volta para Beverly Hills, buzinando impacientemente. Logo, Burton Way estava tão engarrafada quanto a 405 na hora do rush. Até as calçadas estavam lotadas, com pedestres e curiosos pelo caso Azrael se apertando na frente de duas telas gigantes de onde poderiam assistir ao veredito ao vivo.

Para um caso de repercussão internacional como este, era surpreendente como os moradores de Los Angeles tinham se tornado possessivos em relação aos réus, dizendo que Sofia Basta e Frankie Mancini eram deles. De repente, todo mundo se importava com Andrew Jakes, o velho e rico negociante de arte que os dois tinham matado no começo de seu rastro de morte. Os assassinatos Azrael tinham começado em Los Angeles. E para os moradores da cidade, nada mais justo que o drama terminasse ali. Desde o julgamento de O.J. Simpson, a atenção do mundo não se concentrava tanto no sistema judicial da cidade. Era importante para os moradores que desta vez os culpados recebessem o que mereciam. Embora tivessem parado de clamar por sangue, o clima da multidão era de expectativa, sabendo como sabiam que o Juiz do Terror gostava de anunciar sentenças de morte. Hoje, pela primeira vez, a cidade estava ao lado dele.

Matt Daley se segurou no banco do carona do carro de polícia. Acima dele, a sirene tocava, as luzes azuis e brancas brilhando enquanto seguiam para o tribunal. Matt se esforçava para respirar.

— Não falta muito — disse Danny, enquanto os carros se afastavam para lhes dar passagem. — Acho que vamos conseguir.

O juiz Muñoz entrou imponente no tribunal. Todos os advogados, réus e espectadores se levantaram. Chegando à cadeira do juiz, ele fez uma parada para efeito dramático, um rei observando seu reino. Havia os advogados:

William Boyce, que quase matara a todos de tédio com sua performance enfadonha apresentando o caso da promotoria nas duas primeiras semanas, mas que, quando interrogou a ré, prendeu a atenção de todos e mudou o curso do julgamento.

Alvin Dubray, advogado de Mancini, o velho tolo que falou o mínimo possível, mas provavelmente conseguiu o melhor que podia ao manter seu cliente calado e dando bastante corda para Sofia Basta se enforcar.

Ellen Watts, bonita, inteligente, mas, no final das contas, muito inexperiente para controlar a própria cliente. Watts teve o papel mais difícil de desempenhar, tentando pintar uma assassina cruel como vítima, uma manipuladora inteligente como uma mulher confusa e insana, uma sadomasoquista como uma menina perdida. E ela quase conseguiu, mas Sofia Basta perdeu a cabeça.

À esquerda do juiz estavam os acusados. Mancini parecia ele mesmo: expressão cruel de desdém e divertimento, cruel. Sofia Basta estava igualmente inescrutável. Olhando para a frente, os braços caídos ao lado do corpo, a expressão em seu rosto só podia ser descrita como vazia. Não estava nervosa, não estava esperançosa, nem furiosa ou impaciente ou desesperada. Nada. Ela era uma folha em branco, esperando que o próximo capítulo de sua vida fosse escrito. Desta vez, com a ajuda dos jurados, o juiz Federico Muñoz escreveria esse capítulo.

Seria o último.

À direita do juiz Muñoz, bem na primeira fila do tribunal, três lugares estavam vazios. David Ishag, Danny McGuire e Matt Daley não estavam ali.

Droga, pensou Muñoz. Se soubesse, teria esperado... Dado uma desculpa para permitir que os três personagens-chave do drama estivessem presentes no desfecho. Mas agora era tarde demais. Finalmente, o juiz se sentou. Todos no tribunal 306 fizeram o mesmo, afundando em seus assentos, mas levantando o pescoço para não perder Mancini e Sofia de vista.

Um a um, os jurados entraram em fila.

Na barreira que tinha sido montada na frente do tribunal, o motorista discutia com o guarda.

— Como assim "não pode mais entrar veículos"? Este é o diretor-assistente Danny McGuire da Interpol. Ele tem livre acesso ao tribunal.

— Não importa — rosnou o guarda. — Tenho ordens. Uma vez que a corte esteja em sessão, nenhum veículo entra ou sai.

Danny McGuire saiu do carro. Ficando a poucos centímetros do guarda de forma a conseguir sentir seu hálito de alho, Danny disse:

— Ou você tira essa barreira e nos deixa entrar *agora mesmo*, ou eu irei pessoalmente providenciar que você não apenas perca esse emprego, mas que nunca mais encontre outro nesta cidade. Se acha que estou blefando, vá em frente e nos obrigue a dar meia-volta. Mas você tem exatamente três segundos para tomar essa decisão.

— Um.

— Dois...

O guarda percebeu o brilho de aço no olhar de Danny Mc-Guire e tomou sua decisão.

— Sr. presidente do júri, chegaram a uma conclusão?
— Chegamos sim, Meritíssimo.
— E o veredito foi unânime?
— Foi.

Do lado de fora, a multidão fitava as telas gigantes de plasma em um silêncio arrebatador. Uma tela mostrava o presidente do júri de pé, com os outros membros sentados logo atrás. Todos tinham a expressão sombria, como convinham os terríveis crimes que tinham julgado.

A outra mostrava os dois réus. De pé a poucos metros entre si, eles pareciam tão desconectados um do outro quanto duas pessoas poderiam estar. Era impossível imaginar que eles se conheciam desde a infância, muito menos que tinham trabalhado juntos, como uma equipe mortal, durante muitos anos e que eram casados havia décadas.

— Chegaram a um veredito?
— Chegamos, Meritíssimo.

Danny McGuire mal conseguia respirar enquanto corria pelo corredor, empurrando a pesada cadeira de rodas de Matt Daley. As portas duplas da sala do tribunal 306 agigantavam-se à sua frente como os portões do paraíso.

Droga.

— Sinto muito, senhor — começou o guarda da polícia de Los Angeles. — A corte está em sessão. O juiz Muñoz... — Ele gaguejou quando viu o distintivo da Interpol de Danny McGuire.

— Pode entrar, senhor. — O guarda abriu as portas com o devido respeito. — Mas não posso permitir que seu amigo entre.

Ignorando-o, Danny empurrou a cadeira de rodas de Matt para dentro do tribunal. A sala estava tão silenciosa, e a perturbação foi tão inesperada que centenas de cabeças se viraram na direção deles. Mas apenas um olhar chamou a atenção de Matt Daley. Pela primeira vez desde que o julgamento começara, ela estava olhando para ele. Diretamente.

Ele disse para ela, apenas com os lábios: *Lisa.*

Ela sorriu.

O juiz Muñoz estava falando.

— Na acusação do assassinato em primeiro grau de Andrew Jakes, como consideram o primeiro réu, Frances Mancini?

— Culpado.

— E a segunda ré, Sofia Basta?

A respiração seguinte do presidente do júri pareceu levar uma hora.

— Inocente.

Os suspiros de dentro do tribunal foram escutados no mundo inteiro. Do lado de fora, em Burton Way, a multidão soltou um grito tão alto que pôde ser escutado mesmo através das grossas paredes do tribunal. Quando os cameramen se deram conta do que tinha acontecido, deram um zoom no rosto de Sofia. Mas qualquer reação ocorrida na fração de segundo após o presidente falar já tinha se apagado do seu rosto, substituída agora pelo sereno vazio usual. Matt Daley fechou os olhos, caindo para trás em sua cadeira, como se tivesse levado um soco. Até o juiz Muñoz precisou de um momento para se recompor.

O presidente do júri continuou:

— No caso de Andrew Jakes, porém, consideramos a segunda ré, Sofia Basta, culpada de homicídio involuntário devido à responsabilidade diminuída.

O juiz Muñoz limpou a garganta.

— No caso de Sir Piers Henley...

Mais uma vez, o mesmo veredito, como uma faca no coração do juiz.

Culpado.

Inocente.

Responsabilidade diminuída.

Foi a mesma coisa para as outras duas vítimas. Apenas na acusação de tentativa de assassinato de David Ishag, os dois réus foram condenados.

A sensação de descrença era palpável. Mesmo o imperturbável Mancini parecia chocado, sua pele morena visivelmente pálida. O irmão de Sir Piers Henley estava balançando a cabeça, batendo em seu aparelho auditivo para ver se tinha escutado certo. As ex-namoradas de Miles Baring começaram a chorar e mais de uma voz vindo da galeria gritou:

— Não!

Quanto a Danny McGuire, não se podia dizer que compartilhava a raiva. Verdade seja dita, só sentia uma profunda sensação de paz.

Sofia Basta seria mantida atrás das grades. Ninguém mais morreria pelas mãos de Azrael, sacrificado pelo tortuoso desejo de vingança de Frankie Mancini. Mas a adorável Angela Jakes, como se chamara um dia, seria poupada da seringa do executor.

Talvez não fosse justiça. Mas era um encerramento.

Danny McGuire finalmente estava livre.

Capítulo 35

QUATRO ANOS DEPOIS...

— Sinto muito, senhor. Sem uma autorização não posso permitir que entre.

Talvez, surpreendentemente, o guarda do Altacito State Hospital realmente sentisse muito. Era um trabalho difícil e solitário vigiar as internas da única prisão psiquiátrica da Califórnia, e poucos dos funcionários mal remunerados do hospital eram conhecidos por sua compaixão. Com 60 e poucos anos, o guarda parecia ainda mais velho, sua pele grossa tão enrugada e ressecada quanto um leito de rio seco graças aos longos anos que passara sob o impiedoso sol do deserto. Mas havia bondade em seu olhar ao fitar o homem louro, magro e cheio de esperança, apoiado em uma bengala diante dos portões do hospital enquanto tentava entrar.

Não era a primeira vez que o guarda via aquele homem. Nem a segunda. Nem mesmo a terceira. Todo mês, no dia de visitação, o homem aparecia, pedindo permissão para ver a interna mais famosa do Altacito State Hospital. Mas todo mês ela se recusava a receber visitas.

Poupada de forma controversa da pena de morte em seu julgamento, o Anjo da Morte, como ainda era chamada pelos tabloides, levava uma vida relativamente fácil no hospital psiquiátrico, se bem que uma vida atrás das grades e sob pesada vigilância. Ela tinha o próprio quarto, com janelas e vista para os bem cuidados jardins do lugar e para o Deserto de Mojave. Seus dias eram planejados, mas não árduos, com as horas divididas entre trabalho, exercício, recreação e tratamentos psiquiátricos, que iam desde sessões de hipnose até terapia em grupo.

Infelizmente, Matt Daley não sabia de nada disso. Ele se preocupava constantemente com Lisa — para ele, ela sempre seria Lisa —, achando que ela poderia ser discriminada e tratada com brutalidade pelas outras internas devido à sua notoriedade. Matt escrevera inúmeros e-mails para o chefe de psiquiatria do hospital, implorando para receber notícias sobre as condições dela. Ela estava comendo? Estava deprimida? Poderiam confirmar, pelo menos, se ela estava recebendo as cartas que Matt escrevia para ela todos os domingos, religiosamente, contando a ela sobre a vida dele e o sucesso internacional de seu aclamado, mas controverso documentário, *Azrael: segredos e verdades...* Cartas para as quais Matt ainda esperava uma única resposta. Ela sabia que ele tentava entrar em contato com ela? Que pelo menos um amigo não a abandonara no momento mais desesperador de sua vida?

As respostas aos e-mails eram sempre a mesma coisa. Educadas. Breves. Diretas: Matt Daley não era da família. Não tinha autorização para receber informações sobre a paciente, a não ser que a paciente autorizasse expressamente. Sofia Basta não tinha autorizado.

— Sei que se ela me vir, vai mudar de ideia — disse Matt para o guarda pela centésima vez. — Se você me deixar entrar na sala de visitas, apenas por alguns segundos... Vim de longe.

— Eu entendo, senhor. Entendo mesmo. Mas infelizmente terá que voltar para casa.

* * *

SOFIA LEU A CARTA de novo, passando a mão carinhosamente pelo papel, pensando nas mãos de Matt tocando o mesmo papel, da forma que um dia ele a tocara. Começava como todas as outras:

"Querida Lisa..."

Ler o nome era a sua parte favorita. O nome soava bem. Soava certo. Sempre que lia as cartas de Matt Daley, sempre que pensava nele, ela *era* Lisa. E Lisa era a melhor parte dela mesma. Depois do julgamento, pensara em mudar seu nome legalmente. *Lisa. Lisa Daley.* Soava maravilhosamente. Mas conforme os dias e as semanas foram passando, e ela absorveu a realidade da sentença — eles podiam fantasiar as coisas como quisessem, chamar sua prisão de "hospital" e seu castigo de "tratamento", mas ainda era uma vida sem liberdade —, mudou de ideia. De que lhe adiantaria um novo nome agora, aqui? Não havia segundas chances, recomeços. Esse era o fim.

Mas não para Matt. Ele tinha uma chance. Um futuro. Quem era ela para destruir isso dando-lhe esperança? Fazendo com que ele pensasse, mesmo que por um momento, que podiam voltar atrás...? Para Matt Daley viver, Lisa precisava morrer. Era simples assim.

Era tão difícil se prender à verdade. Separar a realidade da fantasia. Ela vivera com mentiras durante tanto tempo. Mas tentara não mentir para Matt. Quando ela dissera que o amava, estava falando a verdade. Se o tivesse conhecido antes, muito antes, antes de Frankie e do livro, antes de Sofia Basta, antes de ela se esquecer de quem era, as coisas poderiam ter sido bem diferentes. Mas da forma como foi, ela passaria o resto de seus dias trancada como um animal, rodeada por cercas elétricas e pelo vazio do deserto. As cartas de Matt eram tudo para ela. Mas devia a ele esse silêncio... Precisava deixá-lo seguir sua vida.

Ela continuou lendo.

"Nem sei se você está recebendo as minhas cartas, meu amor. A esta altura, acho que as escrevo mais para mim do que para você. Mas não consigo parar. E não vou parar, Lisa, até que você saiba que eu amo você, que eu a perdoo e que nunca vou desistir de você, independente de quantas vezes os guardas me mandarem embora."

Ela ficava emocionada por ele dizer "os guardas" e não "você". Querido Matt. Ele ainda queria absolvê-la de tudo.

"Não suporto pensar em você nesse lugar terrível. Por favor, meu amor, se estiver sendo maltratada, precisa avisar alguém. Se não a mim, a seus advogados ou até mesmo ao governador. Até Danny McGuire poderia lhe ajudar."

Danny McGuire. Era engraçado, sempre que pensava em Matt, sentia-se como Lisa, mas sempre que pensava em Danny McGuire, era Angela Jakes. Pobre Angela. Tão bonita, tão jovem. Ela foi a primeira a ser violada, a primeira a sofrer. Quando ela se tornou Tracey, ou Irina, e até mesmo Lisa, estava mais forte, endurecida pela litania de horrores, entorpecida para a dor. Mas Danny McGuire a conhecera no início, quando ainda era vulnerável, crua. Ele conhecera Angela e, do modo dele, Sofia desconfiava, ele a amara. Ao ler o nome dele escrito na caligrafia cursiva de Matt, ela quase se sentiu nostálgica.

Talvez devesse mandar alguma mensagem para Matt, mesmo que anonimamente, para que ele soubesse que ela estava bem. Tirando a óbvia dureza de perder a liberdade, Sofia se adaptara bem à rotina do hospital. Metade de sua vida fora passada em instituições, e a outra metade fugindo, não apenas da polícia, mas de seus próprios demônios. No hospital, seus dias eram agradavelmente previsíveis. Ela encontrou conforto na rotina do hospital.

No que diz respeito a ser provocada pelos outros pacientes... Na verdade, lhe ocorria justamente o contrário. No mundo lá fora, as mulheres tendem a invejar a beleza em vez de apreciá-la. No Altacito State Hospital, sem ter nenhum homem para disputar além dos guardas, e pouca beleza em qualquer forma, a beleza de Sofia era um passaporte para a popularidade. As outras mulheres queriam ficar perto dela, apesar de ela não ser nem um pouco social, preferindo fazer suas refeições sozinha e recusando todas as atividades de grupo, desde filmes à noite até eventos esportivos organizados. Mas nunca saía do quarto sem ser acompanhada por olhares admirados. De vez em quando, os olhares mudavam de admiração para luxúria, mas, diferente da prisão estadual, não havia muitas lésbicas no hospital e Sofia nunca se sentiu ameaçada.

Sua beleza não era sua única vantagem. Sem nenhum esforço ou vontade de sua parte, Sofia se tornara uma celebridade no local. Muitas internas a admiravam, vendo as vítimas Azrael como homens velhos, ricos e sujos, que insensivelmente abandonaram seus filhos e que, portanto, receberam o que mereciam. Sofia tomou cuidado para nunca endossar esse ponto de vista. Lembranças dos assassinatos ainda assombravam seus pesadelos, e falar sobre eles podia levá-la a ataques de ansiedade agudos. A única parte do passado à qual ainda se agarrava era Matt Daley.

— Hoje ele veio de novo.

A voz do enfermeiro trouxe Sofia de volta ao presente. Com relutância, ela afastou os olhos da carta de Matt.

— Você ainda não quer vê-lo?

Sofia balançou a cabeça negativamente.

— Estou cansada. Preciso dormir.

O enfermeiro a deixou, observando pela porta de vidro enquanto ela se deitava no beliche e fechava os olhos. *Era mesmo possível uma mulher ficar mais bonita a cada dia?*

O nome do enfermeiro era Carlos Hernandez, e ele era um dos poucos homens que trabalhavam na equipe psiquiátrica do Altacito State Hospital. Seus camaradas em Fresno implicavam com ele dizendo que tinha o "emprego dos sonhos". Eles zombavam: "Bem-vindo a Altacito, população duas mil. Mil novecentas e noventa e nove vadias loucas... e *você!*" Mas a verdade era que

Carlos se sentia mais solitário nesse trabalho do que já se sentira em toda a vida. Sim, era cercado por mulheres, mas não havia nenhuma com quem pudesse conversar, muito menos fazer uma amizade ou manter um relacionamento. As pacientes obviamente estavam fora de alcance, e a média de idade das enfermeiras com quem trabalhava era de 42 anos com peso médio de provavelmente 80 quilos. Não exatamente uma boa escolha. Para uma instituição que abrigava 2 mil mulheres, era impressionante como tão poucas eram atraentes.

Água, água por toda parte, mas nenhuma gota para beber.

Sofia Basta, por outro lado... Ela era a exceção que comprovava a regra. Uma anomalia. Uma estranha ocorrência. Ela também era mais velha, tinha 40 e poucos anos, segundo sua certidão de nascimento, mas ela aparentava, pelo menos, uma década a menos, e era infinitamente mais desejável do que qualquer outra mulher que Carlos Hernandez conhecera, muito menos namorara. A pele macia dela, os traços perfeitos e o corpo esbelto seriam mais do que suficientes para povoar as fantasias do jovem enfermeiro. Mas Sofia tinha algo além disso, uma calma interior, um tipo de *bondade* que emanava como uma luz. Claro, Carlos Hernandez sabia sobre sua doença mental. Se parasse de tomar os remédios, ela podia estourar a qualquer momento, voltar a ser a psicopata altamente perigosa e confusa, capaz de matar. Mas conversando com ela, era difícil acreditar. Sofia parecia a criatura mais sã, adorável e gentil da terra.

Através do vidro, ele viu os ombros dela sacudindo. Era contra as regras, mas ele não conseguiu se segurar. Voltando para o quarto, ele se sentou na cama dela.

— Não chore — disse ele bondosamente. — Você não precisa ver ninguém se não quiser. Muitas pacientes daqui acham o contato com o mundo exterior difícil.

Sofia se virou e o fitou com aqueles deliciosos olhos de chocolate derretido. O estômago de Carlos deu uma cambalhota.

— Não fica mais fácil? Com o tempo?

Não ficava mais fácil. Ficava mais opressor e sufocante a cada dia, a cada hora, a cada minuto. Carlos Hernandez já vira o preço que a vida em uma instituição cobrava de um ser humano. O desespero de saber que você nunca vai sair, que este será o seu mundo até seu último suspiro. Mas não conseguiu dizer isso para Sofia Basta.

— Claro que sim.

— Eu o veria — disse Sofia —, se algum dia fosse sair daqui. Se eu tivesse um futuro, qualquer coisa para oferecer a ele. Mas como eu não tenho, me parece cruel. Ele precisa me esquecer.

— Tente descansar um pouco — disse Carlos, puxando o cobertor para cima dela e gentilmente acariciando seu cabelo antes de sair do quarto. Ele olhou para os dois lados do corredor, verificando se alguém o vira, mas estava a salvo. A ala D estava deserta, como sempre ficava nos dias de visita.

Carlos Hernandez não conhecia Matt Daley. Mas tinha uma coisa sobre ele que o enfermeiro sabia: ele nunca "esqueceria" Sofia.

Sofia era inesquecível.

MATT DALEY DIRIGIA PELA estrada interestadual, seu Range Rover customizado novo o único carro na estrada. O deserto se estendia à sua volta, em todas as direções, um oceano de vazio e poeira. *Como a minha vida. Desoladora.*

O mundo achava que Matt Daley dera a volta por cima. E, aparentemente, dera. Após anos de fisioterapia intensa, ele reaprendera a andar, contra todas as probabilidades, e agora usava apenas uma bengala como apoio. Seu nome raramente era citado hoje em dia sem que a palavra *sobrevivente* viesse na mesma frase. Seu documentário sobre o caso Azrael, produzido com orçamento limitado porque Matt se recusou a ceder ao controle editorial, recebera muita atenção da crítica, mesmo não tendo sido exatamente aclamado. Matt não escondia o fato de que era defensor de Sofia Basta, jogando toda a culpa pelos assassinatos Azrael exclusivamente em Frankie Mancini. Apesar de os jurados no julgamento terem feito praticamente a mesma coisa, isso estava entalado na garganta de muita gente, inclusive de Nancy Grace da HLN. Grace queria a cabeça de Sofia em uma bandeja desde o dia de sua prisão. Ironicamente, foi o fato de a âncora da Fox condenar ruidosamente *Azrael: verdade e mentiras* que garantiu ao documentário uma audiência que Matt nunca poderia imaginar. Distribuído por toda a Ásia e no subcontinente da Índia, assim como na Europa e nos Estados Unidos, o filme foi um enorme sucesso comercial. Matt Daley era mais do que um sobrevivente. Ele era um homem rico, um vencedor, um sucesso.

Nada disso importava.

Não esperava que Lisa o recebesse hoje. Após quatro anos, ele estava resignado à rejeição dela. Mas sempre tinha esperança.

Ele morreria tendo esperança.

Foi para a estrada. Agora que estava sozinho, lágrimas escorriam livremente pelo seu rosto, quando mais uma vez ele se permitia sofrer. Às vezes, lutava contra isso. Dizia a si mesmo, com firmeza, que precisava fazer alguma coisa, agarrar a depressão pelos chifres, jogá-la no chão e derrotá-la. Mas na maior parte do tempo ele sabia.

Um dia não aguentaria. Dirigiria para um despenhadeiro e simplesmente não pararia. Acabaria com seu fardo. Seria livre.

Um dia...

Capítulo 36

CLAIRE MICHAELS DEU UM gole em seu café em uma mesa de canto em um Le Pain Quotidien em Brentwood, sentindo-se totalmente feliz. Era um dia glorioso de junho, nove meses depois da última visita infrutífera de seu irmão Matt a Altacito, e finalmente as coisas pareciam ter dado uma guinada na vida de todos eles. Claire tinha dirigido até San Vincente no novo Mercedes conversível que Matt lhe dera de aniversário no mês anterior, sorvendo o céu azul e o sol brilhante e enchendo seus olhos com as acácias florescentes que contornavam a estrada ampla e tortuosa. Até a natureza parecia estar comemorando hoje, em uma erupção de cores, aromas e alegria em homenagem à ótima novidade de seu irmão.

Estava tudo tão longe daquele terrível dia de outubro. Ela se lembrava como se tivesse sido ontem. Matt telefonando para ela de um posto de gasolina na I-5 soluçando incontrolavelmente, mal conseguindo falar, dizendo onde estava. O colapso dele foi total e catastrófico. Claire o levara diretamente para Wildwood, um centro de reabilitação em Toluca Lake, e assinou um papel como a parente mais próxima dele. Quando ela foi embora, Matt não se lembrava nem mais do próprio nome.

Mas, milagrosamente, o colapso foi a ascensão, ou melhor, a redenção de Matt Daley. Após dez dias apenas, ele já estava bem o suficiente para receber visitas. Em oito semanas, a depressão que o acompanhava havia mais de cinco anos — desde o dia em que Sofia Basta, passando-se por Lisa Baring, o drogou e o abandonou em um quarto de hotel em Hong Kong — finalmente parecia ter passado. Claire chorou na primeira vez que o viu rindo de novo, e não apenas rindo com os lábios, mas com os olhos também, com todo o seu ser, como ele costumava fazer antigamente. Ele ganhou 10 quilos muito necessários, começou a trabalhar regularmente e a falar sobre o futuro. O mais importante de tudo, ele *parou* de falar sobre Lisa, ou Sofia, ou Andrew Jakes, ou qualquer coisa que tivesse a ver com os crimes Azrael. Era um milagre.

Havia ainda mais milagres por vir.

Matt conheceu uma mulher na reabilitação, divorciada e se recuperando de alcoolismo, chamada Cassie, e eles descobriram que ela era tão meiga e engraçada quanto Matt a descrevera. Na semana passada, após um rápido mas incrivelmente feliz namoro — maduro demais para ser chamado de "romance relâmpago" —, Matt e Cassie anunciaram o noivado.

— Oi, mana. Desculpe o atraso.

Desviando das mesas, com um enorme sorriso, vestindo bermuda cáqui e camiseta azul da UCLA, Matt era a imagem da felicidade e da saúde.

— Oi. — Claire sorriu para ele. — Cassie não veio?

— Acabei de deixá-la na aula de Pilates. Por que, não sou mais o suficiente para você agora?

— Você já serve. — Sorrindo, Claire empurrou um pequeno embrulho dourado por cima da mesa.

Matt levantou uma sobrancelha.

— Para mim?

— Ei, eu também posso dar presentes para você, viu? É um presente de noivado. Mas não fique muito animado, não é nada demais.

Matt desembrulhou a caixa. Dentro havia um simples, mas elegante relógio masculino antigo, com pulseira de couro e mostrador dourado rosé. Atrás, estavam gravadas as inicias *M* e *C* interlaçadas e a data do noivado.

— Nada demais? Meu Deus, Claire, é lindo. Deve ter custado uma fortuna.

— Nem tanto — mentiu Claire. — É que estou tão feliz porque você está feliz. Você merece, Matt. Merece mesmo.

Matt *estava* feliz. Não era a sensação de estar nas nuvens, a emoção viciante que sentira em Bali com Lisa. Mas à sua própria maneira, disse ele para si mesmo, o que ele tinha com Cassie era tão precioso quanto. Cassie lhe trouxera paz, segurança e satisfação. Ela não se importava a mínima com o dinheiro dele, não tinha nada a ver com Raquel — e ela nunca lhe fazia perguntas sobre o passado. Amar Cassie foi uma escolha que Matt fizera, uma coisa racional e boa que decidira fazer. Lisa fora um impulso, uma atração irresistível por uma droga poderosa e perigosa. Matt nunca se esqueceria da onda que sentira na época. Mas sabia muito bem que essa droga quase o matara. Nunca poderia voltar atrás.

Matt pediu dois ovos cozidos e um sanduíche de salmão para ele e panini de peito de coelho para Claire enquanto ela o bombardeava com perguntas sobre o casamento. Já tinham marcado uma data? Reservado o local? Quem estava na lista de convidados? Danny e Céline McGuire viriam da França? Matt tinha notícias de Danny?

Matt respondeu a todas as perguntas com bom humor, mandando sua irmã perguntar a Cassie todos os detalhes relacionados a bolo, flores e vestidos. Mas o fundamento era simples. Seria uma cerimônia pequena, no jardim da nova casa de Matt em Brentwood Park. Os McGuire tinham sido convidados, mas provavelmente não viriam. De alguma forma, eles tinham conseguido ter três — três! — filhos desde o julgamento, e o mais novo era muito pequeno para viajar, mas segundo os e-mails de Danny, eles estavam muito felizes. O fantasma de Angela Jakes finalmente tinha ficado para trás.

David Ishag mandara uma caixa de champanhe para Matt quando o documentário Azrael foi lançado e escreveu para ele uma carta muito gentil enquanto estava em Wildwood. Mas fora isso, Matt deliberadamente cortara todos os vínculos com qualquer pessoa ligada ao caso ou a Sofia Basta. Seu casamento com Cassie marcaria o começo de um capítulo novo e mais feliz de sua vida. O antigo livro estava encerrado.

Vinte minutos depois, atrás do volante de seu Range Rover, Matt ligou o rádio. O noticiário da NPR de Washington soou pelo carro com a voz familiar de Lakshmi Singh. Ele nem prestou atenção às duas primeiras reportagens. Novos números crescentes do Banco Central e alguma coisa sobre aquecimento global da Fundação Nacional de Ciência que ele deveria se importar, mas não se importava. Estava pensando em Cassie e em como ficava ela linda depois de suas aulas de Pilates, toda suada e animada, convencida de que ficava horrível sem maquiagem quando, na verdade, parecia mais natural e sensual do que nunca. Virando à direita na Montana, Matt freou de repente, quase batendo na SUV à sua frente.

— Mais uma notícia — dizia Lakshmi Singh —, Frankie Mancini, mais conhecido pelo público como um dos assassinos Azrael, deu fim à própria vida enquanto esperava no corredor da morte na prisão San Quentin na região central da Califórnia. Mancini estava esperando para ser executado devido à sua participação no assassinato de quatro homens entre 1996 e 2006, e após vários recursos, esperava-se que fosse executado ainda este ano. A informação recebida é que Mancini foi encontrado enforcado em sua cela bem cedo esta manhã.

A mulher da SUV estava gritando com Matt, sacudindo o braço para fora da janela. Atrás dele, carros buzinando começaram a desviar. Matt estava completamente indiferente.

Mancini estava morto.

Matt se agarrara ao seu ódio por Frankie Mancini durante um longo tempo. Precisava de alguém para odiar para que pudesse continuar amando Lisa. Mas agora que Frankie estava mesmo morto, Matt não sentiu a satisfação nem a sensação de caso encerrado ou de justiça feita que acreditava que sentiria. Em vez disso, ele se sentia... Roubado. Entrevistara praticamente todo mundo envolvido de alguma forma aos assassinatos Azrael para seu documentário, e durante o julgamento escutara a versão de Lisa — Sofia — para os fatos. Mas a única pessoa que sabia de tudo o que tinha acontecido naquelas noites horríveis, e *por que* tudo isso aconteceu, não pronunciou uma palavra sobre os crimes. Quaisquer que fossem seus motivos e sentimentos, Frankie Mancini levou-os para o caixão. Até a sua morte aconteceu segundo os seus próprios termos.

Quando Cassie entrou no carro, já sabia da notícia. A televisão do vestiário estava ligada no canal da CNN.

— Você está bem? — perguntou ela para Matt.

— Claro. — Ele ainda parecia tonto.

— Fico me perguntando como isso pôde ter acontecido. Os presos no corredor da morte não deveriam ser vigiados 24 horas por dia para evitar suicídio?

Matt concordou, distraído. Não estava pensando em Frankie Mancini ou em como ele conseguira enganar os oficiais em San Quentin e tirar a própria vida. Estava pensando em outra pessoa condenada, atrás de outros muros, a uns 150 quilômetros ao norte de onde ele e Cassie agora estavam conversando. Uma pessoa em quem não pensava havia bastante tempo. Uma pessoa que aprendera a esquecer.

Será que ela estava chorando? Sofrendo? Ao pensar nela desesperada e sozinha, seu coração quase parou. Ele estremeceu.

— Tem certeza de que está bem? — O rosto de Cassie estava coberto de ansiedade. — Podemos deixar a organização do casamento para outro dia, se preferir.

A organização do casamento. Merda. Tinha se esquecido totalmente. Fazendo uma força quase física, expulsou os pensamentos de Lisa de sua mente. *Nosso casamento. Nosso futuro.*

— Tenho certeza. — Ele forçou um sorriso. — Vamos escolher o bolo.

Capítulo 37

O DIA DO CASAMENTO DE Matt e Cassie estava maravilhoso. O jardim em Brentwood explodia com flores, o sol brilhava com força e os noivos estavam tão felizes e apaixonados quanto duas pessoas podiam estar. Todos do pequeno grupo de familiares e amigos que vieram brindar a união deles com ponche de frutas não alcoólico — Matt parara de beber para ajudar Cassie e metade de seus amigos era do AA — concordaram que a cerimônia íntima era um reflexo perfeito do relacionamento do adorável casal, e que ambos tinham passado por tanta coisa. Não era o final feliz deles. Era o feliz recomeço.

A lua de mel no Taiti foi idílica, com nada além de dormir, mergulhar e fazer amor sob as estrelas. De vez em quando, rápidas lembranças de uma outra experiência no paraíso invadiam a mente de Matt. Mas ele expulsava cada uma delas com firmeza, lembrando-se dos mantras que aprendera em Wildwood, pequenos dizeres que ele passara a creditar e que, literalmente, tinham salvado sua vida.

A minha mente é só minha.

Posso controlá-la.

O passado ficou no passado.

Apenas o presente era real. Apenas o presente importava. E o presente pertencia a Cassie. No começo, Matt relutara em ficar tão desligado do mundo. O atol privativo em que estavam hospedados era o que havia de mais recente em luxo recluso, mas por projeto, as vilas de lua de mel não tinham acesso à internet, telefone nem televisão. Cassie zombava da fixação de Matt ("Juro por Deus que você parece um viciado. É realmente *tão* difícil passar duas semanas sem Anderson Copper e uma caixa de entrada cheia de spam?"), e, após alguns dias, Matt conseguiu relaxar de uma forma que não fazia havia anos. Talvez fosse sua imaginação, mas ele sentiu que as dores nas costas e na perna estavam diminuindo. Nadava todos os dias nas águas azuis e mornas e caminhava de casa até a praia e voltava sem bengala. Em todos os sentidos possíveis, seu casamento com Cassie o estava curando. Matt se sentia profundamente grato.

Assim que chegaram a Los Angeles, o casamento deles enfrentou o primeiro teste. Claire Michaels foi encontrá-los no aeroporto. Assim que Matt e Cassie viram Claire e o marido, perceberam que havia algo de errado. Doug estava acompanhado por dois policiais uniformizados. Na alfândega, eles foram levados para uma sala privativa.

— O que houve? — perguntou Cassie, em pânico. — É o Brandon? Ele está bem?

— Seu filho está bem, senhora — assegurou o policial mais velho. — Não precisa se preocupar. Apenas estamos aqui em cortesia. No caso de terem alguma pergunta.

— Pergunta sobre o quê? — disse Matt.

Claire pegou a mão do irmão.

— Matt... Sofia Basta morreu enquanto você estava fora. Foi na quarta-feira passada, mas não tínhamos como entrar em contato com você.

— *Morreu?* — Matt não conseguia compreender. — Como assim? Como?

— Foi um acidente — disse o policial. — Não foi noticiado, mas nos últimos seis meses ela tinha permissão a algumas liberdades dentro dos limites de Altacito, já que se acreditava que seu estado mental estava melhorando e que ela não era mais um perigo para a sociedade.

Matt assentiu.

— Ela estava em uma caminhada pelas montanhas — continuou o policial. — Estava com outras duas pacientes e quatro funcionários quando aconteceu.

Claire continuou a narração.

— Parece que ela escorregou e caiu em um barranco bem fundo. Ligaram para a emergência e mandaram um helicóptero de busca, mas o lugar onde ela caiu era tipo uma fenda, incrivelmente estreito e com quilômetros de profundidade. Não conseguiram resgatar o corpo. Mas, Matt, ela deve ter morrido com o impacto. Não deve nem ter sofrido.

Matt fitava a irmã, sem expressão.

— Eles têm certeza de que ela está morta?

— Absoluta. Um dos guardas e outra paciente estavam lá quando ela caiu. Não tem como alguém sobreviver àquela queda. Os helicópteros só foram acionados para tentar resgatar o corpo.

— Matt... Querido. — Cassie passou o braço de forma protetora ao redor da cintura do marido. — Quer sentar?

— Sei que é um choque enorme — disse Claire. — Mas queríamos que você soubesse antes de passar pela alfândega. Como você pode imaginar, a imprensa já sabe de toda a história. Sabiam que você voltaria hoje, então tem uma horda de fotógrafos e repórteres lá fora querendo ver a sua reação.

Cassie parecia horrorizada. Da lua de mel perfeita para isso. Não era justo.

O policial percebeu o olhar de ansiedade dela.

— Não se preocupe, Sra. Daley. Nós os escoltaremos até a saída. Temos um carro esperando.

As palavras *Sra. Daley* despertaram Matt de seu transe. Cassie era sua esposa agora. Primeiro, precisava pensar nela, e não em si mesmo.

— Estou bem — disse ele de forma tranquilizadora, puxando-a para seus braços. — Foi um choque, só isso. Mas estou bem. E talvez... — Ele hesitou em dizer as palavras, mas se forçou a continuar. — Talvez tenha sido o melhor.

Cassie e Claire o fitaram com os olhos arregalados.

— Não que eu quisesse que isso acontecesse. Mas, se ela não sofreu, talvez isso tenha sido melhor do que ficar velha atrás das grades, sem nada para fazer a não ser afundar no passado... Sabem?

Cassie concordou. Ela entendia.

Matt a beijou, fechando os olhos, sentindo seu cheiro, buscando tranquilidade, segurança, amor.

— E para nós também. É terrível e trágico. Mas é um marco. O passado realmente ficou para trás.

Cassie Daley levantou o olhar, fitou o marido e lágrimas de alívio escorreram por seu rosto.

Finalmente, o pesadelo tinha acabado. De uma vez por todas.

Capítulo 38

DEZOITO MESES DEPOIS...

A MULHER ENTROU NO STARBUCKS despercebida. Já havia uma longa fila. Eram 9 da manhã, logo depois da hora da entrada dos colégios, e o lugar estava cheio de mães pegando seus *iced lattes* a caminho da ginástica. A mulher usava o mesmo uniforme de todas as outras: calças de ioga Hard Tail, tênis Nike e um top de ginástica da Stella McCartney para a Adidas, justo o suficiente para valorizar os seios sensuais e o abdome sarado sem parecer exibida. O rosto bonito estava escondido atrás de óculos estilo aviador da Chloé, e seu cabelo louro na altura dos ombros estava preso em um rabo de cavalo.

Matt Daley não tirou os olhos de seu computador. Deveria estar trabalhando, criando o primeiro rascunho para uma matéria na *Vanity Fair* sobre o negócio da comédia em Hollywood. Depois de deixar Azrael para trás, Matt voltara aos seus primeiros amores, comédia e roteiro, e estava curtindo o renascimento de sua carreira. Esta manhã, porém, estava navegando no site Marie Chantal em busca de roupinhas fofas para bebê. Tinham descoberto há poucos dias que, de forma um tanto *in*esperada,

Cassie estava esperando um bebê. Um Matt exultante acreditava que seria uma menina.

— Este lugar está ocupado?

A mulher estava de pé ao lado dele com o café na mão.

— Ah, não. Por favor... — Matt, educadamente, passou para o assento ao lado para que ela pudesse se sentar. Ela se sentou, colocando o copo de café sobre a mesa primeiro. Algo na mão dela e na forma lânguida com que movia os braços chamou a atenção dele. Ela fazia com que se lembrasse de alguém, mas não conseguia dizer quem.

— Não estou incomodando, estou? É que está tão cheio...

A voz. Matt sentiu os pelos de seu braço se eriçarem.

Percebendo que ele a encarava, a mulher tirou os óculos de sol.

— O que houve? — Ela sorriu. — Parece que você viu um fantasma.

O TELEFONE ESTAVA TOCANDO. Cassie Daley saiu se arrastando do banheiro, onde vomitara pela segunda vez naquela manhã, até a cozinha.

— Alô? Alô?

Típico. No momento em que atendeu, a pessoa desligou. Debruçando-se sobre o balcão da cozinha, Cassie se serviu de um grande copo de água filtrada e bebeu devagar, beliscando um pedaço de torrada seca. Tinha se esquecido das náuseas matinais e da sensação terrível que deixavam. Fazia tanto tempo que dera à luz Brandon, e quase três anos desde sua última ressaca. Enjoo parecia uma novidade.

Os telefones tocando, por outro lado, eram estranhamente familiares, a trilha sonora do casamento de Cassie e Matt desde que voltaram do Taiti. Os avisos de Claire no aeroporto naquele dia sobre a agitação da imprensa em relação a morte de Sofia Basta foram proféticos. Os dois entraram no corredor de casa e encontraram uma cacofonia de campainhas de telefones, de casa, do escritório e celulares, todos competindo pela atenção de Matt. Até a linha do fax tocava insistentemente, como uma abelha furiosa por estar presa.

— Sr. Daley? Aqui é da CBS News. Tem algum comentário a fazer sobre a morte de Sofia Basta...?

— Matt Daley, o senhor acredita no veredito de morte acidental...?

— Matt, oi, aqui é Piers Morgan. Tenho certeza de que deve estar cheio de ofertas, mas quis ligar pessoalmente para ver se consigo convencê-lo a falar conosco primeiro.

Algumas das pessoas que ligavam eram agressivas, outras, respeitosas. As revistas, porém, eram as piores. A vadia que ligou da *Star* deixou subentendido que se ele não concordasse em dar uma entrevista exclusiva para eles, estavam planejando publicar uma matéria sobre "encontros secretos" de Matt e Sofia nos dias em que ela teve permissão de sair do hospital.

— Sua esposa ficaria chocada em ler o que as nossas fontes nos contaram — o repórter teve a ousadia de dizer. — Esta é a sua chance de colocar os pingos nos is.

Quando Matt disse à mulher onde ela podia enfiar as suas fontes, a mulher cumpriu a palavra e publicou a matéria, uma sequência de fotos grotescamente tratadas em Photoshop e uma ridícula teoria da conspiração. Foi a maior vendagem da *Star* naquele ano.

Cassie ficou furiosa.

— Processe a revista por calúnia. Obrigue-os a publicar uma retratação.

Mas Matt a convenceu de que se meter com esse pessoal dos tabloides só colocaria mais lenha na fogueira. E que, se eles continuassem mantendo seu digno silêncio, a história perderia força e morreria. E ele estava certo. Dois guardas de Altacito perderam seus empregos e o diretor do hospital foi obrigado a pedir demissão. Com o desejo de vingança do público ao menos parcialmente satisfeito, e sem mais nenhuma revelação devassa a ser feita, os telefonemas finalmente pararam. Mas, a esta altura, Cassie Daley já tinha desenvolvido aversão ao som que eles faziam quando tocavam.

A luz de mensagem estava piscando. Quando apertou o botão *play*, Cassie sorriu ao escutar a voz de Matt.

— Oi, querida. Sou eu. Olhe, me ligaram da *Vanity Fair* e vou ter uma reunião com alguém lá. Por isso, devo chegar mais tarde hoje, então não se preocupe e não precisa preparar o meu jantar. Até mais tarde.

Ele é um péssimo mentiroso, pensou ela carinhosamente. Imaginou que surpresa ele estaria planejando desta vez, que segredo ele não queria que ela soubesse. *Provavelmente alguma coisa para o bebê. Ou os brincos que combinam com o colar que ele me deu na semana passada. Ou talvez ele finalmente tenha feito as reservas daquela viagem que estávamos planejando, nossa "lua de bebê".* Sempre generoso, Matt começara a enchê-la de presentes desde que Cassie ficou grávida. Ele até começou a mimar Brandon, dando um celular (aos 9 anos!) e um relógio de mergulho de mil dólares.

Vou conversar com ele quando chegar em casa. Ele tem que parar de esbanjar dessa forma. O bebê já é uma bênção.

Matt fechou a porta quando entraram, a mão tremendo. O hotel era caro, exclusivo e discreto, o tipo de lugar para onde homens ricos levavam suas amantes.

É isso que eu sou? Um homem rico com tesão?

Sofia Basta se sentou na cama. Tinha tanta coisa a dizer, a explicar. Passara esta cena em sua cabeça mais de mil vezes, mas agora que estava aqui, não fazia ideia de como começar.

— Sei que você está casado agora — disse ela, hesitante. — Não quero estragar nada, não quero arruinar a sua vida de novo.

— Você nunca arruinou a minha vida — disse Matt. — Eu fiz isso sozinho.

— Mas eu precisava ver você, para explicar. Você é a única pessoa em quem posso confiar e eu precisava que você... Precisava que você soubesse... — Ela começou a chorar. — Eu não podia ficar naquele lugar. Não podia. Eles estavam me enterrando viva!

— Shhhhh. — Matt se sentou ao lado dela, abraçando-a. — Tudo bem. — Ela estava tão diferente. A cirurgia plástica em seu rosto tinha sido radical desta vez. Mas ao abraçá-la, sentiu a mesma coisa. Uma onda de desejo quase o afogou. Tentou pensar em Cassie, visualizar seu rosto, mas até a imagem dela foi levada pela enxurrada de desejo.

— Consegui um passaporte novo, uma identidade nova — murmurou ela entre soluços. — Mudei meu nome... Obviamente. Aqui. — Pegando em sua bolsa que estava ao lado da cama, ela entregou a Matt uma carteira de motorista da Califórnia. Ali estavam os mesmos olhos castanhos líquidos fitando-o. O nome abaixo da foto era... *Lisa Daley.*

— Espero que não fique com raiva de mim; me pareceu certo.

Largando a carteira de motorista, Matt a empurrou para a cama, beijando-a com tanta intensidade que ela mal conseguia respirar. Ela sentiu o peso, o poder, a paixão dele. Desesperadamente, ele arrancou as roupas dela e as suas próprias, agarrando-se a ela como um homem possuído. Finalmente nu, ele a penetrou com um grito que era metade agonia, metade êxtase.

— Lisa! — Isso não era um homem fazendo amor. Era um homem lutando pela própria vida. Estava consumindo-a, inalando-a, respirando-a como um homem que quase tinha se afogado finalmente chegando à superfície, desesperadamente enchendo o pulmão de ar. Não foi apenas Lisa que voltou dos mortos. Foi o velho Matt Daley, o homem que Matt achara que tinha destruído em Wildwood e enterrado no dia de seu casamento.

— Matt! — Ela passou as pernas em volta dele, segurando seu rosto nas mãos, tentando controlá-lo, acalmá-lo. Agora, era ela quem o estava tranquilizando, balançando-o como a um bebê, acalmando-o com o calor e a umidade de seu corpo, envolvendo-o. — Eu amo você! Sinto muito. Eu amo tanto você.

Matt chegou ao orgasmo, agarrando os quadris dela e penetrando-a tão profundamente que ela sentiu como se ele fosse atravessar seu corpo e sair do outro lado, como se ela realmente fosse um fantasma. Mas o suor, o calor e as lágrimas não eram sombras. Isso era real, essa junção de carne. Uma comemoração angustiada de vida, como dar à luz. Depois, Matt chorou como um bebê.

— Não me deixe. Não me deixe, Lisa, por favor! Faço qualquer coisa.

E ela sabia que ele falava sério.

Eles fizeram amor outras vezes, durante muitas horas, depois dormiram até o anoitecer. Quando eles acordaram, Matt pediu serviço de quarto — dois cheeseburgers e batatas fritas — e eles comeram até a barriga doer. Finalmente, por volta das 7 da noite, Lisa começou a falar. Ela contou a ele sobre sua doença. Como depois de tantos anos ela finalmente parecia ter se libertado dessa sombra e não estava tomando remédios.

— Primeiro, tive medo de parar com a medicação. Mas enquanto eu tomava, me sentia como se estivesse no meio da neblina. Agora, pela primeira vez que eu me lembro, eu me sinto realmente eu mesma.

Ela contou a ele como um "homem generoso" chamado Carlos Hernandez, um dos enfermeiros psiquiátricos, a ajudara a forjar um "acidente", cavando uma armadilha de animal simples na montanha para fazer parecer que ela tinha escorregado na ribanceira, enquanto, na verdade, ela estava escondida em uma caverna poucos metros abaixo. Como a única testemunha do acidente foi uma menina de 19 anos altamente impressionável que estava se tratando, entre outras coisas, de alucinações, foi fácil para Carlos levar o grupo de volta ao acampamento, ganhando tempo para Lisa sair da caverna e descer até uma remota cabana que ele preparara para ela.

— Vocês eram amantes? — Matt ficou com vergonha quando se escutou perguntando.

— Nãããão. — Lisa franziu o cenho. — Acho que ele até teria gostado. Mas não. Ele era meu amigo. Ele arriscou o próprio pescoço para me ajudar e perdeu o emprego, coitado. Mas ele sabia que eu estava bem mentalmente e que eles nunca, nem em um milhão de anos, me soltariam. Principalmente depois que Frankie... você sabe. Eles precisavam de um bode expiatório para punir por todos aqueles pobres homens que morreram. E eu era esse bode.

— Mas você morou com Carlos?

Ela negou com a cabeça de novo.

— Isso teria sido muito perigoso. Ele pagou para eu ir para a América do Sul fazer uma cirurgia plástica. É engraçado como é fácil cruzar a fronteira escondida quando se está *saindo* dos Estados Unidos. Passei oito meses no Brasil, me recuperando e depois trabalhando. Quando voltei, Carlos já tinha se mudado.

— Então, você voltou para a Califórnia para ficar com ele?

Lisa riu.

— Meu Deus, Matt. Que ciúme é esse? Sim, voltei por causa dele. Para pagar o dinheiro que devia a ele e para agradecer. Mas eu também sabia que precisava ver você. Era um risco, um risco enorme. Mas como eu disse, eu precisava que você soubesse.

— Então, agora eu sei.

Matt se levantou e foi até a janela. A paisagem de Los Angeles, tão familiar durante toda a sua vida, agora parecia estranha a até ameaçadora esta noite, como se ele nunca a tivesse visto antes.

A poucos quilômetros dali, em um lugar seguro e feliz, Cassie estava esperando por ele. Cassie, Brandon e o bebê deles. Esperando. Confiando. Querida, doce Cassie.

— Está pensando na sua esposa?

Matt confirmou.

— Ela está grávida. — As palavras saíram de sua boca sem que ele planejasse pronunciá-las.

— Ah. — A dor ficou visível no rosto de Lisa. Não tinha se sentido culpada por passar o dia com Matt. Tinha certeza de que o que aconteceu tinha de acontecer. O amor entre eles, o elo, era precioso demais para não ser honrado. E ela estava longe dele havia tanto tempo... não merecia este único momento de verdadeira felicidade?

Mas um bebê...? Isso era diferente. Que tipo de mulher pedia a um homem para deixar o filho? E que tipo de homem abandonava sua família? Não Matt Daley, Lisa tinha certeza. Matt era melhor que isso. Era isso que Lisa amava nele.

— Você precisa voltar.

Matt se virou, exausto demais para continuar chorando, mas seu rosto revelava sua desolação. Nem ele podia acreditar no que estava dizendo, no que estava fazendo.

— Sim, Lisa — sussurrou ele. — Preciso voltar. Sinto muito... Está na hora de dizermos adeus.

Capítulo 39

Todos concordavam que o Sr. e Sra. Daley eram um casal adorável.

A barriga dela era tão pequena que mal dava para ver, mas ele sempre a acariciava, guiando-a com infinito cuidado pelo saguão ou para o quintal ensolarado para tomar chá. Às vezes ele se sentava e escrevia ali. Outras vezes, os dois analisavam listas de casas que os corretores tinham lhes dado. Como tantos outros casais que vinham para cá de férias, os Daley tinham se apaixonado pela cidade. Quem sabe, um dia, o bebê deles que ainda estava na barriga chamaria esse lugar de lar?

Matt tirou os olhos do livro quando a esposa se aproximou. Tinha sido uma decisão difícil dizer adeus e deixar sua antiga vida para trás. Uma das coisas mais duras que já fizera. Mas ao observar a mulher que amava cruzar o piso em mosaico vestindo um cafetã branco esvoaçante, o rosto iluminado pela alegria e pela promessa da maternidade que se aproximava, ele soube que tinha tomado a decisão certa.

— Quer dar uma volta pelo mercado? — perguntou Lisa. — Podemos ver o sol se pôr.

Matt Daley queria.

Queria muito.

Marrocos era um sonho, um conto de fadas. Era o lugar a que pertenciam. Matt levara bem pouco dinheiro consigo quando deixou os Estados Unidos. Queria que Cassie e as crianças tivessem tudo. Esse era o mínimo que ele podia fazer depois de abandoná-los da forma como fizera, sem explicação além de um beijo de adeus. Ele se sentia culpado. Claro que se sentia. A última coisa no mundo que queria era fazer a querida Cassie sofrer. Mas a verdade era que o homem com quem ela se casou morreu no dia em que ele encontrou Lisa naquele café. O homem com quem ela se casou não existia mais. A única coisa que Matt podia fazer por ela era deixá-la bem financeiramente, com um bebê tão desejado para fazer com que se lembrasse dele e o filho dela para confortá-la. Isso e desaparecer sem deixar vestígios.

Seria mais difícil para Claire e para a mãe deles, claro. Matt sofria por isso, tanto que se sentiu tentado a contar toda a verdade para Claire antes de desaparecer. Mas sabia que se fizesse isso, estaria colocando Lisa em risco. O que quer que fizesse em sua vida, Matt nunca mais colocaria Lisa em risco. Ela era sua família agora. Seu destino.

De qualquer forma, não era caro viver bem em Marrakech. Lisa tinha um pouco de dinheiro que poupara no Brasil, e ambos estavam trabalhando — Matt escrevendo anonimamente como jornalista freelancer, e Lisa ensinando inglês em uma escola local e, de vez em quando, vendendo seus lindos quadros para turistas americanos que frequentavam hotéis como este, o Palais Kasim, onde Matt reservara um quarto duplo modesto enquanto procuravam uma casa.

Passeando pelo mercado como faziam todos os dias, eles eram invadidos pelos aromas do lugar. Barracas de frutas emanavam um cheiro doce e rico, os restos dos produtos do dia começando a apodrecer sob o calor do final da tarde. Suor e poeira, o cheiro de milhares de corpos amontoados, misturado com o aroma de mel selvagem e a riqueza das barracas de *baklava* de nozes, cheias de abelhas.

Para Lisa, esses cheiros, sons e imagens evocavam lembranças que não eram bem lembranças, mas que pareciam tão reais para ela como o ar em seus pulmões ou o bebê que ainda não chutava em seu útero. Este era o mundo de Miriam, o mundo do livro, o mundo da infância que ela nunca teve, mas que desejara tanto poder experimentar. E agora estava aqui, vivendo isso de verdade, finalmente cumprindo seu destino. Não as versões distorcidas e assassinas que Frankie fizera de seu destino, mas uma versão boa, um conto de fadas, o final feliz em que se casava com o homem que amava: Matt. Matt, que ficou ao seu lado quando mais ninguém ficou. Matt, que sabia de tudo sobre ela... Bem, quase tudo... Mas ainda a amava.

Para Matt, as atrações do mercado eram ainda mais simples. Aqui havia um labirinto, uma colmeia de humanos anônimos onde uma pessoa podia sumir, desaparecer como um grão de areia na praia. Era cheio de vida, calor humano, e alegria o exílio mais populoso que se podia imaginar. Sentia-se seguro aqui, cercado pelas multidões e envolvido pelo amor de Lisa.

— Matt, me dê a mão. Quero lhe mostrar uma coisa. — Sorrindo sobre os ombros, Lisa o levou por uma ladeira estreita até uma íngreme escadaria de pedra, que subia e subia em espiral até outra rua estreita. À esquerda, havia uma fila de barracas antigas de padeiros, o cheiro delicioso que enchia o ar, depois mais barracas de seda e madeira entalhada, parecidas com as que tinham acabado de ver na rua de baixo. À direita, havia uma rua sem saída, com uma única e dilapidada *riad*, uma tradicional casa marroquina, com três andares e vista para a rua de baixo.

— O que você acha? Sei que parece ridículo, mas é exatamente como eu imaginava a casa do tio Sulaiman.

Matt franziu o cenho de forma indulgente.

— Mas tio Sulaiman não era rico? Esta casa parece que vai cair se a soprarmos.

Lisa deu de ombros.

— Não caiu em 600 anos. As aparências enganam, sabe?

Ambos sorriram.

— Ela, pelo menos, está à venda?

— Não sei. Mas não seria divertido descobrir? — Lisa estava entusiasmada. — Podíamos reformá-la juntos, fazer com que fique com a nossa cara. Você tem que admitir que é uma casa romântica. Pense em como seríamos felizes morando nela!

Matt pensou em como seriam felizes ali... E fez uma oração silenciosa em agradecimento.

Talvez não merecesse tal felicidade. Talvez nenhum dos dois merecesse. Mas este agora era o livro *deles,* a história deles. Juntos, Matt Daley sabia, eles viveriam felizes para sempre.

Epílogo

O OFICIAL DA POLÍCIA DE Los Angeles entrou no quarto e ficou sufocado. Então correu para fora e vomitou até que não tivesse mais nada em seu estômago.

Havia sangue para todos os lados. *Todos os lados.* Mas não era sangue fresco. Era sangue velho, cozido, escuro e fedorento. No centro, havia o que restava de um corpo, agora verde-acinzentado, fétido, coberto por lodo, crivado de larvas. Apenas um osso aqui, outro ali, aparecendo, branco e brilhante, mostrando que aquilo já tinha sido um ser humano.

Tampando o nariz e a boca, o policial entrou de novo.

— Há quanto tempo ele está... assim? — perguntou ele ao patologista.

O patologista balançou a cabeça.

— Impossível dizer. Dois ou três meses. Talvez mais. Faremos alguns testes nas larvas. Isso nos dará uma ideia.

Ao escutar a palavra *larva,* o policial vomitou de novo, mas forçou-se a ficar onde estava.

— Homem? Mulher? Idade?

— Homem. Trinta e dois anos. Faria 33 em junho.

O detetive estava impressionado.

— Você consegue dizer tudo isso só olhando para... *Aquilo?*
— Ele fitou o corpo apodrecido com nojo.

— Não. Seu tenente acabou de me dizer. Ele assinou um contrato de aluguel três meses atrás. Todas as informações pessoais estão nele.

Bem neste momento, o tenente entregou ao seu chefe uma única folha de papel. Era uma cópia e estava um pouco manchada, mas o nome no topo estava claro. O detetive fitou, pensando. Tinha a sensação de que se lembrava do nome de algum lugar. Mas o pensamento se desfez, assim como a pele que se soltava dos ossos do coitado.

O nome no contrato de aluguel era Carlos Hernandez.

Agradecimentos

MINHA GRATIDÃO E MEU amor à família Sheldon, em especial a Alexandra e Mary, por toda sua bondade e pelo seu apoio. Como sempre, também sou grata a meus editores, May Chen e Sarah Ritherdon, por tudo que fizeram para moldar meu manuscritos quando ainda estavam muito crus, e a todo o time da HarperCollins pelo profissionalismo e trabalho árduo. A meus agentes, Luke e Mort Janklow e Tim Glister em Londres, e a todos da Janklow – vocês são os melhores. Finalmente, agradeço à minha maravilhosa família, principalmente ao meu marido Robin, por me ajudar a superar minhas crises enquanto eu escrevia, e aos nossos quatro incríveis filhos: Sefi, Zac, Theo e a pequena Summer. Também agradeço à minha querida irmã Alice, a quem este livro é dedicado. Eu estaria perdida sem você, Al.

Este livro foi composto na tipografia
Minion Pro, em corpo 11/15, e impresso em
papel off-set no Sistema Digital Instant Duplex
da Divisão Gráfica da Distribuidora Record.